D0928472

COMMENT SE DÉBARRASSER D'UN VAMPIRE AMOUREUX

Beth Fantaskey

COMMENT
SE DÉBARRASSER
D'UN VAMPIRE AMOUREUX

Traduit de l'anglais (États-Unis) par Elsa Ganem

ÉDITIONS FRANCE LOISIRS

Titre original : *Jessica's Guide to Dating on the Dark Side*

Publié par Harcourt Children's Books,
un département de Houghton Mifflin Harcourt Publishing Company.

Édition du Club France Loisirs,
avec l'autorisation des Éditions du Masque.

Éditions France Loisirs,
123, boulevard de Grenelle, Paris.
www.franceloisirs.com

Le Code de la propriété intellectuelle n'autorisant, aux termes des paragraphes 2 et 3 de l'article L. 122-5, d'une part, que les « copies ou reproductions strictement réservées à l'usage privé du copiste et non destinées à une utilisation collective » et, d'autre part, sous réserve du nom de l'auteur et de la source, que les « analyses et les courtes citations justifiées par le caractère critique, polémique, pédagogique, scientifique ou d'information », toute représentation ou reproduction intégrale ou partielle, faite sans le consentement de l'auteur ou de ses ayants droit ou ayants cause, est illicite (article L. 122-4). Cette représentation ou reproduction, par quelque procédé que ce soit, constituerait donc une contrefaçon sanctionnée par les articles L. 335-2 et suivants du Code de la propriété intellectuelle.

© 2009 by Beth Fantaskey
© 2009 Éditions du Masque, un département des éditions Jean-Claude Lattès, pour la traduction française.
ISBN : 978-2-298-03379-3

À mes parents,
Donald et Marjorie Fantaskey.

« Souvenez-vous bien, mesdemoiselles : le jeune vampire mâle est un prédateur naturel. Certains garçons pourraient ne pas voir en vous seulement l'élue de son cœur, mais aussi une proie… »

Chapitre 1, extrait du *Guide pratique des relations, de la santé et des sentiments à l'intention des jeunes vampires.*

1.

La première fois que je le vis, c'était début septembre. Ce matin-là, des langues de brouillard serpentaient entre les plants flétris des champs de maïs. Postée au bout du chemin poussiéreux de notre ferme, j'attendais le bus scolaire.

Pour faire passer le temps – et en bonne matheuse que j'étais –, je calculais le nombre de fois où j'avais attendu ce bus au cours des dix dernières années. C'est là que je le remarquai.

Il était assis sous un hêtre centenaire, de l'autre côté de la route, dissimulé par des branches basses et noueuses. Malgré l'ombre qui l'entourait, je distinguai un jeune homme de grande taille vêtu d'un long manteau sombre qui ressemblait à une cape.

Cette portion de bitume que je connaissais si bien me sembla tout à coup affreusement inquiétante. Je sentis ma gorge se serrer. Que pouvait bien faire ce type sous cet arbre, au beau milieu de nulle part et à une heure pareille ?

Sans doute remarqua-t-il que je l'observais, car il bougea légèrement, comme s'il hésitait à partir. Ou à traverser la route.

Pour la première fois, je me rendis compte à quel point j'étais vulnérable, à attendre le bus toute seule.

Je lançai un coup d'œil vers la route, le cœur battant la chamade. Mais où était ce maudit bus ? Et pourquoi fallait-il que mon père m'oblige à prendre les transports en commun alors que j'aurais pu avoir une voiture, comme la plupart des élèves de terminale ? Bien sûr, il fallait que je « préserve l'environnement » ! Et je parie que si je m'étais fait enlever par ce type louche, papa aurait insisté pour que mon avis de recherche n'apparaisse que sur des briques de lait en carton recyclé...

Pendant la fraction de seconde où je pestais contre mon père, l'inconnu avait avancé dans ma direction, et, juste au moment où, par bonheur, le bus apparaissait à quelques dizaines de mètres de là, je crus l'entendre prononcer le mot « Antanasia ».

Mon ancien nom... Celui que j'avais reçu à ma naissance, en Europe de l'Est, avant d'être adoptée aux États-Unis, où l'on m'avait rebaptisée Jessica Packwood...

Peut-être avais-je imaginé des choses ? Après tout, sa voix avait été couverte par le bruit des pneus sur la chaussée mouillée, de l'embrayage grinçant, et du chuintement des portes que le chauffeur, M. Dilly, avait ouvertes devant moi. Ah ! Ce bon vieux bus numéro 23 ! Mon sauveur ! Je n'avais jamais été aussi heureuse de le voir.

Avant de redémarrer, M. Dilly grommela son habituel « B'jour Jess ». Je m'avançai dans l'allée centrale à la recherche d'une place libre ou d'un visage connu parmi les passagers à moitié endormis. Il y a vraiment des fois où je me serais bien passée de vivre en pleine campagne. Les jeunes de la ville, eux, étaient sûrement encore en train de dormir tranquillement au fond de leur lit.

Soulagée, je me laissai tomber sur un siège libre que j'avais repéré au fond du bus. J'avais peut-être réagi de manière excessive, finalement. Sans doute mon imagination s'était-elle emballée, polluée par tous les criminels recherchés de l'émission *America's Most Wanted*. À moins que l'inconnu en ait vraiment après moi… Fébrile, je me retournai pour regarder à travers la vitre arrière.

Non ! Il était encore là, mais se tenait à présent au milieu de la route, une botte de chaque côté de la double ligne jaune. Les bras croisés, il regardait le bus s'éloigner. Il *me* regardait.

– Antanasia…

M'avait-il vraiment appelée par ce nom depuis si longtemps oublié ?

Et s'il le connaissait, qu'est-ce que ce sinistre inconnu savait d'autre sur mon passé ?

Et surtout, que me voulait-il à présent ?

2.

— Voilà qui résume assez bien mon été au camp, soupira ma meilleure amie, Melinda Sue Stankowicz, en poussant la lourde porte vitrée du lycée Woodrow Wilson. Des gamins qui veulent rentrer chez eux, un coup de soleil, des orties et d'énormes araignées dans les douches.

— À t'entendre, c'est la galère d'être moniteur, commentai-je avec compassion alors que nous pénétrions dans le hall familier qui sentait le détergent et la cire. Si ça peut te consoler, j'ai dû prendre au moins deux kilos avec mon boulot de serveuse au resto. Je m'empiffrais à chaque fois que j'avais une pause.

— Ça ne se voit pas, objecta Mindy pour que je cesse de me plaindre. Par contre, tes cheveux…

— Hé ! protestai-je en lissant mes boucles rebelles. Je te signale que j'ai passé une heure avec le sèche-cheveux et le « baume défrisant » qui m'a coûté une semaine de pourboires…

Je me tus, réalisant que Mindy ne m'écoutait plus. Je suivis son regard, qui était dirigé vers les casiers, dans le couloir.

— En parlant de beauté…, dit-elle.

Jake Zinn, qui vivait dans une ferme proche de la nôtre, se débattait avec la nouvelle combinaison de son casier.

S'efforçant de déchiffrer un bout de papier qu'il tenait dans la main gauche, il secouait le cadenas avec la droite. Un tee-shirt blanc visiblement neuf accentuait son bronzage, et ses manches courtes révélaient des biceps saillants.

— Jake est vraiment trop beau, murmura Mindy alors que nous nous approchions de lui. Il a dû s'inscrire à un club de gym ou quelque chose du genre. Et... tu crois qu'il s'est fait faire un balayage ?

— Il a trimballé des balles de foin tout l'été, Mindy. Il n'a pas besoin de faire de la muscu, ni de se décolorer les cheveux.

Alors que nous passions devant lui, Jake leva les yeux et me sourit.

— Salut Jess !

— Salut, répondis-je.

Comme je ne savais pas quoi ajouter, Mindy poursuivit pour éviter un silence gênant :

— On dirait qu'ils t'ont donné la mauvaise combinaison. Tu as essayé d'y mettre un coup de pied ?

Jake ignora cette suggestion et s'adressa à moi :

— Je ne t'ai pas vue au restaurant hier soir.

— Non, j'ai arrêté d'y travailler. C'était juste pour l'été.

Jake sembla un peu déçu.

— Ah ! Alors je suppose que je vais devoir te chercher dans les couloirs maintenant.

— Ouais. Et puis on aura sûrement des cours en commun, ajoutai-je en me sentant rougir. À plus !

J'entraînai Mindy avec moi dans le couloir.

— C'était quoi, ça ? me demanda-t-elle lorsque nous fûmes hors d'écoute, jetant un coup d'œil à Jake par-dessus son épaule.

J'avais de plus en plus chaud.

— C'était quoi *quoi* ?

— Jake qui a l'air tout triste d'apprendre que tu ne travailles plus au resto. Et toi qui rougis comme une pivoine...

— Ce n'est rien. Il m'a raccompagnée plusieurs fois à la maison après le boulot. On a traîné un peu ensemble, c'est tout... Et je ne suis pas rouge comme une pivoine !

Mindy arborait un petit sourire malicieux.

— Vraiment ? Toi et Jake, hein ?

— Il n'y a rien de sérieux, insistai-je.

Je vis dans le regard de Mindy qu'elle savait que je n'avais pas été tout à fait honnête.

— Je sens que ça va être une année intéressante.

— En parlant de choses intéressantes...

J'allais lui raconter l'épisode de l'inconnu de l'arrêt de bus lorsqu'un frisson me parcourut : j'avais l'impression qu'on m'observait.

— Antanasia...

Cette voix caverneuse résonnait dans ma tête, comme ces cauchemars dont on ne se souvient qu'à moitié.

J'essayai de reprendre mes esprits. Je raconterais cette histoire à Mindy plus tard. À moins que je finisse par oublier complètement ce type. Évidemment, il ne pouvait en être autrement !

Pourtant, je n'arrivais pas à me débarrasser de cette sensation désagréable.

3.

— Ce cours va être passionnant, promit une Mme Wilhelm bouillonnante d'enthousiasme tandis qu'elle distribuait la liste des lectures pour le cours de littérature anglaise intitulé « De William Shakespeare à Bram Stoker ». Vous allez adorer les classiques que j'ai choisis. Préparez-vous à vivre une année pleine de quêtes épiques et de romances déchirantes. Et tout cela sans même franchir les murs du lycée !

À entendre les nombreuses plaintes que provoquait la liste qui circulait dans la classe, l'enthousiasme de Mme Wilhelm pour les batailles épiques et les histoires d'amour impossibles n'était pas partagé par tous. Frank Dormand, mon éternel persécuteur, affalé sur sa chaise comme un gros mollard gluant, me fit passer la liste que je parcourus rapidement pour me faire ma propre opinion. Oh non ! Pas *Ivanhoé*. Et *Moby Dick*... Qui avait le temps de lire *Moby Dick* ? Moi qui espérais avoir une vie sociale cette année. Sans parler de *Dracula*... Par pitié ! S'il y avait une chose que je détestais, c'était bien les contes de fées bizarres sans aucune logique ni lien avec la réalité. Ça, c'était le domaine de mes parents, et je n'avais pas du tout envie de m'y aventurer.

Jetant un coup d'œil furtif de l'autre côté de la rangée, je lus la même détresse dans les yeux de Mindy, qui me chuchota :

– C'est où Hurlevent ?

– Je n'en ai aucune idée. On fera des recherches.

– Je vais vous faire passer un plan de classe, lança Mme Wilhelm en arpentant les rangées. La place que vous avez aujourd'hui sera la vôtre pour toute l'année. Je vois quelques visages nouveaux, et j'aimerais retenir vos noms le plus rapidement possible, alors ne changez pas de place.

Je me tassai sur ma chaise. Super… J'étais condamnée à supporter pendant une année entière Frank Dormand et ses commentaires bêtes et méchants. Et Faith Crosse, la pom-pom girl la plus vache de tout le lycée, avait décidé de s'asseoir juste derrière moi. J'étais prise en sandwich entre les deux êtres les plus abjects de l'école. Heureusement, Mindy se trouvait de l'autre côté de la rangée, et Jake – qui m'adressa un grand sourire lorsque nos regards se croisèrent – s'était installé à ma gauche. Ça aurait pu être pire…

Frank se retourna pour me passer le plan de classe.

– Tiens, Jessicaca. (Il m'avait trouvé ce surnom à la maternelle.) Tu devrais écrire ça sur la feuille.

Voilà. Bête et méchant, comme je l'avais prédit. Courage ! Plus que cent quatre-vingts jours à tenir !

– Moi au moins, je sais écrire mon nom.

Pauvre type.

Pour éviter le regard noir qu'allait me lancer Dormand, je fouillai dans mon sac à dos pour trouver un stylo. Mais lorsque je voulus écrire mon nom, la pointe était toute sèche. Il faut dire qu'il était resté sans bouchon dans mon sac pendant tout l'été. Je le secouai, réessayai, mais rien à faire.

J'étais sur le point de demander à Jake de m'en prêter un lorsqu'une petite tape sur l'épaule droite m'interrompit. J'aurais aimé l'ignorer, mais cela se répéta une seconde fois.

– Excuse-moi. Aurais-tu besoin d'un instrument pour écrire ?

18

Cette voix grave et cet accent européen inhabituel venaient de derrière. Je n'eus d'autre choix que de me retourner.

Non !

C'était lui. Le type de l'arrêt de bus. Impossible de ne pas reconnaître sa tenue bizarre – ce long manteau et ces bottes –, sans parler de sa haute stature. Et cette fois, il se trouvait à moins d'un mètre de moi, suffisamment près pour que je voie ses yeux. Ils étaient très sombres, presque noirs, et j'eus la curieuse impression qu'une intelligence froide et troublante me transperçait. Comme paralysée, j'avalai ma salive avec difficulté.

Était-il dans la classe depuis le début ? Si c'était le cas, comment avais-je pu ne pas le remarquer ?

Peut-être parce qu'il était assis à l'écart. Ou parce que même l'air autour de lui semblait embrumé à cause de la lumière du néon qui s'était éteinte au-dessus de son bureau. Mais il y avait autre chose. On aurait dit qu'il *créait* l'obscurité. *Tu es ridicule, Jess… C'est un être humain, pas un trou noir…*

– Tu as besoin de quoi écrire, non ? répéta-t-il.

Il déplia son bras long et musclé pour me tendre un stylo doré. Non, pas un vulgaire Bic en plastique, mais un véritable stylo en or. Rien qu'à sa façon de briller, on voyait qu'il coûtait cher. En me voyant hésiter, son visage princier laissa transparaître un signe de contrariété. Il secoua alors le stylo devant mon nez.

– Je suppose que tu sais ce qu'est un stylo ? Tu as l'habitude d'en utiliser, n'est-ce pas ?

Je n'aimais pas son sarcasme, ni le fait que, pour la deuxième fois en une journée, il se retrouve à côté de moi sans que je m'en aperçoive. Alors que je le dévisageais, Faith Crosse s'approcha et me pinça le bras.

– Tu as juste à signer cette feuille, Jenn, OK ?

19

– Aïe !

Je frottai mon bras à l'endroit où un bleu allait sûrement apparaître, regrettant de ne pas avoir le courage d'envoyer balader Faith, aussi bien par principe que parce qu'elle s'était trompée de prénom. Mais la dernière personne qui s'était frottée à Faith avait fini par demander un transfert pour Sainte-Monica, l'école catholique de la ville. Faith avait fait de sa vie un véritable enfer.

– Dépêche-toi, Jenn, aboya Faith.

– Ça va, ça va.

Je tendis la main vers celle de l'étranger, acceptant à contrecœur le stylo en or. Lorsque nos doigts se touchèrent, je ressentis la sensation la plus étrange de toute ma vie. Un mélange bizarre de déjà-vu et de prémonition. Le passé se mêlant à l'avenir.

Son sourire révéla des dents parfaitement droites et blanches, qui étincelaient comme des lames aiguisées. Au-dessus de lui, le néon reprit vie l'espace d'une seconde, à la manière d'un éclair.

Ça, c'était bizarre.

M'apprêtant à écrire mon nom sur le plan de classe, je remarquai que ma main tremblait. C'était ridicule. Pourquoi me mettre dans un tel état ? Après tout, ce n'était qu'un élève comme un autre. Un nouveau qui devait vivre près de chez nous avait probablement attendu le bus, comme moi, et l'avait raté pour une raison quelconque. Sa mystérieuse apparition dans le cours d'anglais – juste à côté de moi – n'avait sans doute rien d'alarmant.

Je regardai Mindy pour avoir son avis. Les yeux écarquillés, elle balança son pouce en direction du garçon et articula de manière exagérée :

– Qu'est-ce qu'il est sexy !

Sexy ?

– Tu plaisantes ? murmurai-je.

D'accord, objectivement, ce type était charmant. Mais il était aussi totalement terrifiant avec sa cape et ses bottes, et surtout sa capacité à surgir de nulle part.

– Tu as fini avec cette feuille ? grogna Faith derrière moi.

– Tiens, dis-je en lui passant le plan de classe.

Faith m'arracha la feuille de la main, m'entaillant le doigt d'une coupure fine mais profonde.

– Aïe !

J'agitai mon doigt ensanglanté, et, en le mettant dans ma bouche, je sentis le goût du sel sur ma langue. Je me retournai pour rendre le stylo à son propriétaire. Le plus tôt serait le mieux…

– Tiens ! Merci.

Voyant qu'il fixait ma main, je me rendis compte que du sang coulait sur son stylo hors de prix.

– Désolée, fis-je en essuyant le stylo sur mon jean.

Argh. Pourvu que cette tache parte au lavage.

Comme son regard restait rivé sur mes doigts, j'en conclus que la vue du sang le dégoûtait. Pourtant, j'aurais juré qu'il y avait autre chose dans ses yeux noirs… Et là, il passa la langue sur ses lèvres.

Qu'est-ce que ça signifiait ?

Je lui rendis brusquement son stylo avant de me retourner. J'aurais pu changer d'école, comme cette fille qui avait affronté Faith. Aller à Sainte-Monica. C'était la seule solution. Il n'était pas encore trop tard…

Une fois le plan de classe revenu entre les mains de Mme Wilhelm, elle lut les noms un par un, puis adressa un sourire à quelqu'un derrière moi.

– Prenons un moment pour accueillir votre nouveau camarade venu de l'étranger, Lucius… (Elle fit une pause pour se reporter à la liste en fronçant les sourcils.) Vladescuuu. C'est bien cela ?

Un autre élève aurait marmonné un « Ouais, peu importe ». Après tout, qui accordait de l'importance à un nom mal prononcé ? Mais mon illuminé du matin, lui, répliqua :

– Non ! Ça ne se prononce pas ainsi.

J'entendis le raclement d'une chaise sur le lino, puis une ombre surgit derrière moi. Je frissonnai à nouveau.

– Ah bon !

Mme Wilhelm sembla légèrement inquiète en voyant ce grand adolescent vêtu d'une cape noire se diriger vers elle. Elle pointa vers lui un doigt menaçant pour lui demander de se rasseoir, mais il passa à côté d'elle comme si de rien n'était.

Il attrapa un feutre sous le tableau blanc et traça d'une écriture fluide le mot « Vladescu ».

– Mon nom est Lucius Vladescu, déclara-t-il en désignant son nom avec la pointe du feutre. Prononcé VladescOU. Faites attention à la dernière syllabe, s'il vous plaît.

Le poing serré derrière son dos, il arpentait la classe comme l'aurait fait un professeur. Puis il regarda dans les yeux chacun des élèves, un à un. Il semblait nous jauger, mais je sentis dans son regard que, pour une raison ou une autre, nous n'étions pas à la hauteur de ses attentes.

– Sachez que le nom des Vladescu est vénéré dans toute l'Europe de l'Est, reprit-il comme s'il donnait un cours. C'est un nom noble. (Il s'arrêta et plongea son regard dans le mien.) Un nom royal. Cela fait-il « tilt », comme vous dites chez vous ? demanda-t-il à l'ensemble de la classe.

Je n'avais aucune idée de ce qu'il voulait dire. Pourtant, c'était bien moi qu'il fixait, et qu'est-ce que ses yeux étaient sombres !

Je détournai la tête et remarquai que Mindy se ventilait. On aurait dit qu'elle était ensorcelée. Comme tout le reste de la classe, d'ailleurs. Je ne voyais personne s'agiter, soupirer, ou faire mine de griffonner…

Contre mon gré, je reportai mon attention sur l'adolescent qui avait pris le cours de littérature en otage. Il était presque impossible de ne pas le regarder. Les longs cheveux noirs et brillants de Lucius Vladescu n'étaient pas à leur place, ici, dans le comté de Lebanon, en Pennsylvanie. En revanche, il n'aurait pas du tout détonné parmi les mannequins des magazines de Mindy. Mince et musclé, il avait les pommettes hautes, un nez bien droit et une mâchoire saillante. Et ces yeux…

Pourquoi me lançait-il ces regards perçants ?

– Désirez-vous ajouter quelque chose ? demanda enfin Mme Wilhelm.

Droit dans ses bottes, Lucius Vladescu fit demi-tour pour se retrouver face au professeur et referma le feutre d'un claquement sec.

– Non, pas spécialement.

Cette réponse n'était pas vraiment grossière… mais on ne pouvait pas dire non plus qu'il s'adressait à Mme Wilhelm comme aurait dû le faire un élève. Plutôt comme un confrère.

– Nous serions ravis d'en apprendre plus sur vos origines, ajouta Mme Wilhelm. Cela m'a l'air très intéressant.

L'attention de Lucius se porta de nouveau sur moi.

Je me fis toute petite. Étais-je la seule à remarquer tout cela ?

– Vous en apprendrez plus sur moi le moment venu.

Il y avait comme de la frustration dans sa voix. Sans savoir pourquoi, cela me faisait peur.

– Je vous en fais la promesse, poursuivit-il, le regard toujours braqué sur moi.

Bizarrement, cela sonnait plutôt comme une menace.

4.

— Tu as vu comment l'étranger te regardait pendant le cours de littérature ? s'écria Mindy en sortant de la classe. Il est trop beau, et je suis sûre qu'il en pince pour toi ! En plus, c'est un vrai prince.

Je lui attrapai le poignet pour qu'elle se calme.

— Mindy… avant que tu achètes un cadeau pour notre mariage « princier », il faut que je te dise quelque chose à propos de ce type que tu trouves « trop beau ».

Elle croisa les bras avec un air sceptique. Je voyais bien que Mindy s'était déjà fait une opinion sur Lucius Vladescu, une opinion qui se fondait uniquement sur ses larges épaules et sa mâchoire carrée.

— Qu'est-ce que tu lui reproches ? On le connaît même pas.

— En fait, je l'ai vu ce matin. Ce type… Lucius… il était à l'arrêt de bus. Et il me dévisageait.

Mindy leva les yeux au ciel.

— Et alors ?

— Il n'est pas monté.

— C'est qu'il l'a raté, dit-elle en haussant les épaules. C'est peut-être bête, mais ça n'a rien d'extraordinaire.

Mindy n'y était pas du tout.

– C'est plus bizarre que ce que tu penses, insistai-je. Je… je crois que je l'ai entendu prononcer mon nom. Au moment où le bus arrivait.

Elle ne semblait pas comprendre.

– Mon *ancien* nom, précisai-je.

Elle retint son souffle.

– OK. Ça, c'est peut-être un peu bizarre.

– Personne ne connaît ce nom. Personne.

À vrai dire, je n'avais même jamais vraiment parlé de mon passé à Mindy. L'histoire de mon adoption faisait partie de mon jardin secret. Si les gens l'apprenaient… ils me trouveraient bizarre. Je me sentais déjà différente chaque fois que je pensais à tout ça. À l'époque, ma mère adoptive, une anthropologue culturelle, étudiait un étrange culte en Roumanie. Elle séjournait là-bas avec mon père pour observer ses rituels, dans l'espoir d'écrire un article révolutionnaire sur cette subculture si particulière. Mais les choses avaient mal tourné en Europe de l'Est. Ce culte était un peu trop étrange, un peu trop original au goût de certains villageois roumains, qui s'étaient ligués pour éliminer ce groupuscule par la force.

Avant que la foule n'attaque, mes parents biologiques m'avaient confiée, alors même que je n'étais qu'un nourrisson, à ces chercheurs américains en les suppliant de m'emmener dans leur pays, où je serais en sécurité.

Je détestais cette histoire. Je détestais le fait que mes parents biologiques étaient des personnes ignorantes et superstitieuses qui s'étaient fait enrôler dans une secte. Je n'avais même jamais cherché à savoir de quel genre de rituels il s'agissait. Je ne connaissais que ce que ma mère avait étudié. Les sacrifices d'animaux, les arbres vénérés, les vierges jetées dans des volcans… Peut-être mes parents biologiques avaient-ils été impliqués dans des histoires de déviance sexuelle. Peut-être était-ce pour cela qu'ils avaient été tués.

Qui savait ? Et qui voulait savoir ?

Je n'avais jamais demandé de détails, et mes parents adoptifs n'avaient jamais insisté pour m'en donner. J'avais toujours été heureuse d'être Jessica Packwood, l'Américaine. Pour moi, Antanasia Dragomir n'existait pas.

— Tu es certaine qu'il connaît ton nom ? insista Mindy.

— Non, avouai-je. Mais je crois l'avoir entendu.

— Oh, Jess, soupira-t-elle, personne ne connaît ce nom. Tu te fais sûrement des idées. Il a peut-être prononcé un mot qui ressemblait à Antanasia.

Je regardai Mindy de travers.

— Quel mot ressemble à Antanasia ?

— Je ne sais pas moi. Peut-être « Attendez-moi ».

— Ouais, peut-être.

Au moins, cela me fit sourire.

À la pause de midi, j'avais appelé ma mère pour la prévenir que je ne prendrais pas le bus pour rentrer. Après les cours, alors que nous marchions vers sa voiture pour qu'elle nous ramène, Mindy en rajouta une couche :

— Ce que je veux dire, c'est que tu pourrais peut-être laisser une chance à ce Lucius.

— Pourquoi ?

— Parce que… parce qu'il est si grand, justifia Mindy comme si être grand était synonyme de bonne nature. Et il vient d'Europe !

J'aperçus alors le van Volkswagen rouillé de ma mère.

— Évidemment, il vaut mieux être traquée par un grand Européen que par un Américain de taille moyenne.

— Au moins, Lucius fait attention à toi, ajouta Mindy avec une moue. Personne ne fait jamais attention à moi.

À peine avais-je ouvert la portière du van que Mindy me poussa pour se pencher à l'intérieur et lâcher :

— Madame Packwood, Jess a un petit copain !

— C'est vrai, Jessica ?

26

À mon tour, je poussai Mindy. Je grimpai dans la voiture et claquai la portière, laissant avec soulagement ma copine de l'autre côté. Mindy m'adressa un signe en riant, alors que maman et moi nous éloignions.

— Un petit copain, Jessica ? répéta ma mère. Dès le jour de la rentrée ?

— Ce n'est pas mon petit copain, grognai-je en mettant ma ceinture. C'est un nouvel élève qui me donne la chair de poule et qui me suit partout.

— Je suis sûre que tu exagères, Jessica. Les jeunes adolescents font souvent preuve de maladresse. Il est probable que tu aies mal interprété son comportement.

Comme tous les anthropologues, maman croyait tout savoir sur les humains et leurs relations.

— Tu ne l'as pas vu ce matin à l'arrêt de bus, argumentai-je. Il était là, debout dans sa longue cape noire… Et en cours, quand mon doigt a saigné, il s'est léché les lèvres…

À ces mots, maman freina si brusquement que ma tête faillit heurter le pare-brise. Le conducteur derrière nous klaxonna rageusement.

— Maman ! Qu'est-ce qui te prend ?

— Pardon, Jessica, dit-elle, soudain pâle. (Puis elle redémarra.) C'est juste quand tu as dit… que tu t'étais coupée.

— Oui, je me suis coupé le doigt, et il a pratiquement bavé dessus, comme si c'était une frite recouverte de Ketchup, expliquai-je en frissonnant. C'était carrément répugnant.

Comme maman blêmissait, je compris qu'elle me cachait quelque chose.

— Qui… qui est ce garçon ? demanda-t-elle en s'arrêtant à un stop près de l'université où elle enseignait. Comment s'appelle-t-il ?

Je voyais bien qu'elle avait du mal à paraître détachée, et cela accentua ma nervosité.

— Il s'appelle...

Au moment où j'allais dire « Lucius », je l'aperçus, assis sur le muret du campus. Il me fixait. Encore ! Je frissonnai. Mais cette fois, je n'en pouvais plus.

— Il est juste là ! m'écriai-je, tapant du doigt contre la vitre. Et il est encore en train de m'observer !

Il ne faisait pas preuve de maladresse. Il me traquait.

— Qu'il me fiche la paix !

Et là, ma mère fit quelque chose d'inattendu. Elle avança vers le trottoir où se trouvait Lucius.

— Comment s'appelle-t-il ? répéta-t-elle en détachant sa ceinture.

Pensant qu'elle allait le provoquer, je l'attrapai par le bras.

— Non, maman. C'est un déséquilibré.

— Son nom, Jess.

— Lucius. Lucius Vladescu.

— Oh, mon Dieu..., marmonna maman. Je suppose que c'était à prévoir...

Son regard était distant, étrange.

— Maman ?

Qu'est-ce qui était à prévoir ?

— Attends-moi ici, m'ordonna-t-elle sans me regarder. Ne bouge pas.

Elle semblait si grave que je ne protestai pas. Aussitôt maman descendit du van et se précipita vers celui qui m'avait suivie toute la journée. Était-elle devenue folle ? Allait-il essayer de s'enfuir ? Ou au contraire exploser et s'en prendre à elle ? Non, il descendit avec grâce du muret et s'inclina – une vraie courbette de gentleman – devant ma mère. Mais qu'est-ce que... ?

Je baissai la vitre, mais ils parlaient trop bas pour que je puisse entendre. La conversation sembla durer une éternité. Finalement, ma mère lui serra la main.

Lucius Vladescu fit demi-tour avant de s'éloigner. Maman, elle, remonta dans le van et mit le contact.

— Qu'est-ce qui s'est passé ? demandai-je, abasourdie.

Ma mère me regarda droit dans les yeux.

— Ton père et moi, il faut qu'on te parle. Ce soir.

— À propos de quoi ? m'enquis-je, l'estomac noué. Tu connais ce mec ?

— On t'expliquera plus tard. Nous avons beaucoup de choses à te raconter. Et on doit le faire avant que Lucius arrive pour le dîner.

Alors que j'essayais de me remettre de cette nouvelle, maman me caressa la main, puis reprit la route.

5.

Mes parents n'eurent pas l'occasion de me raconter. À notre arrivée à la maison, mon père était dans le studio derrière la maison et donnait un cours de yoga tantrique à des hippies défraîchis et portés sur le sexe. Alors maman me demanda d'aller vaquer à mes besognes quotidiennes.

Je nettoyais les écuries lorsque, du coin de l'œil, j'aperçus une silhouette passer la porte.

— Qui est là ? criai-je, toujours nerveuse à cause des événements de la journée.

Comme je n'obtenais pas de réponse, j'eus le mauvais pressentiment que ce visiteur était notre invité. Sans trop de surprise, le jeune Européen avança à grandes enjambées à travers le manège. C'est maman qui l'a invité, me répétais-je, il ne peut pas être si dangereux que ça.

Malgré tout, je restai cramponnée à ma fourche.

— Qu'est-ce que tu fais ici ? lançai-je en le voyant s'approcher.

— Quelles manières…, se plaignit Lucius avec son accent snob, soulevant de petits nuages de poussière à chaque pas.

Il s'arrêta tout près de moi et je fus de nouveau frappée par sa taille.

— Une dame ne meugle pas au beau milieu d'une écurie, poursuivit-il. Est-ce ainsi que l'on salue les gens ?

Étais-je en train de rêver ou le type qui m'avait épiée toute la journée me faisait une leçon de bonnes manières ?

— Je t'ai demandé ce que tu faisais ici, répétai-je en serrant ma fourche encore plus fort.

— Je suis venu pour faire plus ample connaissance, me répondit-il, tout en m'évaluant en décrivant des cercles autour de moi.

Je pivotais en même temps que lui pour le garder toujours à vue.

— Je suis sûre que toi aussi tu es impatiente de me connaître.

Pas vraiment… Je n'avais aucune idée de ce dont il parlait, mais sa façon de me dévisager des pieds à la tête ne me plaisait pas.

— Pourquoi me regardes-tu comme ça ?

Il s'arrêta de marcher et plissa le nez.

— Es-tu en train de nettoyer les écuries ? Est-ce que ce sont des excréments sur tes chaussures ?

En quoi ce qu'il y avait sur mes chaussures lui importait-il ?

— Ouais, fis-je, perplexe. Je nettoie les écuries tous les soirs.

— Toi ?

Il semblait déconcerté… et consterné.

— Il faut bien que quelqu'un le fasse.

Mais, bon sang, ça ne le regardait pas !

— Oui, mais enfin… Dans mon pays, nous avons du personnel pour ce genre de chose. Une personne de ton rang ne devrait jamais avoir à exécuter de tâche aussi basse, ajouta-t-il en faisant la grimace. C'est insultant.

En entendant cela, je ne pus que resserrer mes mains sur la fourche, et cette fois, ce ne fut pas à cause de la peur. Lucius Vladescu n'était pas seulement intimidant. Il était très agaçant.

31

– Écoute, j'en ai assez de ta façon de me prendre continuellement par surprise et de ton attitude arrogante. Pour qui tu te prends ? Et pourquoi me suis-tu partout ?

Un mélange de colère et de stupéfaction transparut dans les yeux noirs de Lucius.

– Ta mère ne t'a toujours rien dit, n'est-ce pas ? Elle m'avait pourtant juré de tout te raconter. Tes parents ne savent donc pas tenir une promesse.

– On est censés avoir une discussion tout à l'heure, bégayai-je, intimidée par sa colère manifeste. Papa donne un cours de yoga et…

Lucius éclata de rire.

– Du yoga ? Contorsionner son corps selon une série de configurations ridicules est donc plus important que d'informer sa fille à propos du pacte ? Quel genre d'homme pratique un passe-temps aussi pacifique ? Les hommes doivent s'entraîner à la guerre plutôt que de perdre leur temps à entonner des « om » et à bavasser sur la paix intérieure.

Oublie ce qu'il vient de dire sur le yoga, me dis-je.

– Un pacte ? Quel pacte ?

Mais Lucius leva les yeux au plafond en faisant les cent pas, les mains jointes dans le dos, et murmura :

– Ça s'annonce mal. Très mal. J'avais pourtant prévenu les Aïeux que tu aurais dû être renvoyée en Roumanie il y a des années. Je savais que tu ne ferais jamais une fiancée convenable, sinon…

Hein ?! Quoi ?!

– Fiancée ?

Lucius se retourna vers moi, s'approcha et se pencha pour planter son regard dans le mien.

– Je suis las de ton ignorance. Puisque tes parents refusent de t'en parler, je vais devoir t'apprendre la nouvelle moi-même, et je vais le faire très simplement.

En pointant son doigt vers sa poitrine, il m'annonça, comme s'il s'adressait à un enfant :

– Je suis un vampire.

Puis il me désigna.

– Et tu es un vampire, toi aussi. Et nous nous marierons lorsque tu auras atteint l'âge légal. Cela a été décrété lors de nos naissances.

Impossible de réaliser ce qu'il venait de dire sur le mariage, ou sur ce qui avait été « décrété ». Il m'avait traitée de « vampire ».

Cinglé. Lucius Vladescu était complètement cinglé. Et j'étais toute seule avec lui, dans une écurie déserte.

Alors, je fis ce que n'importe quelle personne sensée aurait fait : je lançai la fourche vers ses pieds et me mis à courir comme une folle vers la maison, ignorant ses hurlements de douleur.

6.

— Mais je n'ai rien d'un vampire…, geignis-je.

Mais évidemment, personne ne me portait la moindre attention. Mes parents étaient bien trop concentrés sur le pied blessé de Lucius Vladescu.

— Lucius, assieds-toi, lui ordonna ma mère, manifestement furieuse.

— Je préfère rester debout.

Maman indiqua fermement les chaises disposées autour de la table.

— Assis ! Tout de suite.

Notre invité blessé sembla vouloir désobéir, mais finalement s'installa sur une chaise en maugréant. Pendant que la tisane infusait, maman lui enleva la botte sur laquelle on distinguait clairement les marques de la fourche et papa alla chercher la trousse de premiers secours sous l'évier.

— Ce n'est qu'une petite contusion, annonça maman.

Papa sortit de dessous l'évier en rampant.

— Ça tombe bien, je n'ai pas trouvé les pansements. Par contre, la tisane est prête.

Le suceur de sang autoproclamé et dégingandé m'avait volé *ma* place à table et me dévisageait.

— Tu as de la chance que mon cordonnier n'utilise que du cuir d'excellente qualité. Tu aurais pu m'empaler. Et tu ne voudrais pas empaler un vampire, n'est-ce pas ? À ce propos, est-ce une manière d'accueillir son futur époux... ou n'importe quel invité d'ailleurs... avec une fourche ?

— Lucius, interrompit ma mère, tu as surpris Jessica. Comme je te l'ai déjà dit, son père et moi voulions être les premiers à la mettre au courant.

— Oui, mais vous avez un peu traîné, non ? Au bout de dix-sept ans, il fallait bien que quelqu'un s'en charge.

Lucius retira brusquement son pied des mains de maman, et se leva, boitant à travers la cuisine, mais avec la majesté d'un roi contrarié dans son château. Il saisit le pot de camomille, le renifla et fit la grimace.

— Ça se boit, ça ?

— Je suis sûr que tu vas aimer, assura papa en remplissant quatre tasses. C'est un très bon remède pour se calmer dans un moment pareil.

— Arrêtez avec cette tisane et dites-moi la vérité, implorai-je en récupérant la place que Lucius avait laissée libre.

Bizarrement, elle n'était pas du tout chaude... Si je ne l'avais pas vu, je n'aurais pas cru que quelqu'un y était assis une minute auparavant.

— S'il vous plaît, est-ce que quelqu'un veut bien prendre la peine de m'expliquer ? insistai-je.

— Puisque c'est leur choix, je laisserai cette tâche à tes parents, concéda Lucius.

Puis il porta la tasse fumante à ses lèvres, but une gorgée et frissonna.

— Mon Dieu ! C'est infect !

Ignorant Lucius, mes parents échangèrent un regard entendu, comme s'ils partageaient un secret.

— Ned... Qu'est-ce que tu en penses ?

Apparemment, papa comprit immédiatement de quoi elle parlait puisqu'il hocha la tête et dit :

– Je vais chercher le parchemin, annonça-t-il avant de quitter la pièce.

– Le parchemin ? *(Des parchemins, des pactes, des fiançailles ! Mais ils utilisaient tous un code ou quoi ?)* Quel parchemin ?

Maman s'assit près de moi et attrapa mes mains.

– Ma chérie. En fait, c'est un peu compliqué.

– Essaie toujours.

– Tu as toujours su qu'on t'avait adoptée en Roumanie. Et que tes parents biologiques avaient été assassinés lors d'un conflit.

– Assassinés par des paysans, précisa Lucius, renfrogné. Par une horde de gens superstitieux et haineux.

Il dévissa le couvercle du pot de beurre de cacahuètes bio de mon père, le goûta, et essuya son doigt sur son pantalon noir et aussi moulant qu'une culotte de cheval.

– Je vous en supplie, dites-moi qu'il y a quelque chose de comestible dans cette maison.

Maman se tourna vers Lucius.

– Tu veux bien te taire et rester tranquille quelques minutes, le temps que je raconte toute l'histoire à Jessica ?

Lucius s'inclina. Ses cheveux noirs brillaient sous la lampe de la cuisine.

– Bien sûr. Continuez.

– On ne t'a pas tout raconté, reprit ma mère, parce que le sujet semblait vraiment te perturber.

– Alors c'est le bon moment. Je ne peux pas être plus perturbée que maintenant.

Maman but une grande gorgée de tisane.

– Bon… alors, la vérité, c'est que tes parents biologiques ont été exécutés par une foule en colère qui voulait éradiquer les vampires de leur village.

– Des vampires ?

La blague !

— Oui, confirma-t-elle. Des vampires. Tes parents faisaient partie des vampires que j'étudiais à l'époque.

Il n'était pas rare d'entendre des mots comme *fée*, *esprit de la forêt* ou *troll* dans notre maison. En fait, la culture populaire et les légendes représentaient le principal sujet de recherches de ma mère, et tout le monde savait que mon père organisait des séminaires de « communication avec les anges » dans son cours de yoga. Mais ce n'était pas pour autant que mes parents excentriques croyaient aux films d'horreur hollywoodiens. Ils n'avaient quand même pas cru que mes parents biologiques pouvaient se transformer en chauves-souris, craignaient les rayons du soleil et avaient des canines plus longues que la normale. C'était impossible !

— Tu disais étudier un culte particulier. Une subculture aux rites étranges… Mais tu n'as jamais dit qu'il s'agissait de vampires.

— Tu as toujours été très terre à terre, Jessica. Tu n'aimes pas tout ce qui ne peut pas être expliqué scientifiquement. Ton père et moi avions peur que la vérité sur tes parents biologiques te traumatise. Alors… on a préféré rester vagues.

— Vous voulez dire que mes parents se prenaient pour des vampires ? m'écriai-je comme un petit animal.

Maman confirma d'un signe de la tête.

— Ils ne se *prenaient* pas pour des vampires, maugréa Lucius. Ils *étaient* des vampires.

Il avait récupéré sa botte et se déplaçait à cloche-pied en essayant de l'enfiler.

Alors que je restais bouche bée devant notre invité, une pensée répugnante me traversa l'esprit. Ces rituels dont parlait ma mère… mes parents biologiques…

— Ne me dites pas que… ils ne buvaient pas du sang, quand même ?

L'expression sur le visage de maman voulait tout dire, et je crus que j'allais m'évanouir. Mes parents biologiques étaient donc des buveurs de sang dérangés et pervers.

– Enfin un mets délicieux, commenta Lucius d'un air rêveur. Vous n'en auriez pas ici, par hasard…

Maman lui lança un regard menaçant.

– Je suppose que non, murmura-t-il.

– Les gens ne boivent pas de sang, insistai-je, la voix aiguë. Et les vampires n'existent pas !

Lucius croisa les bras et me lança un regard noir.

– Pardon, mais je suis là, moi.

– Lucius, s'il te plaît, dit maman avec ce ton calme et sérieux qu'elle réservait aux étudiants turbulents. Laisse le temps à Jess de digérer. Elle a un penchant analytique qui l'empêche de croire aux phénomènes paranormaux.

– Je refuse de croire aux phénomènes impossibles. Irréels !

Papa revint avec un rouleau de parchemin recouvert de moisissure.

– Les gens ont toujours eu du mal à croire en l'existence des non-morts, fit-il remarquer en posant délicatement le document sur la table. Et la fin des années quatre-vingt fut une période particulièrement difficile pour les vampires de Roumanie. Il y avait d'importantes purges tous les mois. Beaucoup de vampires respectables ont été assassinés.

– Tes parents biologiques – qui étaient assez puissants au sein de leur subculture – avaient compris qu'ils étaient condamnés à être éliminés et ont préféré te confier à nous, espérant que tu serais en sécurité aux États-Unis, expliqua maman.

– Les gens ne boivent pas de sang, répétai-je. C'est impossible ! Vous n'avez pas vu mes parents agir comme des vampires, si ? Vous ne les avez jamais vus sortir leurs canines et mordre le cou d'une victime innocente ? Je suis sûre que non, tout simplement parce que ça n'est jamais arrivé.

– En effet, admit maman en reprenant mes mains dans les siennes. Nous n'étions pas autorisés à assister à ce genre de scène.

– Cela prouve bien que ce n'est jamais arrivé.

– Non, intervint Lucius. C'est parce que la morsure est quelque chose de privé, d'intime. On n'invite pas les gens à en être témoins. Les vampires prônent la sensualité mais pas l'exhibitionnisme, parbleu ! Nous sommes discrets.

– Nous n'avons aucune raison de penser qu'on nous a menti sur ce fait, ajouta maman. Et il n'y a pas de quoi être bouleversé, Jess. C'est quelque chose de normal pour eux. Si tu avais grandi avec eux en Roumanie, cela te paraîtrait tout à fait ordinaire à toi aussi.

J'arrachai mes mains des siennes.

– Je ne pense pas, non !

Après avoir poussé un profond soupir, Lucius se remit à faire les cent pas.

– Honnêtement, j'en ai plus qu'assez. C'est pourtant simple. Toi, Antanasia, tu es l'héritière d'une longue lignée de puissants vampires. Les Dragomir. La famille royale du peuple des vampires.

Je laissai échapper un rire aigu, presque hystérique.

– La famille royale du peuple des vampires. Mais bien sûr !

– Oui. La famille royale. Voilà la dernière partie de ton histoire que tes parents semblent avoir du mal à t'avouer.

Lucius, qui était de l'autre côté de la table, se pencha et tendit ses bras vers moi tout en me regardant droit dans les yeux.

– Tu es une princesse vampire. L'héritière des Dragomir. Et je suis un prince vampire, héritier d'un clan tout aussi

39

puissant, les Vladescu. Je dirais même plus puissant, mais là n'est pas la question. On nous a liés l'un à l'autre lors d'une cérémonie de fiançailles peu après nos naissances.

En regardant ma mère, j'espérais qu'elle me viendrait en aide, mais ses paroles se limitèrent à :

— C'était une cérémonie très élaborée, presque théâtrale.

Mon père regarda ma mère avec des yeux pleins d'admiration et de nostalgie.

— Dans une cave gigantesque dans les Carpates. Il y avait des bougies partout. Nous étions les premiers étrangers à avoir l'honneur d'assister à ce genre de cérémonie.

Je les dévisageai.

— Vous y étiez ?

— Oh, tu sais, nous avons rencontré beaucoup de vampires pendant ce séjour, et nous avons participé à toutes sortes d'événements culturels très intéressants.

En se remémorant ces souvenirs, un grand sourire apparut sur le visage de maman.

— Tu devrais lire le résumé de mes recherches dans la *Revue de la culture populaire de l'Europe de l'Est*, reprit-elle C'est un document important dans le monde de l'anthropologie culturelle, si je puis me permettre.

— Laissez-moi finir, s'il vous plaît, grogna Lucius.

— Il suffit de demander, répliqua papa. Nous sommes en démocratie, et tout le monde a le droit de s'exprimer.

À en juger par le regard dédaigneux que Lucius lança à mon père, je compris que la démocratie importait peu à ce pseudo-Dracula sorti tout droit d'un délire psychotique.

— La cérémonie de fiançailles a scellé nos destinées, Antanasia. Nous nous marierons dès que tu en auras l'âge. Unir nos sangs consolidera les liens entre nos deux clans et mettra fin à des années de rivalités et de guerres, expliqua-t-il, le regard perdu dans le vague. Notre accession au pouvoir marquera un moment de gloire historique. Cinq millions de vampires, nos deux familles unies, tous sous notre autorité.

Mon soi-disant fiancé revint soudain à la réalité pour préciser, comme pour me rassurer :

— Évidemment, j'assurerai toutes les « charges », avec la sagesse d'un chef.

— Vous êtes tous complètement dingues, déclarai-je en les dévisageant un à un. C'est de la folie.

Lucius se rapprocha de moi et s'accroupit pour être à ma hauteur. Pour la première fois, je perçus dans ses yeux sombres de la curiosité et non du dédain, de la moquerie ou la soif de pouvoir.

— Serait-ce si affreux, Antanasia, d'être avec moi ?

Je n'étais pas certaine de bien comprendre ce qu'il voulait dire, mais j'imaginai qu'il parlait de… être ensemble, pas seulement dans un but politique, mais bien dans le sens romantique du terme.

Je restai silencieuse. Lucius pensait-il vraiment que je tomberais amoureuse de lui juste parce qu'il avait un visage d'ange ? Mais aussi un corps de tueur ? Et que je remarquerais qu'il portait le parfum le plus ensorcelant que j'eusse jamais senti ?

— Montrons-lui le parchemin, décréta mon père.

— Oui, l'heure est venue.

J'avais presque oublié le papier moisi… Papa s'assit et déroula soigneusement le manuscrit sur la table de la cuisine. Le papier fragile craquelait alors qu'il le défroissait du bout des doigts. Je ne parvenais pas à décrypter ce qui était écrit, mais cela ressemblait à un document légal, sûrement en roumain, avec tout un lot de signatures en bas. Je détournai le regard, refusant d'accorder plus d'attention à un tel ramassis de bêtises.

41

— Je vais traduire, proposa Lucius en se levant. À moins, bien sûr, qu'Antanasia ait pris des cours de roumain ?

— C'est sur ma liste de choses à faire, ironisai-je en grinçant des dents.

Espèce de prétentieux...

— Tu ferais mieux de t'y mettre, ma chère fiancée, dit Lucius en se rapprochant encore de moi pour lire par-dessus mon épaule.

Je sentais son souffle dans mon cou. Il était étrangement froid, calme et doux. Je me surpris à inhaler son parfum, et même à le respirer très fort. Lucius était si près que mes cheveux noirs bouclés caressaient son visage. En poussant inconsciemment une mèche qui le gênait, son doigt effleura ma joue et me fit sursauter. J'eus l'impression qu'on m'avait donné un coup de poing dans le ventre.

Si Lucius avait ressenti le même choc, il le cachait bien en se concentrant intensément sur le document. Était-ce le parfum qui m'entêtait ? Est-ce que je me faisais des idées ?

Je me reculai légèrement sur ma chaise pour éviter de le toucher à nouveau, tandis que notre invité arrogant suivait du doigt la première ligne du parchemin.

— Cela dit que, toi, Antanasia Dragomir, et moi, Lucius Vladescu, sommes liés par cet engagement, et devrons nous marier une fois que tu auras atteint la majorité, à l'âge de dix-huit ans. Tous les témoins ont consenti à cet engagement. Comme je le disais, c'est très clair. Tiens, regarde : la signature de ton père adoptif, ici. Et celle de ta mère, là.

En entendant cela, je ne pus me retenir d'y jeter un coup d'œil, et, en effet, je reconnus les signatures de mes parents sur le document, au milieu de dizaines de noms roumains aux consonances étranges. *Les traîtres*. Après avoir repoussé le parchemin, j'observai mes parents, les bras croisés.

– Comment avez-vous pu promettre de m'offrir ainsi, comme une… une… une vache en récompense d'un concours ?

– On n'a pas « promis de t'offrir », Jessica, répondit maman pour me calmer. Tu n'étais pas encore notre fille. Nous n'étions là qu'en tant que témoins d'un rituel unique, dans l'intérêt de mes recherches. Ça s'est passé plusieurs semaines avant les purges, bien avant qu'on t'adopte. Nous n'avions aucune idée de ce que l'avenir nous réservait à tous les trois.

– D'ailleurs, personne ne promet de donner une vache, ajouta Lucius pour se moquer de moi. Qui s'engagerait avec du bétail ? Tu es une princesse vampire. Ton destin n'appartient pas qu'à toi.

Une princesse… Il pense sincèrement que je suis une princesse vampire… L'étrange mais agréable sensation que j'avais eue lorsqu'il avait effleuré ma joue avait disparu et j'étais revenue à la réalité. Lucius Vladescu était fou à lier.

– Si j'étais un vampire, j'aurais déjà eu envie de mordre quelqu'un. Je serais assoiffée de sang, dis-je dans un dernier espoir de les ramener à la raison, alors que la discussion avait complètement tourné à l'absurde.

– Tu exprimeras bientôt ta vraie nature, affirma Lucius. Tu es presque en âge. Et lorsque je te mordrai pour la première fois, alors tu seras un vampire. Je t'ai apporté un livre – on pourrait même appeler ça un guide – qui t'expliquera tout…

Je me levai si brusquement que ma chaise se renversa.

– Il ne me mordra pas, l'interrompis-je en pointant un doigt tremblant vers Lucius. Et je ne partirai pas en Roumanie pour me marier avec lui ! Je me fiche de leurs traditions et de leur « cérémonie de fiançailles » !

– Tu honoreras le pacte, grommela Lucius.

Cela sonnait comme un ordre.

– Ne joue pas au dictateur avec nous, Lucius, conseilla mon père en se reculant sur sa chaise et se frottant la barbe. Je te l'ai déjà dit. Nous sommes en démocratie ici. Prenons tous une grande inspiration. Comme disait Gandhi : « Vous devez être le changement que vous voulez voir dans ce monde. »

Lucius n'avait visiblement jamais eu affaire à un maître de la résistance passive auparavant. Il semblait sérieusement décontenancé par la réaction ferme et néanmoins sereine – et pour le moins non conventionnelle – de papa face à cette situation.

– Qu'est-ce que ça veut dire ? demanda-t-il finalement.

– Personne ne prendra de décision aujourd'hui, traduisit maman. Il est tard, et nous sommes tous fatigués et bouleversés. De plus, Lucius, Jessica n'est pas prête à envisager le mariage. Par chance, elle n'a même encore jamais embrassé un garçon.

Lucius me regarda avec un petit sourire narquois.

– Vraiment ? Aucun prétendant ? C'est scandaleux. J'aurais pensé que ton aptitude à manier la fourche attirerait des célibataires dans cette région de paysans.

J'aurais voulu mourir. Là, tout de suite. Je n'avais qu'une envie : me ruer sur le tiroir à couverts, attraper le plus gros couteau et me le planter dans le cœur. Passer pour une fille totalement inexpérimentée en amour... c'était presque pire que d'être une princesse vampire. Le fait d'être un vampire n'était qu'une fantaisie ridicule. Mon manque flagrant d'expérience... ça, c'était bien réel !

– Maman ! C'est super embarrassant ! Tu avais besoin de lui dire ça ?

– Eh bien quoi, Jessica ? C'est la vérité. Je ne voudrais pas que Lucius pense que tu es une de ces femmes expérimentées, et prête à être mariée.

– Je ne profiterai pas d'elle, promit Lucius d'un ton sérieux. Et on ne peut pas la forcer à se marier, bien sûr.

Nous vivons dans une époque moderne. Malheureusement. Mais j'ai bien peur de devoir continuer à lui faire la cour, jusqu'à ce qu'elle comprenne d'elle-même que sa place est à mes côtés.

— Tu vas attendre longtemps alors.

Lucius fit la sourde oreille.

— La création de ce lien entre nos deux clans a été mandatée par les membres les plus anciens et les plus sages : les Aïeux des familles Vladescu et Dragomir. Et les Aïeux parviennent toujours à leurs fins.

Maman se leva.

— Ce sera à Jessica de prendre sa décision, Lucius.

— Bien sûr. (Le sourire condescendant qu'arborait Lucius indiquait qu'il pensait le contraire.) Bon, où est-ce que je m'installe ?

— Pardon ?

Papa semblait ne pas avoir bien compris.

— Oui. Où vais-je dormir ? J'ai fait un long voyage et enduré ma première journée abrutissante dans ce prétendu « lycée public ». Je suis épuisé.

— Tu ne comptes tout de même pas retourner au lycée ? protestai-je, prise de panique. C'est impossible !

— Bien sûr que j'irai au lycée.

— Comment as-tu fait pour t'y inscrire ? demanda maman.

— Je suis ici en tant qu'étudiant étranger pour le « programme d'échange », expliqua Lucius. Les Aïeux ont pensé qu'il serait difficile de justifier ma présence prolongée ici autrement. Comme vous pouvez le comprendre, les vampires n'aiment pas attirer les soupçons. Nous aimons passer inaperçus.

Passer inaperçus ? Avec une cape de velours en plein été ? Dans le comté de Lebanon, en Pennsylvanie ? La capitale rurale du conservatisme et de la sauce bolognaise, où les valeureux descendants germaniques continuent de

penser que se faire percer les oreilles est un signe de radica-
lisme et un passeport pour l'enfer ?

— Tu fais vraiment partie d'un programme d'échange ?
demanda papa.

— Je suis le correspondant d'Antanasia, pour être exact.

— Mais nous n'avons jamais approuvé cela, objecta maman.

— Oui, ne devons-nous pas signer quelque chose ? Il n'y
a pas de papiers à remplir ? questionna papa.

Lucius se mit à rire.

— Ah, la paperasse administrative ! Un détail qui a été
éliminé en Roumanie. Aucune personne ayant un tant soit
peu de bon sens ne refuse une requête du clan Vladescu.
Cela ne se fait pas. Et si l'on nous refuse une faveur... eh
bien... disons simplement que partout les gens devront
nous tendre leur cou.

— Lucius, tu aurais dû nous demander notre avis d'abord,
protesta maman.

Lucius se voûta très légèrement.

— Bon, d'accord, peut-être que nous avons un peu
dépassé les limites. Mais vous rendez-vous compte que
vous avez l'honneur de m'accueillir ? Vous saviez que ce
jour arriverait. Et moi avec.

Papa s'éclaircit la voix et regarda ma mère.

— C'est vrai... Il y a longtemps, nous avons promis aux
Dragomir que, lorsque ce jour arriverait...

— Oh, Ned, je ne sais pas... Nous devons prendre en
considération les sentiments de Jessica...

— Vous avez fait une promesse à ma famille, leur rappela
Lucius. De toute façon, je n'ai nulle part où aller. Je ne
retournerai pas dans cette prétendue auberge rurale, où
j'ai dormi la nuit dernière. La chambre était aménagée sur
le thème du cochon ! Un papier peint avec des cochons et
des bibelots en forme de cochon partout. Et un Vladescu
ne dort pas avec les porcs.

Maman soupira et posa ses mains sur mes épaules pour me rassurer.

— Je suppose que, pour le moment, Lucius peut s'installer dans la chambre d'amis au-dessus du garage, jusqu'à ce que les choses se clarifient. Tu es d'accord, Jessie ? Je suis sûre que ce ne sera que temporaire.

— Ouais, c'est votre ferme, de toute façon, marmonnai-je en sachant que c'était perdu d'avance.

Mes parents avaient la fâcheuse habitude d'accueillir les sans-abri. Les chats agressifs, les chiens fous… s'ils n'avaient pas de maison, ils pouvaient vivre à la ferme, même s'ils menaçaient de nous mordre.

Voilà comment un adolescent qui affirmait être un vampire se retrouva au-dessus de notre garage au début de ce qui aurait dû être la plus belle période de ma vie : mon année de terminale. De plus, ce n'était pas un vampire quelconque. Mais un type arrogant, dominateur et, surtout… *mon fiancé.* La dernière personne sur terre – ou *sous* terre – avec qui j'aurais voulu aller à l'école, et encore moins être liée pour l'éternité.

Je restai éveillée la moitié de la nuit et pensai à ma vie gâchée. Et à mes parents biologiques – membres d'une secte et buveurs de sang – auxquels je me jurai de ne plus jamais repenser. De toute façon, je ne pouvais plus rien faire pour eux, à part les effacer de ma mémoire. Leur histoire devait rester – et resterait – enfouie dans les méandres du passé.

Et l'avenir… ? Moi, tout ce que j'avais espéré, c'était une chance de sortir avec Jake Zinn, un type normal. Et, au lieu de cela, j'avais récupéré un fiancé bizarre qui dormait au-dessus de mon garage. Comme si tout le lycée ne trouvait pas déjà ma famille assez bizarre, entre les cours de yoga de papa et sa ferme biologique, anti-viande et

47

improductive, et ma mère, le gagne-pain de la famille, avec ses recherches sur des hurluberlus ! Cette fois-ci, c'était fini. Je serais définitivement une paria. La fiancée du macchabée. Et quel macchabée !

Étendue dans mon lit, je ne pouvais m'empêcher de me remémorer le parfum de Lucius lorsqu'il s'était penché sur moi. L'impression de puissance qui émanait de lui pendant le cours de littérature anglaise. Ses doigts sur ma joue. La manière avec laquelle il avait affirmé qu'un jour il planterait ses dents dans mon corps.

Mon Dieu, quel psychopathe !

Repoussant les couvertures, je m'assis et tirai le rideau pour regarder vers le garage. Il y avait toujours de la lumière dans le studio à l'étage. Lucius ne dormait pas. Que faisait-il ?

La gorge serrée, je me laissai tomber sur mon oreiller et remontai les couvertures jusqu'au cou – ce cou si tendre et vulnérable mais jamais embrassé –, attendant le matin avec autant d'impatience que d'appréhension.

7.

Cher oncle Vasile,

Je t'écris de mon studio au-dessus du garage des Packwood, où ils m'ont installé, un peu comme une vieille automobile dont on ne veut plus ou une valise usée, et où je respire certainement des gaz d'échappement jour et nuit.

Bien que je sois ici depuis seulement quelques semaines, je pleure la splendeur sauvage des Carpates et le hurlement magnifique et effrayant des loups dans la nuit. Ce n'est que lorsque l'on se retrouve dans un endroit dénué de danger et de mystère que l'on se rend compte à quel point les lieux sinistres peuvent nous manquer.

Ici, les seules craintes que l'on ait sont de se faire renverser par un camion surchargé de balles de foin (et on dit que la Roumanie est arriérée !) ou de ne rien trouver de bien à regarder à la télévision le soir. (Les Packwood ont eu l'amabilité d'installer un poste dans ma retraite… à cette occasion, je ne peux retenir un très occidental : « Super ! »)

Bien sûr, je sais que je ne suis pas ici pour m'amuser, ni pour découvrir la culture et l'architecture américaines. (Pourrai-je un jour fouler de nouveau le sol de notre magistral château gothique après avoir arpenté les couloirs du lycée Woodrow Wilson, véritable ode au linoléum ?) Je ne puis non plus être déconcentré par la grande cuisine. (Te rends-tu compte,

Vasile ? Des végétariens ?) Ni par les conversations spirituelles de mes camarades étudiants. (L'expression « c'est clair » ne me paraît plus très claire.)

Mais ceci n'est que digression.

La fille, Vasile. Cette fille. Imagine le choc que j'ai eu en découvrant ma future épouse – ma princesse – enfoncée jusqu'aux genoux dans les déjections animales et vociférant contre moi à l'autre bout de l'étable, essayant de me planter un outil agricole dans le pied, tel un palefrenier fou. Je ne préciserai pas que le crottin de cheval semblait définitivement incrusté sur ses bottes d'homme ; il serait certainement malvenu ne serait-ce que d'évoquer ce genre de détail.

Quoi qu'il en soit. Elle est malpolie. Peu coopérative. Incapable de reconnaître la valeur de sa culture – et probablement aussi de son devoir, de son destin, et de l'opportunité précieuse que sa naissance lui a offerte.

En somme, Jessica Packwood n'est pas un vampire. Vivre en Amérique semble avoir effacé toute trace du sang royal qui, nous le savons, coulait dans ses veines à sa naissance. Elle a subi une terrible dialyse culturelle, pour ainsi dire.

Dotée de la magnifique chevelure noire et bouclée qui fait la spécificité des femmes roumaines, elle s'obstine désespérément à les tirer et à les graisser pour ressembler à une adolescente américaine quelconque. Mais pourquoi ne pas être elle-même ?

Sans parler de son sens de la mode… Combien a-t-elle de jeans différents ? Et ces tee-shirts ornés de chevaux ou de « jeux de mots » scientifiques… Cela lui ferait-il mal de porter une robe de temps à autre ?

Ou de sourire ?

Vasile, je sais que je suis tenu par l'honneur à former un couple avec cette femme, mais en vérité sera-t-elle capable de diriger nos rangs ? Et pour ce qui est d'avoir des rapports intimes… D'ailleurs, tous conseils qui me permettraient d'avancer dans ce sens sont les bienvenus.

Tu sais que j'ai toujours été du genre à « me saigner aux quatre veines » – expression que j'ai apprise ici, et je reconnais que je l'aime bien, mais malheureusement cela me paraît quand même très imagé. Peut-être serait-il plus sage de tout annuler et espérer que tout se passe au mieux. Sommes-nous vraiment certains que l'annulation du contrat déclencherait une guerre totale entre les clans ? S'il ne s'agit que d'affrontements mineurs, avec des pertes négligeables, je pense que nous devrions repenser à ce pacte de mariage. Mais, bien sûr, ton avis aura l'avantage.

En attendant, je poursuivrai mes efforts encore vains pour éduquer et éveiller cette Américaine. Mais je t'en prie, Vasile, prends mes inquiétudes en considération.

Ton obligé neveu,

Lucius Vladescu

P.S. J'ai été recruté par l'équipe de basket-ball. L'entraîneur trouve que je suis très doué !

8.

— Je n'y arriverai jamais, dit Mindy, découragée, en raturant une autre mauvaise réponse.

— Ces problèmes ne sont pourtant pas si compliqués, dis-je, soulagée à l'idée que ce soit la dernière année où je donnerais des cours de maths à Mindy.

Les maths la dépassaient, et on finissait toujours par s'énerver. En plus, la chaleur qui régnait dans ma chambre n'arrangeait rien. J'avais eu beau supplier papa d'installer la climatisation, il persistait à s'y opposer, prétextant que c'était du gaspillage d'énergie. Je pris le manuel et commençai à lire :

— Deux hommes voyagent en train. Les deux trains quittent la gare…

— Plus personne ne prend le train, lança Mindy qui cherchait la petite bête. Pourquoi les problèmes parlent-ils toujours des trains ? Et pourquoi pas des avions ?

Je quittai le livre des yeux.

— Tu es vraiment une élève insupportable.

Mindy ferma brusquement son manuel.

— À propos d'élève. Tu as vu Lucius tout à l'heure en cours ? Mme Wilhelm a failli avoir un orgasme lorsqu'il a déclamé ce passage d'*Hamlet*. Il a vraiment réussi à rendre cette pièce intéressante. Et ce n'était pas évident pour une histoire sur le Danemark.

— Et si on revenait à notre problème de maths…

Mindy abandonna complètement le calcul et se mit à bondir sur mon lit pour pouvoir regarder par la fenêtre. Elle poussa le volet.

— Où est Lucky, d'ailleurs ? Luuu-ciuus, roucoula-t-elle. Montre-toi et rejoins-nous… Mindy veut te voir…

— S'il te plaît, ne l'appelle pas, ordonnai-je très sérieusement.

— Je veux juste voir ses yeux noirs si sexy… Tiens, il y a un camion qui arrive sur votre chemin.

— Qui est-ce ? demandai-je, sans vraiment y prêter attention.

Il s'agissait probablement d'un élève de yoga de papa qui arrivait en avance pour le cours. J'entendis le bruit des pneus sur les graviers, et le moteur s'arrêta.

Mindy se retourna brusquement et baissa le volet.

— C'est le camion de Jake. Il s'est arrêté devant la grange.

Jake ?

J'essayai de faire comme si de rien n'était.

— Ah, c'est normal, il nous livre le foin ! On l'achète à la ferme des Zinn. Il repartira après avoir déchargé les balles.

— Ah.

Mindy retourna à la fenêtre et cria :

— Hé, Jake ! On descend dans une minute !

Non, elle n'a pas fait ça !

— Mindy ! Je porte un tee-shirt troué et je ne suis pas maquillée !

— Tu es magnifique. De toute façon, je lui ai dit qu'on descendait.

Elle ignora mes protestations et me tira par le bras. Je la suivis à contrecœur.

— Je te jure que je vais te tuer.

Mindy fit comme si elle n'avait rien entendu.

Jake était à l'arrière du camion et balançait les balles par terre.

— Il est torse nu, murmura-t-elle en me traînant à travers la cour. Regarde ces muscles !

— Tais-toi ! dis-je en lui pinçant le bras.

— Aïe !

Jake fit une pause et nous sourit.

— Qu'est-ce que vous faites, les filles ?

Il sortit un bandana rouge de la poche de son jean usé et essuya la transpiration sur son front. Son biceps se contracta. Ses abdos en forme de tablette de chocolat brillaient sous les rayons du soleil couchant.

— On fait des maths, répondis-je en mettant mon bras sur mon ventre, aussi bien pour dissimuler les kilos que j'avais pris cet été que le trou dans mon tee-shirt.

— Ça te dirait de venir boire quelque chose ? proposa Mindy comme si elle était chez elle.

— Avec plaisir. Laissez-moi juste le temps de finir ça avant qu'il fasse nuit.

Mindy me tira par le poignet pour me faire comprendre qu'on devrait l'attendre à l'intérieur.

— Profites-en pour changer de tee-shirt, me murmura-t-elle à l'oreille.

— À tout de suite, lançai-je à Jake en lançant un dernier regard à ses pectoraux.

Pas mal.

Mais au moment où je me retournais vers la maison, mon regard se posa sur mon « correspondant roumain », appuyé contre le mur du garage, les bras croisés.

Peut-être était-ce une illusion d'optique causée par la lumière du crépuscule qui projetait des ombres sinistres sur son visage anguleux, mais il ne semblait pas très content.

9.

– Demain, tu te débrouilleras tout seul, même si maman veut que je continue à t'aider, prévins-je Lucius qui me suivait dans la queue, à la cafétéria, refusant tous les plats qu'on lui proposait. Tu sais comment ça marche maintenant.

– Oh oui, dit-il en poussant son plateau d'un doigt comme si ce qu'il contenait était toxique. On met les gens en rangs comme des moutons, on leur donne à manger de la nourriture bonne pour du bétail, et on les oblige à la consommer tête baissée, assis les uns à côté des autres, à des tables identiques.

– Essaie d'être indulgent, grommelai-je en prenant un hamburger. Ces hamburgers ne sont pas mauvais.

Lucius attrapa mon poignet. La pression était forte et sa peau très froide.

– Jessica… serait-ce de la viande ? Et l'interdiction de tes parents…

– Ce que papa et maman ne savent pas ne peut pas leur faire de mal. Alors ne leur dis rien, l'avertis-je, tout en repoussant sa main pour faire avancer mon plateau.

Je frottai mon poignet pour le réchauffer.

– Petite indisciplinée, lança Lucius avec un sourire conquis. J'approuve totalement.

– À vrai dire, je me fiche de ton approbation.

– Il est évident que non.

Lucius passa devant les hamburgers, mais opta pour des frites.

– *Cartofi pai*. Ça, au moins, ça existe aussi en Roumanie.

– Au fait, où as-tu trouvé cette boisson ? lui demandai-je en désignant la canette marquée Julius Orange sur son plateau. Tu sais que tu n'as pas le droit de sortir du campus.

– Ah, les règles de la détention, soupira Lucius en portant la paille à sa bouche. (Un liquide rouge et épais monta.) Il en faudrait plus pour m'interdire les plaisirs d'un Julius Fraise. Je crois que je suis accro.

– Tu ferais mieux de jeter ça, lui conseillai-je en tendant la main vers la canette. Sérieusement, si on te voit avec ça...

Lucius l'attrapa avant que je ne l'atteigne.

– Je n'y toucherais pas si j'étais toi. Et je te déconseille vivement de la renverser.

Je me redressai pour regarder son visage et tenter de comprendre ce qu'il voulait dire par là. Ses yeux noirs étaient pleins d'animosité.

– Avance, dis-je en prenant une part de gelée au citron. On bloque la file. Allons payer, si tu ne veux rien d'autre.

Nous portâmes nos plateaux jusqu'à la caisse, et alors que je fouillais dans mes poches, Lucius sortit son portefeuille et l'ouvrit plus vite que son ombre.

– C'est mon petit plaisir inavouable.

– Pas question.

Je trouvai quelques dollars froissés dans ma poche, mais Lucius fut plus rapide. Il tendit un billet de vingt dollars à la dame de la cafétéria.

– Gardez la monnaie.

Il lui sourit, rangea son portefeuille, puis nous nous éloignâmes.

— Mais…, lança-t-elle comme pour protester.

— Il n'est pas encore habitué à notre monnaie, dis-je en guise d'excuse avant de me retourner vers Lucius. Notre repas ne coûtait que six dollars.

— Jessica, dit Lucius en fronçant les sourcils, ne sais-tu pas que je maîtrise parfaitement la valeur des devises de nombreux pays dans le monde, et plus particulièrement le dollar américain, qui est le standard universel ? Je vis en Roumanie, pas dans une bulle coupée du monde.

Déconcertée, la dame de la cafétéria avait toujours la monnaie à la main.

— Je lui donnerai plus tard, lui soufflai-je en prenant les billets.

— Regarde, il y a Melinda là-bas, remarqua Lucius. Elle nous fait signe avec insistance. On peut dire qu'elle est… enthousiaste, ta copine.

— Je suppose que tu déjeunes avec nous, soupirai-je en le suivant dans le dédale de tables pour rejoindre Mindy.

À notre passage, certains élèves levèrent la tête, ou s'écartèrent devant ce grand type vêtu d'une chemise blanche impeccable, d'un pantalon noir et de bottes bien cirées. Lucius ne semblait pas gêné le moins du monde par l'attention qu'on lui portait. Au contraire, il donnait l'impression de trouver cela le plus naturel du monde.

— Salut Jess, lança Mindy, le sourire aux lèvres, lorsque nous atteignîmes la table. Salut Lucius, ajouta-t-elle en rougissant.

— Ravie de te voir, Melinda, répondit-il en faisant glisser nos plateaux sur la table. Tu es ravissante aujourd'hui.

Le plaisir se vit instantanément à la couleur de ses joues.

— Oh, merci. Ça doit être mon nouveau chemisier. C'est un Abercrombie. À propos de fringues, il est trop classe, ton pantalon. Est-ce que tous les Romains s'habillent comme ça ? Ou seulement les membres de la famille royale ?

— Roumains, pas Romains, la corrigeai-je.

— Oh, ça revient au même, tout ça c'est en Europe. En tout cas, ce pantalon est super cool.

Mindy fixait Lucius avec dans les yeux ce qui ne pouvait être appelé autrement que de l'émerveillement. Lucius, lui, semblait amusé.

— Je dirai à mon tailleur que ce qu'il fait est « trop classe » et « super cool ». Je suis sûr qu'il sera ravi de savoir qu'il peut rivaliser avec Gap.

Il s'apprêtait à tirer galamment ma chaise, mais, cette fois, ce fut mon tour d'attraper sa main.

— Je peux très bien me débrouiller toute seule.

— Comme tu veux, dit-il en faisant un pas en arrière.

Mindy soupira et posa son menton dans le creux de ses mains potelées.

— Ah, j'aimerais bien vivre en Roumanie. Tes manières sont si...

— Irréprochables, suggéra Lucius.

— Ah mince, marmonnai-je, j'ai oublié de prendre une cuillère.

— Je reviens tout de suite, dit Lucius en se levant.

— Non, j'y vais, insistai-je.

Lucius se mit derrière ma chaise, posa ses mains puissantes sur mes épaules, et me guida gentiment mais fermement pour que je me rasseye. Il se pencha vers moi et me parla d'une voix douce. Son souffle froid caressa mon oreille, et je ressentis de nouveau des papillons voleter dans mon ventre.

— Jessica, pour l'amour de Dieu, permets-moi au moins de faire preuve d'un minimum de courtoisie. Contrairement à ce qu'affirment les féministes, la galanterie ne signifie pas que les femmes n'ont aucun pouvoir. Au contraire, la galanterie est la preuve que l'homme admet la supériorité de la femme. C'est la reconnaissance de *votre* pouvoir sur nous. C'est la seule forme de servitude qu'un Vladescu accepte, et je m'exécute volontiers pour toi. En retour, tu es contrainte d'accepter gracieusement.

Lucius relâcha mes épaules et s'éloigna avant même que je puisse répondre. Mindy le suivit des yeux.

— Je n'ai pas compris ce qu'il voulait dire, mais c'était le discours le plus excitant que j'aie jamais entendu. Comment peux-tu avoir autant de chance ? Pourquoi mes parents n'accueillent jamais d'élève du programme d'échanges ?

— Dommage que ce ne soit pas *ton* correspondant, répondis-je.

Était-ce vraiment ce que je souhaitais ? Si seulement Mindy savait à quel point Lucius était fou.

— Pourquoi se comporte-t-il comme ça ? poursuivis-je. Je veux juste qu'il me laisse tranquille.

Mindy ouvrit sa brique de chocolat au lait avec les dents.

— Je ne te comprends pas, Jess. Quand on avait cinq ans, on s'amusait tout le temps à se déguiser en princesse. Et aujourd'hui qu'un vrai Prince Charmant est à tes petits soins, tu te plains !

— Oh Min... ne l'encourage pas, veux-tu ?

— Tu es tellement accrochée à Jake Zinn que ça t'empêche de voir que cet héritier royal venu d'Europe est bien réel et te drague, Jess. Tu perds ton temps avec un type qui traie des vaches...

— La famille de Jake n'a pas de vaches, objectai-je. Ils ont des champs. Et je croyais que tu aimais bien Jake. Tu bavais littéralement sur ses muscles hier !

— Ah, tiens, Lucius, chantonna Mindy en me donnant un coup de pied sous la table. Tu as fait vite.

— Je ne voulais pas que la gelée soit encore plus immangeable en s'éventant, dit Lucius.

Il se pencha une nouvelle fois au-dessus de moi pour arranger les couverts sur mon plateau. La fourchette à gauche de mon assiette. Le couteau et la cuillère à droite.

— C'est ainsi que l'on fait, même aux États-Unis, non ?

— Alors, qu'est-ce que tu faisais en Roumanie avant de venir à « l'école des bonnes manières » ? demanda Mindy.

Installé sur sa chaise pliante, ses longues jambes tendues dans l'allée centrale, Lucius repoussa les frites qu'il n'avait même pas touchées.

— Eh bien, j'ai reçu une éducation assez stricte, avec un tuteur personnel. J'ai eu l'occasion de faire de fréquents voyages à Bucarest et Vienne, lorsque l'envie m'en prenait. La chasse est un sport populaire dans les Carpates. Ainsi que l'équitation.

— Alors, Jess et toi avez un point commun ! s'écria Mindy.

Je lui lançai un regard menaçant.

— Ben quoi ? C'est vrai !

Lucius haussa les sourcils, intrigué.

— Vraiment, Jessica ? Je pensais que tes activités équines se limitaient à nettoyer les écuries, me taquina-t-il. Je ne pensais pas que tu avais l'habitude de voir un cheval depuis la selle. Tu avais gardé ça pour toi.

— Parce que je ne voulais pas que tu tournes autour de mon cheval ni que tu m'espionnes, répondis-je en prenant une bouchée de mon hamburger.

— Jess participera au concours d'obstacles de la foire cet automne, ajouta Mindy.

— Tu sais, chez moi à Sighişoara, on dit que je suis plutôt bon cavalier, dit Lucius en souriant. Peut-être pourrais-je t'aider à avoir un meilleur équilibre…

– Non ! criai-je plus fort que je n'en avais l'intention. Je n'ai pas besoin d'aide, d'accord ?

– Tu en es sûre ? J'étais le capitaine de l'équipe nationale de polo amateur en Roumanie, toutes catégories confondues.

– Mais ce n'est pas croyable ! m'écriai-je en enfournant une grosse cuillerée de gelée au citron dans la bouche.

Puis j'entendis une voix derrière moi.

– Tu devrais y aller mollo, Jessicaca. Tu es déjà aussi flasque qu'une montagne de gelée.

Oh non… En me retournant, je vis le grassouillet Frank Dormand flanqué de Faith Crosse et son petit copain Ethan Strausser s'approcher de notre table en gloussant.

– Tu peux parler, Dormand. Au moins, mon cerveau à moi ne baigne pas dans la graisse.

– Bande d'ingrats, dit Lucius tandis qu'ils s'éloignaient. Se moque-t-il souvent de toi, Jessica ?

Il allait se lever mais je lui attrapai le bras.

– Laisse tomber, Lucius. J'ai l'habitude.

Lucius se figea et me regarda, incrédule.

– Tu me demandes de laisser cet idiot se moquer de toi ?

Alors que je le tenais fermement par la manche, je sentis ses muscles se crisper à travers le tissu.

– Frank Dormand n'est qu'un pauvre type. Ça ne vaut pas la peine de te battre avec lui.

L'espace d'un instant, Lucius semblait avoir oublié Frank. Visiblement déconcerté, il se rassit et me dévisagea.

– Jessica… Je ne comprends pas. Toi, avec ton statut… Comment peux-tu endurer ce genre de moquerie ?

– Arrête, Lucius, lui ordonnai-je, le suppliant silencieusement de ne pas parler de vampires, de fiançailles, de princesse ou de quoi que ce soit d'autre en présence de Mindy. Je sais très bien comment m'occuper de lui.

— Comme tu veux, céda Lucius à contrecœur. Mais c'est la première et dernière fois que j'accepte ce genre de comportement. Une telle attitude envers toi, Jessica, de la part d'imbéciles, ne peut rester impunie.

Il s'adossa à sa chaise, les bras croisés, surveillant la porte par laquelle Frank, Faith et Ethan étaient sortis, comme s'il attendait qu'ils reviennent pour se jeter sur eux. Comme s'il élaborait un plan, une stratégie de guerre. Son regard était si sombre et menaçant que même Mindy se tint tranquille, pour la première fois de sa vie.

La fin du repas se passa en silence. Lucius ne mangea rien. Il se contenta de siroter son Julius Fraise, l'air absent, les yeux rivés sur la porte. Puis nous sortîmes de la cafétéria.

— J'aimerais bien qu'il botte les fesses de Frank un de ces quatre, murmura Mindy en vidant son plateau. Ce serait gagné d'avance, c'est sûr. Tout à l'heure, j'ai bien vu que Lucius serait prêt à tuer pour toi.

À la façon dont Mindy prononça ces mots, cela semblait romantique. Mais j'avais moi aussi vu le regard de Lucius et senti sa colère à peine retenue dans ses muscles contractés.

Non, la perspective de Lucius Vladescu mettant en œuvre sa vengeance en mon nom ne me paraissait pas du tout romantique. Au contraire, cela m'emplissait d'un malaise proche de l'effroi. En fait, plus j'y pensais et plus il me semblait que l'association Ethan, Frank, Faith, Lucius… et moi… ne pouvait que mener au désastre.

10.

Cher oncle Vasile,

La lentille doit être le seul aliment au monde que l'on ne peut ni détruire ni éviter, tant elle peut s'accommoder de mille et une façons différentes.

On peut manger les lentilles nature ; les marier à leur cousin le boulgour ; ou tenter de les noyer dans une vinaigrette relevée pour en faire une salade végétarienne. Mais, hélas, la lentille s'en sort toujours indemne. En fait, chez les Packwood, ce petit légume tenace ressuscite avec force, débarrassé de tout ce qui pourrait s'apparenter à du goût, introduit son armée d'infatigables petites graines en forme de pilule dans un autre plat, espérant être mangé. Encore et encore.

Et ne me parle même pas de gelée ou de hamburgers.

POUR L'AMOUR DE DIEU, VASILE !!

Que vais-je encore devoir endurer au nom de la paix entre nos clans ? Dois-je me sacrifier en étant le premier prisonnier d'une guerre qui n'a même pas encore éclaté ?

Honnêtement, Vasile, le problème ne vient pas seulement de la nourriture ni de ce que les Packwood et le Département de l'Éducation de Pennsylvanie appellent « nourriture ».

Les lycées américains devraient être condamnés pour non-respect de la Convention de Genève. La cruauté sans nom dont je suis victime étonnerait même une personne comme toi, pourtant spécialiste ès Cruauté !

Comme tu le sais, j'ai toujours fait preuve de curiosité concernant notre immortalité... Me demandant ce que cela fera de vivre encore et encore, traversant les âges (en supposant qu'on évite le pieu, comme j'en ai bien l'intention). Je n'ai plus besoin d'imaginer cet avenir. J'ai eu un avant-goût de l'éternité lors du cours d'histoire américaine de Mlle Campbell. Trois jours sur la « conquête de l'Ouest », Vasile. TROIS JOURS ENTIERS. Je mourais d'envie de me lever, d'arracher ses notes de ses mains pâles et de crier : « Oui, les États-Unis se sont étendus vers l'Ouest ! C'est logique, non ? Étant donné que les Européens sont arrivés et se sont installés sur la côte Est, que pouvaient-ils faire d'autre ? Avancer en vain vers l'océan ? »

Mais je dois rester calme. Il serait malvenu de perdre mon sang-froid. Je dois tout supporter, vaincre la tentation de me béatifier, comme la plupart des mes pairs (ils rêvent !) qui, à chaque début de cours, plongent, absents, dans une sorte de transe collective. J'avoue parfois envier secrètement leur capacité à vider totalement leur esprit pour une durée de cinquante minutes, et reprendre connaissance seulement au son d'une cloche, comme le chien de Pavlov. D'ailleurs, ils se mettent alors à aboyer et glapir dans les couloirs jusqu'au cours suivant...

Toutefois, je suppose que tu préférerais avoir des nouvelles de ma fiancée plutôt que de ma scolarité. J'en viens donc à l'évolution de ma relation avec Antanasia.

Je suis heureux de pouvoir dire que ma future princesse fait parfois preuve de beaucoup d'esprit. Malheureusement, Antanasia met toute sa détermination, toutes ses « tripes » – pour utiliser une expression locale, qui fait plutôt penser à quelque chose de peu ragoûtant qu'à une qualité admirable – à repousser mes avances et fait des efforts considérables pour arriver à cette fin.

En attendant, j'ai l'impression qu'Antanasia éprouve une attirance inopportune pour un garçon de ferme qui travaille dans

les champs (un paysan ! et un petit paysan en plus !), à l'appa-
rence et au comportement si quelconques que, bien qu'il soit
assis à côté de moi au cours de littérature anglaise (j'ai large-
ment pris le pouvoir dans ce cours... peut-être mérité-je d'être
« titularisé » !), je n'arrive pas à me souvenir de son nom. Justin ?
Jason ? C'est triste, mais ça pourrait bien être cela. Il semblerait qu'il y ait un excès de prénoms de ce genre dans ce lycée.

Quoi qu'il en soit, il semblerait que j'aie de la « concurrence », Vasile. En la personne d'un paysan, dont la stratégie
de séduction se limite à venir à la ferme des Packwood, torse
nu sans raison apparente, pour faire étalage de sa musculature ! À faire la roue comme un paon ! Et si tu avais vu Jessica
battre des cils devant ce rustre...

Cela nuit-il à Antanasia... ? Et par là même à moi, qu'elle
rejette ?

Et si les Dragomir avaient développé un penchant pour la
reproduction avec les paysans, ne pourrions-nous pas tout
simplement laisser leur lignée se tarir naturellement, plutôt
que de nous unir à eux ?

Je plaisante.

Évidemment je vaincrai. Un Vladescu contre un ouvrier
agricole... Je pourrais remporter Antanasia avec une main
attachée dans le dos et peut-être même les yeux bandés. Mais
la situation est décourageante, c'est le moins qu'on puisse
dire. Comment Antanasia peut-elle témoigner des égards à ce
campagnard, alors qu'un prince s'intéresse à elle ? Un Vladescu ! J'accuse les lentilles. Un homme issu de la noblesse et
habitué à manger de la viande peut-il s'attendre à être maître
de toutes ses capacités en s'alimentant de graines ramollies ?

Cependant, mon moral a encore baissé lorsque j'ai assisté à
une scène où Antanasia a été humiliée par l'un des personna-
ges les plus ennuyeux du lycée, un garçon qui porte le nom
difficile de Frank Dormand – pas étonnant qu'il soit méchant !
Imagine un vulgaire idiot insultant une princesse vampire. Je

me suis assis, sidéré, incapable d'en croire mes yeux et mes oreilles. Cela ne se reproduira plus. Je sais que je dois suivre les règles de conduite locale – malheureusement, ici, faire tomber les têtes est lourdement sanctionné. Mais je ne supporterai pas une nouvelle insulte venant de ce « Dormand ». Ma future épouse – même temporairement sous le charme d'un paysan – n'aura pas à subir l'insubordination.

Il n'y a pas que les insultes qui me dérangent, Vasile. À ton avis, comment Antanasia pourrait-elle avoir conscience de sa véritable valeur dans un tel environnement ? Est-il si étonnant qu'elle envisage de fréquenter un paysan ? Si elle avait grandi en Roumanie, avait été élevée comme une dirigeante, Antanasia n'aurait jamais accepté de se faire insulter par un roturier. Elle aurait donné l'ordre de punir ce bâtard comme il le mérite. Ici, ses pouvoirs se limitent à faire appel à son sens de la repartie (grossière mais cinglante) – une arme intéressante, certes, mais une princesse se doit d'avoir de vrais pouvoirs à portée de main.

Cela m'inquiète sérieusement, Vasile. On ne naît pas dirigeant, comme tu le sais. On le devient. Antanasia ne connaît rien à l'exercice du pouvoir. Que signifiera son accession au trône pour elle, et pour le clan qu'elle mènera ?

Venons-en à la raison de cette lettre. Pourrais-tu déposer disons, 23 000 lei supplémentaires (l'équivalent d'environ 10 000 dollars américains) sur mon compte ? J'aimerais effectuer un petit achat, en rapport évidemment avec ma relation avec Antanasia. Bien que j'aie aussi l'intention d'utiliser quelques billets pour acheter une petite boucherie.

Je te remercie d'avance pour ta générosité.

Ton neveu,

Lucius

P.S. L'entraînement de basket-ball va bientôt commencer. Peut-être aimerais-tu prendre l'avion pour assister à un match ? Ou pas.

11.

— Pourquoi Lucius est-il dispensé de vaisselle ? me plaignis-je en tendant à maman une assiette mouillée. Il mange avec nous, donc il pourrait nous aider à faire la vaisselle. Et j'en ai marre de faire sa lessive. Il exige toujours que son linge soit amidonné. Qui utilise encore de l'amidon de nos jours ?

— Je comprends que tu sois contrariée, Jessica, dit maman tout en essuyant une assiette avec un torchon. Mais ton père et moi avons eu une discussion à ce propos, et nous pensons tous les deux que Lucius a déjà assez de difficultés à s'adapter à la vie ici, aux États-Unis, pour ne pas avoir en plus à effectuer des tâches ménagères.

— Il s'est très bien adapté. Trop bien même, si tu veux mon avis.

— Ne prends pas l'arrogance de Lucius pour du bienêtre. Sa vie a beaucoup changé, on ne va pas lui faire faire du travail supplémentaire à la maison.

— Ouais, c'est ce qu'il dit.

Maman se mit à rire.

— Quel que soit ton avis sur le... euh... vampirisme de Lucius...

— Mon avis, c'est que c'est un ramassis de conne... euh... je veux dire de bêtises.

– Quoi qu'il en soit, Lucius vient d'un milieu très privilégié.

Je plongeai ma main dans l'eau savonneuse pour attraper des couverts à rincer.

– Privilégié comment ? Honnêtement ? Parce que parfois je me pose des questions... Sur le polo et les voyages à Vienne, par exemple.

– Oh, tout ça est tout à fait plausible, Jessica, répondit maman. La famille Vladescu vit dans une propriété monumentale. En fait, il s'agit d'un château dans les Carpates.

Personne ne vivait dans un château, à part dans les films de Disney, pensai-je.

– Un château ? Et tu l'as vu ?

– Seulement de l'extérieur, et c'était déjà impressionnant. Nous n'étions pas autorisés à y entrer. Les Vladescu n'étaient pas des vampires très accessibles...

J'eus l'impression qu'elle voulait ajouter quelque chose mais elle se ravisa.

– Les Dragomir étaient plus accueillants, dit-elle finalement.

Nous nous approchions dangereusement d'une discussion sur mes parents biologiques.

– À quoi il ressemblait, ce château ?

– C'est la première fois que je te vois t'intéresser à quelque chose concernant Lucius, répondit maman avec un sourire.

– Je ne m'intéresse qu'à sa maison.

Maman jeta le torchon sur son épaule et s'appuya contre le comptoir.

– Et pas à Lucius ? Même pas un peu ?

Je décelai la subtile allusion.

– Non, maman !

– Jessica... tu dois admettre que Lucius est un jeune homme très attirant, et qu'il s'intéresse clairement à toi. Il serait tout à fait naturel que tu montres un peu d'intérêt de ton côté aussi. Il n'y aurait rien de honteux à cela.

Je plongeai une casserole dans l'eau pour frotter les lentilles qui avaient attaché pendant la cuisson.

— Maman, il se prend pour un vampire.

— Cela ne change rien au fait que Lucius est un garçon riche, puissant et tout à fait charmant.

Je me rappelai la sensation que j'avais ressentie lorsque Lucius avait effleuré mon visage, le soir de notre rencontre. L'impression que des papillons voletaient dans mon estomac. Et le fait qu'il avait clairement énoncé l'intention de me mordre.

— M'as-tu déjà vue regarder Lucius autrement qu'avec un air dégoûté ? Sérieusement ?

Maman sourit.

— Tu serais surprise de savoir comme le dégoût peut se transformer en désir.

Il y avait quelque chose d'étrange dans son regard, comme si elle avait lu en moi et deviné que je repensais à la main de Lucius sur ma joue. Je rougis.

— Ça ressemble à de l'alchimie, ce dont tu parles. Et l'alchimie existe autant que les vampires.

— Oh, Jessica, dit maman dans un soupir. Qu'est-ce que l'amour si ce n'est une sorte d'alchimie ? Il y a des choses dans cet univers qu'on ne peut tout simplement pas expliquer.

Oui. Des forces comme la gravité qui modifie la dimension du temps dans un trou noir. Ou comme l'infinité de chiffres qui composent le nombre pi et que l'on ne pourrait voir qu'en s'éloignant dans l'univers. Voilà de vraies forces, de vraies réalités. Mystérieuses, certainement. Mais mesurables et explicables grâce aux mathématiques, à la physique et aux autres sciences. Pourquoi mes parents n'arrivaient pas à comprendre cela ? Pourquoi, lorsqu'ils

regardaient le monde, voyaient-ils de la magie et du surna-
turel lorsque je voyais des nombres et des éléments ?

– Je n'aime pas Lucius, maman, alors tu peux oublier
l'alchimie, le dégoût et encore plus le désir, lâchai-je en rin-
çant une casserole.

Je voyais bien que ma mère n'était pas convaincue.

– Si par hasard tes sentiments changeaient, tu pourrais
toujours venir m'en parler. J'ai l'impression que Lucius est
un jeune homme expérimenté. Je ne voudrais pas que tu
sois dépassée par les événements...

– Jessica est « dépassée » ? Puis-je me rendre utile ?

Maman et moi nous retournâmes vers Lucius qui se
trouvait à l'entrée de la cuisine. Depuis combien de temps
était-il là ? Qu'avait-il entendu ? Et le passage sur « le
dégoût se transformant en désir » ?

Si maman était gênée d'être surprise en train de parler
de Lucius derrière son dos, cela ne se remarqua pas.

– Jess s'en sortira très bien, Lucius. Mais merci de proposer ton aide. Qu'est-ce qui t'amène ?

– Une envie irrésistible de cette délicieuse « crème de
tofu glacée à la caroube » que vous avez au congélateur.
Est-ce que l'une d'entre vous se joindrait à moi ?

– À vrai dire, je dois aller à l'étable pour voir les chatons
que Ned a trouvés, répondit maman. Je suppose qu'il y a
encore de la place pour une portée, mais je voudrais au moins
montrer une résistance symbolique. Si je l'encourage trop,
nous finirons par être débordés, argumenta-t-elle en tapotant l'épaule de notre « étudiant étranger » avant de sortir
de la cuisine. Bonne nuit, Lucius.

– Passez une agréable soirée, madame Packwood,
répondit Lucius avant de se tourner vers moi. Puis-je te
tenter, Jessica ?

Lucius posa le pot de fausse crème glacée sur le comptoir et prit deux bols dans le placard.

– Merci, mais j'essaie d'éviter les desserts.

– Pourquoi ? me demanda-t-il, visiblement perplexe. Je sais que la caroube n'est pas le parfum le plus appétissant, mais les desserts sont un des plus grands plaisirs de la vie, tu ne crois pas ? Je n'y renonce que rarement – à part le jour où ton père a fait cette tarte au potiron sans œufs et sans crème. Ça ne méritait même pas qu'on fasse l'effort de soulever sa fourchette jusqu'à sa bouche.

J'enlevai le bouchon de l'évier pour laisser s'écouler l'eau de vaisselle maintenant froide.

– Ouais, mais toi, tu n'es pas gros. Tu peux manger des desserts, dis-je, concentrée sur les tourbillons d'eau savonneuse.

Lorsque je levai les yeux, Lucius m'observait.

– Quoi ? m'exclamai-je en regardant mon débardeur et mon short. J'ai une tache ?

– Rassure-moi, Jessica. Tu ne penses quand même pas que tu es trop grosse ? Tu n'as pas cru cet imbécile qui s'est moqué de toi l'autre jour à la cafétéria ? Je savais que j'aurais dû le faire taire…

– Ça n'a rien à voir avec Dormand… qui d'ailleurs n'a aucun rapport avec toi. J'ai juste besoin de perdre un ou deux kilos, c'est tout.

Lucius secoua la tête tout en essayant d'ouvrir le pot.

– Ah, les Américaines… Pourquoi voulez-vous toutes être quasiment invisibles ? Pourquoi ne pas plutôt avoir une vraie présence physique ? Le corps d'une femme doit être fait de courbes, pas d'angles. Les Américaines sont trop anguleuses, ajouta-t-il avec la moue qu'il réservait habituellement à la cuisine de papa. Avec les hanches qui ressortent et les épaules aussi saillantes que des lames.

– C'est à la mode d'être mince.

– On ne devrait pas confondre « être à la mode » avec « être belle », corrigea Lucius. Crois-moi, les hommes se moquent bien de ce que disent les magazines. La grande majorité d'entre eux préfèrent les formes, affirma-t-il alors qu'il avait enfoncé sa cuillère dans le tofu glacé et s'avançait vers moi pour la tendre vers ma bouche. Mange. Et sois heureuse d'avoir des formes. D'avoir de la présence.

J'affichai un petit sourire, mais repoussai tout de même sa main. J'avais la ferme intention de perdre trois kilos.

– Non, merci.

Lucius soupira, exaspéré, et planta sa cuillère dans le pot.

– Antanasia, accepte-toi telle que tu es. Une femme qui possède les pouvoirs dont tu jouiras bientôt n'a pas à suivre la mode… ni à être influencée par les moqueries ridicules d'un être inférieur.

La clémence que j'avais pu éprouver pour Lucius s'évanouit soudainement, cédant place à la colère.

– Ne recommence pas avec tes histoires de princesse ! lui criai-je en balançant l'éponge dans l'évier. Et ne m'appelle pas par ce nom !

– Oh, Jessica, je ne voulais pas te blesser, dit-il d'une voix douce en posant le pot sur le comptoir. J'essayais juste de…

– Je sais très bien ce que tu essaies de faire.

Nous étions désormais face à face. Lucius esquissa un geste vers moi mais y renonça. Sa main retomba mollement.

– Écoute, il faut qu'on parle sérieusement, déclarai-je. À propos de cette histoire de « pacte ».

Lucius considéra ma proposition. Puis, à ma grande surprise, il l'accepta.

– Oui, je crois que c'est nécessaire.

– Maintenant.

– Non, répondit-il en reprenant le pot de crème glacée. Demain soir. Dans mon appartement. J'ai quelque chose à te montrer.

– Quoi ?

– Je préfère les surprises. Encore un de mes grands plaisirs.

L'idée d'une surprise de la part de Lucius me déplaisait. J'avais fait assez de découvertes ces derniers temps. Mais j'acceptai tout de même. Je me moquais de savoir si Lucius allait me remettre l'acte de propriété de son château, un troupeau de moutons – ou quoi que ce soit qu'ils utilisent comme dot en Roumanie – accompagné d'une bague en diamant. J'allais le persuader une fois pour toutes de rompre nos « fiançailles ».

– Alors on se voit demain soir. Et n'oublie pas de laver ton bol et ta cuillère quand tu auras fini.

– Bonne nuit, Jessica.

Je savais que je trouverais sa vaisselle dans l'évier le lendemain matin.

Plus tard, j'essayais de m'endormir tout en repensant à l'affirmation de maman selon laquelle le dégoût pouvait se transformer en désir. Quelle idée insensée, n'est-ce pas ? Plus personne ne croyait à l'alchimie de nos jours. On ne pouvait pas transformer la pierre ou le plomb en or.

Mais une fois endormie, Lucius apparut dans mon rêve. Nous étions dans la cuisine de mes parents, et il tendait une cuillère vers ma bouche. Mais au lieu de contenir du tofu glacé, elle débordait de sauce au chocolat. La sauce au chocolat la plus affreusement appétissante qu'on puisse imaginer.

– Mange, m'ordonnait Lucius, ses yeux noirs scintillaient tandis qu'il appuyait la cuillère contre mes lèvres. Le chocolat est un des grands plaisirs de la vie. Un parmi tant d'autres.

Je voulais protester. *Je suis trop grosse… trop grosse…* Mais il tenait toujours la cuillère devant mon nez, et le chocolat qui commençait à couler était tellement tentant qu'aucun mortel n'aurait pu y résister, si bien que je finis par l'avaler. La douceur sur ma langue était enivrante. J'aurais juré avoir senti ce goût pendant mon sommeil. Je me cramponnais à la main de Lucius et fermais les yeux pour apprécier au mieux ce doux élixir. Quand j'eus fini, je rouvris les yeux, la cuillère avait disparu, et il n'y avait plus que moi et Lucius, nos doigts mêlés, ma poitrine pressée contre son corps musclé.

Il me souriait, révélant des dents incroyablement blanches.

– Tu ne regrettes pas, j'espère ? me demanda-t-il en approchant ses lèvres de mon cou… C'était parfait, non ? murmura-t-il à mon oreille avant d'enrouler ses grands bras autour de moi, de m'enlacer, de m'engloutir…

Lorsque je me réveillai, le jour se levait et les premiers rayons du soleil passaient à travers ma fenêtre. Je respirai fort. *Waouh*.

Je me recroquevillai pour essayer de revenir à la réalité, lorsqu'un rayon fit briller quelque chose par terre, près de ma porte fermée. Un marque-page en argent qui dépassait d'un livre. Un livre pas très épais.

Ce livre n'était pas là lorsque je m'étais couchée. Quelqu'un l'avait donc glissé sous la porte.

Après m'être débarrassée des couvertures, je le ramassai et le tournai pour en lire le titre : *Guide pratique des relations, de la santé et des sentiments à l'intention des jeunes vampires*. En haut du marque-page, les lettres LV étaient gravées en caractères gras.

Mon Dieu, non ! Le guide dont Lucius avait parlé le jour de notre rencontre. Je me rappelais vaguement l'avoir entendu le mentionner – juste après qu'il eut annoncé son intention de me mordre.

Je m'écroulai par terre, les yeux rivés sur ce cadeau indésirable.

Puis, machinalement, je feuilletai les pages et lus un titre de chapitre, « Votre corps change ». Oh non ! Je n'y crois pas... Je remarquai qu'un passage était souligné en rouge. « Les jeunes filles se sentiront naturellement désorientées, voire déstabilisées en voyant leur corps changer. N'ayez aucune honte ! L'apparition des formes est une étape naturelle pour devenir une femme vampire. »

Je résistai à une irrépressible envie de crier. Je n'ai aucunement besoin que Lucius Vladescu me donne des conseils pour devenir « une femme » et encore moins une « femme vampire ». Et d'ailleurs, qui pouvait bien publier un livre d'éducation sexuelle à l'intention de créatures imaginaires ? Ça ne pouvait qu'alimenter le délire psychotique de certains...

Avant de balancer l'objet dans la poubelle – le seul lieu où je pouvais l'imaginer –, je parcourus la première page pour connaître l'éditeur. Mais un message manuscrit attira mon attention.

Très chère Jessica,
Évidemment, je n'ai jamais eu recours à aucun des conseils inscrits là-dedans – d'ailleurs, où vont-ils chercher la notion de « sentiments » ? – mais j'ai pensé qu'en tant que « nouvelle venue » tu pourrais trouver ce guide utile. Malgré le ton léger, le fond est assez représentatif des habitudes de notre race.
Bonne lecture – et si tu as des questions, n'hésite pas à me les poser. Je pense être un expert en la matière. À part pour les « sentiments ».
Bien à toi,
L.
P.S. Tu sais que tu ronfles ? Fais de beaux rêves !

Il n'avait donc pas abandonné.

En fermant le livre avec rage, je remarquai que quelque chose était glissé à l'intérieur. Une enveloppe. Elle était cireuse, presque transparente, et j'eus comme un frisson quand je réalisai qu'elle contenait une photo. Même à travers le papier, je pouvais distinguer les traits d'une femme. *Non.*

Avant même de la regarder, je sus qui figurait sur cette photo. *Ma mère biologique...*

J'insérai la photo entre deux pages. C'était impossible. Lucius ne m'aurait tout de même pas manipulée pour me forcer à songer à mon passé ? À regarder cette folle qui m'avait abandonnée et était morte depuis longtemps.

Réprimant ma colère – contre Lucius et contre les secrets embarrassants et douloureux de mon passé –, je jetai le livre sous mon lit. Je ne voulais pas que ma mère tombe dessus par accident en vidant ma poubelle. Je pourrais toujours le déchirer et l'enfouir dans le tas de compost plus tard.

Alors que le bouquin atterrissait parmi les moutons de poussière, une idée me frappa : Lucius se trouvait-il derrière la porte pendant que je rêvais de lui ? Je me sentis honteuse. Pourquoi avais-je fantasmé ainsi ? Et qu'avait voulu dire Lucius par « fais de beaux rêves » ? Pourquoi avait-il écrit cela ?

J'espérais vainement qu'en plus de ronfler – ce que je ne faisais pas ! – je ne parlais pas pendant mon sommeil. C'est alors que je me souvins, avec appréhension, que j'avais accepté de me retrouver seule avec Lucius dans son appartement le soir même.

12.

— Bienvenue, m'annonça Lucius en ouvrant la porte de son appartement. Il fit un pas en arrière pour me permettre d'entrer. Tu es ma première invitée.

— Merde alors.

— Voilà une réaction qui fait plaisir, dit Lucius après avoir refermé la porte. C'est très élégant de la part d'une dame.

— Qu'est-ce que tu as fait ? m'écriai-je lorsque mes yeux commencèrent à s'habituer à la pénombre et que je remarquai plus de détails dans la pièce. Waouh !

L'appartement, autrefois décoré avec des vieilleries trouvées au marché aux puces et qui donnaient vaguement une touche « rustique », avait été relooké pour correspondre à ce que j'identifiai comme un château roumain. Une couverture en velours rouge sang était étendue sur le lit, un petit tapis persan usé mais de très bon goût recouvrait la vieille moquette beige, et les murs avaient été repeints en gris-bleu. De la couleur de la pierre. Mon observation s'interrompit brusquement devant un étalage de ce qui semblait être des armes antiques fixées au mur. Des objets tranchants. Acérés.

— Qu'est-il arrivé à la collection de poupées issues du commerce équitable de maman ?

— Elles ont été rapatriées.

Le sourire narquois et satisfait de Lucius me mena à la conclusion que l'exil des poupées devait être définitif.

— Papa et maman vont te tuer lorsqu'ils vont voir ça.

— Impossible, répondit-il en riant. En plus, ce n'est que superficiel. On pourrait facilement faire marche arrière s'il le fallait. Mais je me demande comment on pourrait préférer le vichy..., ajouta-t-il en désignant l'ensemble de la pièce. Et toi, Jessica, que penses-tu de la nouvelle décoration ?

— C'est... intéressant, esquivai-je. Mais quand as-tu trouvé le temps de faire tout ça, sans que personne ne s'en rende compte ?

— On n'a qu'à dire que je suis un noctambule.

Alors que mon étonnement disparaissait, ma colère contre Lucius refaisait surface.

— En parlant de tes activités nocturnes, je n'ai pas apprécié ton cadeau. Ni la façon dont tu me l'as livré.

— Peut-être qu'il finira par t'être utile, répliqua Lucius avec un haussement d'épaules.

— Bien sûr. Je vais le garder bien précieusement sur mon étagère, à côté de *Devenir une créature mythologique en cinq leçons*.

Lucius éclata de rire.

— Très drôle. Je ne savais pas que tu avais de l'humour.

— Je suis une personne marrante, me défendis-je. Et d'ailleurs... je ne ronfle pas.

— Si, tu ronfles. Et tu marmonnes aussi.

Mon sang se glaça. Mon rêve...

— Quoi ? Qu'est-ce que tu as entendu ?

— Rien de vraiment compréhensible. Mais apparemment, c'était un rêve très agréable.

— Je t'interdis de rôder autour de ma chambre. Je suis sérieuse.

— Tes désirs sont des ordres.

Lucius baissa le son d'un vieux tourne-disque, sur lequel tournait un vinyle voilé qui émettait une musique étrange, des grincements et des gémissements, comme des chats en train de se battre. Ou comme un vieux coffre aux gonds rouillés qu'on ouvre et qu'on ferme dans un mausolée désert.

— Tu aimes la musique traditionnelle croate ? me demanda-t-il en voyant mon étonnement. Ça me rappelle la maison.

— Je préfère la musique normale.

— Ah oui. Celle qu'on entend sur MTV, avec toutes ces basses et ces grincements. Cette dose d'hormones d'adolescents enragés qu'on t'administre à travers la télévision. Je n'ai rien contre.

Il désigna un fauteuil qui n'appartenait définitivement pas à mes parents. Ils n'auraient jamais acheté du cuir.

— Assieds-toi, s'il te plaît. Et dis-moi pourquoi tu as voulu qu'on se voie.

En m'asseyant, j'eus l'impression que le fauteuil m'engloutissait. Je m'y enfonçai comme dans du beurre.

— Lucius, il faut que tu arrêtes de me suivre partout. Et que tu rentres chez toi.

— Tu es directe. J'aime cette qualité chez toi, Anta... Jessica.

— J'ai bien réfléchi, annonçai-je. Le « mariage » est officiellement annulé. Je me fiche de ce que dit le parchemin et de ce que les Anciens du Vieux Pays...

— Les Aïeux.

— De ce que les Aïeux attendent. Cela n'arrivera pas. Je préfère te le dire maintenant pour que tu ne perdes pas plus de temps. Je suis sûre que tu meurs d'envie de retourner dans un *vrai* château...

Lucius secoua la tête.

— Non. Nous devons apprendre à cohabiter, Jessica. Je n'ai pas le choix... et toi non plus. Alors j'aimerais que tu essaies au moins de collaborer avec moi, comme on dit.

– Non.

Un petit sourire se dessina sur les lèvres de Lucius.

– Tu as de la volonté. Mais ce n'est pas le moment de la montrer.

Son sourire s'effaça. Il commença à faire les cent pas, comme il l'avait fait dans le cours de Mme Wilhelm.

– Ne pas respecter le contrat… provoquerait non seulement une crise politique, mais déshonorerait la mémoire de nos parents, reprit-il sur un ton très solennel. Ils l'ont voulu, pour la paix.

– Qu'est-il arrivé à tes parents ?

– Ils ont été tués lors de la purge, comme les tiens. Que croyais-tu ?

– Désolée. Je… je ne savais pas.

Lucius s'assit sur le lit et se pencha en avant, les mains jointes.

– Mais contrairement à toi, Jessica, j'ai été élevé parmi les nôtres, avec des modèles qui m'ont préparé à mon futur rôle.

– Ceux que tu appelles les Aïeux ? devinai-je.

– Oui. On m'a envoyé vivre chez mes oncles. Et si tu les connaissais – comme ce devrait être le cas –, tu n'utiliserais pas ce ton affecté, affirma-t-il en crispant les poings, comme en proie à une soudaine colère. Ils sont effrayants.

Je fronçai les sourcils.

– Et avoir été élevé par des Aïeux effrayants est une bonne chose ?

– C'était la chose appropriée. On m'a enseigné la discipline. L'honneur. Par la force, lorsqu'ils estimaient que c'était nécessaire.

Il avait prononcé ces dernières paroles en serrant les dents.

J'oubliai la colère que je ressentais contre lui.

– Tu veux dire que tes oncles te frappaient.

– Bien sûr qu'ils me frappaient, répondit Lucius comme si c'était normal. Maintes et maintes fois. Ils formaient un guerrier. Un dirigeant. Les rois ne deviennent pas rois avec des sucreries, des bisous et des câlins donnés par leur petite maman. Les rois arborent des cicatrices. Personne n'essuie tes larmes lorsque tu es sur un trône. Il vaut donc mieux ne pas avoir été élevé dans cette attente.

– C'est... c'est faux, objectai-je en pensant à mes parents qui étaient incapables d'exterminer les termites qui rongeaient la charpente de l'étable, alors l'idée qu'ils puissent frapper un enfant... Comment ont-ils pu te faire du mal ?

Lucius balaya d'un geste ce signe de compassion.

– Je n'ai pas évoqué la discipline stricte des Aïeux pour éveiller ta pitié. J'étais un enfant rebelle. Une forte tête. Difficile à contrôler. Mes oncles devaient me préparer à devenir un chef. Et ils l'ont fait. J'ai appris à accepter mon destin.

Alors qu'il me fixait avec intensité, je soupirai. Nous étions de retour à la case départ.

– Lucius, cela n'arrivera pas. Votre culte ou je ne sais quoi... ne me concerne pas. Je ne ferai jamais partie des vôtres.

Lucius se releva et recommença à déambuler, passant ses longs doigts dans ses cheveux noirs et brillants.

– Tu ne m'écoutes pas.

– C'est toi qui ne m'écoutes pas, répliquai-je.

Lucius se frotta les yeux.

– Bon sang, tu es exaspérante. J'avais bien dit aux Aïeux que c'était de la folie de t'envoyer à l'étranger pour ton éducation. Que tu ne ferais jamais une bonne fiancée. Une bonne princesse. Mais tous, dans les deux clans, ont insisté en affirmant que tu avais trop de valeur pour que l'on risque ta vie en te gardant en Roumanie...

– Je ne suis pas une princesse !

81

– Si ! tu en es une, insista Lucius. Tu es une femme d'une valeur inestimable. Une reine. Si tu avais été élevée comme la tradition le veut, tu aurais conscience de tout cela. Et tu serais prête à régner. À régner à mes côtés. Mais tu n'es qu'une petite fille sans instruction, cracha-t-il. Je suis lié pour l'éternité à une gamine !

Un frisson me parcourut l'échine.

– Tu es vraiment dingue.

– Et toi, tu es odieuse.

Il s'approcha de la bibliothèque et sembla chercher quelque chose en hauteur. Je me levai d'un bond.

– Qu'est-ce que tu fabriques ? Qu'est-ce que tu cherches ?

– Un livre. La chose que je voulais te montrer.

Lucius sortit de l'étagère du haut un livre massif et brillant avec une reliure en cuir et le posa sur le lit, où il s'enfonça dans l'édredon en plume.

– Assieds-toi. S'il te plaît.

– Je préfère rester debout, merci.

Lucius me regarda d'un air moqueur, puis s'assit en caressant la place à côté de lui.

– As-tu peur de moi ? Peur des vampires ?

– Non.

Je le rejoignis sur le lit. Il se pencha vers moi, jusqu'à ce que nos genoux se touchent, et ouvrit le livre entre nous deux. Cette fois-ci, je reconnus le roumain sur les pages, et quelque chose qui ressemblait à un arbre généalogique.

– C'est ta famille ?

– Toutes les familles de vampires. Les familles nobles, tout du moins.

Le vieux papier craquait lorsqu'il tournait les pages.

– Nous voici. C'est ici que nous nous rejoignons, expliqua-t-il en posant son doigt à la jonction de deux lignes. Lucius Vladescu et Antanasia Dragomir.

Non… Pas encore…

– J'ai déjà vu tout ça, tu te rappelles ? J'ai vu le vieux parchemin qui pue.

Il se déplaça légèrement pour me regarder dans les yeux.

– Et tu le reverras encore et encore. Jusqu'à ce que tu arrêtes de dire des choses aussi impertinentes que « vieux parchemin qui pue » et que tu comprennes *qui tu es*.

Pour une fois, je ne sortis pas de réplique cinglante. Quelque chose dans son regard m'en empêcha.

Après un long silence, Lucius reporta son attention sur le livre. Je réalisai que j'avais besoin de respirer, j'avais retenu ma respiration pendant quelques secondes. *Zut.* J'avais de nouveau l'impression d'avoir des chatons qui faisaient des cabrioles dans mon ventre. Une mèche de ses cheveux ébène était tombée sur son large front, et un muscle tressaillait sur sa joue. Une petite cicatrice descendait le long de sa mâchoire, là où il s'était frotté le visage.

Honneur. Discipline. Force. Qu'est-ce que ces Aïeux avaient bien pu lui faire ?

J'étais habituée à des hommes comme mon père. Gentils. Qui portent des baskets, jouent au base-ball avec leurs fils et mettent des cravates rigolotes à Noël. Lucius était aussi différent d'eux que sa collection d'armes l'était des poupées de maman. Il savait se montrer charmant et ses manières étaient douces lorsqu'il le voulait, mais pourtant on ne pouvait ignorer l'incroyable austérité enfouie sous la surface.

– Là, ce sont tes parents, poursuivit Lucius d'une voix très calme.

Je reportai mon attention sur l'arbre généalogique alors qu'il passait ses doigts sur les noms Mihaela et Ladislau, juste au-dessus du mien. Ma mère et mon père biologiques. La date de leur mort y était également inscrite. J'étouffai un grognement de frustration et de colère. *Pourquoi fallait-il qu'on revienne toujours à mes parents biologiques ?* C'était censé être une année heureuse pour moi. Une période d'insouciance. Mais Lucius était arrivé, ma vie d'avant dans ses bagages. Il ne faisait pas que m'entraîner dans une histoire de vampires et de mariage, il essayait aussi de me ligoter à mon *vrai* passé. De faire un nœud coulant autour de mon cou pour me tirer jusqu'au cimetière. La présence de Lucius me rappelait constamment qui j'aurais pu être en Roumanie. Elle ne m'évoquait pas seulement des vampires, mais aussi des fantômes. Les fantômes de Mihaela et Ladislau Dragomir.

Ils n'étaient que des étrangers… Je ne les pleurerais pas… Et pourtant, je me sentais triste.

— Et là, ce sont mes parents.

Il désigna les prénoms Valeriu et Reveka. Le chagrin de Lucius rendait sa voix encore plus douce. Je voulus prononcer quelques mots. Les bons mots. Mais je ne les trouvai pas.

— Lucius…

— Tu vois la date, poursuivit-il sans me regarder. Sous nos noms ? C'est la date de nos fiançailles. C'est nos parents qui l'ont écrite. Ou au moins l'un d'eux.

Un semblant de sourire mélancolique s'afficha sur ses lèvres.

— Ce fut un jour important pour les Vladescu et les Dragomir. Nos deux clans ennemis enfin en paix. La perspective d'une union. Deux puissances incommensurables enfin réunies. Combien de fois ai-je entendu cette histoire ?

— Mais c'est bien ce dont il s'agit… une histoire.

— C'est un édit, affirma-t-il en refermant le livre avec un bruit sourd. Nous sommes destinés à être ensemble. Quels que soient nos sentiments respectifs et le mépris que tu éprouves à mon égard.

— Je ne te méprise pas…

— Ah bon ? s'étonna-t-il avec un petit sourire amusé. Aurais-tu fait semblant, alors ?

Je changeai de sujet.

– Tu me parles souvent d'obligations, de devoirs et de galanterie, mais je n'ai pas l'impression que tu m'apprécies tant que ça, toi non plus. Tu ne me feras pas croire que tu *veux* m'épouser. Tu viens juste de me traiter de gamine !

Lucius prit son temps pour choisir ses mots.

– Tu es une énigme pour moi, Jessica, finit-il par dire. Un mystère. Mais j'ai au moins l'intention d'explorer ce qui m'est jusqu'à présent incompréhensible.

La faible lumière se reflétait dans ses yeux noirs. Nous étions si proches l'un de l'autre que je pouvais voir les poils de sa barbe de quelques jours. La plupart des types que je connaissais ressemblaient plus à des garçons qu'à des hommes. D'ailleurs, Jake se rasait-il ? Lucius, lui, avait clairement passé ce cap. Et j'étais assise à côté de lui sur un lit. Seule. Dans une pièce sombre. Évoquant « l'exploration » de mes prétendus « mystères ». Je me reculai un peu.

– De toute façon, que se passerait-il si on ne se mariait pas ? demandai-je pour essayer de changer de sujet, m'éloignant encore un peu plus. Cela serait-il vraiment grave ?

Lucius s'allongea sur son lit, appuyé sur ses coudes.

– Cela provoquerait très certainement une guerre généralisée, ta famille contre la mienne, environ cinq millions de vampires créant des coalitions et luttant pour accéder au trône laissé vacant. Les chefs se succéderaient et on assisterait à des bains de sang et à l'anarchie. Et lorsque les vampires font la guerre… Eh bien, comme dit le proverbe : « C'est la soupe qui fait le soldat. »

Je ne connaissais pas ce proverbe. À regret, je demandai :

– Ce qui veut dire ?

– Les soldats ont besoin de se nourrir, m'éclaira Lucius. Donc le sang humain coulera lui aussi dans les rues. Ce sera le chaos. Sans compter le nombre de morts.

Lucius fit une pause et haussa les épaules.

– Ou alors, il ne se passera rien, reprit-il. Les vampires sont capricieux. C'est l'une de nos plus grandes – et pires – qualités. Mais honnêtement, il ne serait pas très sage de courir ce risque.

– Mais pourquoi les Vladescu et les Dragomir se détestent-ils autant ?

– Pourquoi toutes les religions, cultures ou nations puissantes s'affrontent-elles ? Pour contrôler le territoire. Par soif de domination. Il en a toujours été ainsi entre nos deux clans – jusqu'à ce que le pacte assure une promesse de paix. Si nous n'accomplissons pas notre marché, toi et moi, nous aurons du sang sur les mains.

Des images de rues transformées en bains de sang – par ma faute – défilaient dans mon esprit comme une scène de film d'horreur qui passerait en boucle. Je me levai alors et secouai la tête.

– C'est l'histoire la plus stupide que j'ai jamais entendue.

Le regard de Lucius était désormais insondable. C'était encore plus effrayant que sa colère. Il se leva à son tour.

– Vraiment ? Que dois-je faire pour que tu me croies ?

– Rien. Puisque les vampires n'existent pas.

– J'existe. Tu existes.

– Je ne suis pas un vampire, insistai-je. Cet arbre généalogique ne prouve rien.

L'agacement envahit le regard de Lucius.

– Ce document prouve tout. C'est le seul objet qui a de l'importance.

Je fis quelques pas en arrière. Il me paraissait plus menaçant que jamais.

– Il faut que j'y aille, là, dis-je.

Mais à chaque pas que je faisais, Lucius s'avançait vers moi, lentement. Je me retrouvai pétrifiée, comme ensorcelée par ses yeux noirs. Le frisson qui me parcourut fut si intense qu'il me figea sur place, comme si j'avais été frappée par la foudre.

– Je ne crois pas aux vampires, murmurai-je avec moins de conviction.

– Tu finiras par y croire.

– Non. Ce n'est pas rationnel.

Lucius n'était plus qu'à quelques centimètres de moi, et il se baissa pour mettre ses yeux à la hauteur des miens. Puis il révéla ses dents. Sauf que ce n'était plus de simples dents. Mais des crocs. Deux crocs, pour être précise. Acérés, brillants et fascinants. C'était les choses les plus affreuses, parfaites et incroyables que j'avais jamais vues.

J'avais envie de crier. De crier aussi fort que c'était humainement possible. Ou peut-être que Lucius m'attrape, me serre très fort contre lui, pour sentir ses mains puissantes, ses lèvres gelées, ses dents dans mon cou… Oh, mon Dieu ! Qu'est-ce qui m'arrivait ? Qu'est-ce qui *lui* arrivait ? Mince, un vampire. C'en était vraiment un ! Non. Impossible. C'était un tour de magie. Une illusion.

Je fermai les yeux, puis les frottai, refusant de croire à cette mascarade. Pourtant, j'attendais de sentir la morsure, comme une lame de rasoir qui inciserait ma jugulaire.

– S'il te plaît… non !

Un court instant de silence parut durer une éternité. Un instant pendant lequel je crus honnêtement qu'il allait me faire du mal. Puis, soudain, Lucius m'attrapa par les bras, m'attira vers lui et me serra contre son torse, exactement comme il l'avait fait dans mon rêve. Fermement, mais gentiment.

– Antanasia, murmura-t-il d'une voix très douce.

Il caressa mes boucles et je ne protestai pas. Il cherchait à me calmer et j'étais trop soulagée pour me débattre.

— Je suis désolé…, s'excusa-t-il. C'était cruel de ma part. Je n'aurais pas dû faire ça, pas comme ça. S'il te plaît, pardonne-moi.

Je l'enlaçai timidement, entourant sa taille étroite avec mes bras, sans trop savoir pourquoi, puis il me serra encore plus fort contre lui, son menton posé sur ma tête. Sa grande main couvrait le creux de mon dos, qu'il caressait avec douceur. Nous restâmes ainsi une bonne minute. Je sentais son cœur battre près de ma joue. Très doucement. Très lentement. Presque imperceptible. Le mien tambourinait, et je savais qu'il le sentait lui aussi.

Finalement, je reculai et il me laissa partir.

— Ne refais plus jamais ce genre de tour, dis-je, surprise d'entendre que ma voix tremblait. Plus jamais. Ce n'est pas drôle du tout.

La musique croate émanait toujours du tourne-disque, angoissante et perçante. Lucius m'attrapa le bras. Une part de moi-même fut ravie qu'il me touche à nouveau. Mais je détestais cette sensation. Je détestais avoir du mal à me détacher de lui. *C'est un cinglé, Jess !*

— S'il te plaît, Jess. Assieds-toi, me demanda Lucius en désignant le lit. Tu es un peu pâle.

M'asseoir… et qu'est-ce qui se passerait après ?

— Je… je dois partir, balbutiai-je.

Lucius ne me retint pas… Je dévalai l'escalier, traversai la cour en courant et, une fois dans ma chambre, refermai la porte à clé, à bout de souffle, toute rouge, incroyablement gênée. Parce que ce que j'avais ressenti n'était pas uniquement de la peur. J'avais ressenti autre chose : la même sensation que j'avais eue dans mon rêve avec Lucius. *Le dégoût peut se transformer en désir…* L'alchimie. C'était de la folie. Tout se mélangeait dans ma tête. Et ça n'allait pas, ça n'allait pas du tout.

13.

— Aujourd'hui, nous allons parler de la notion de nombre transcendant, annonça M. Jaegerman, l'entraîneur de notre équipe de mathématiques, en se frottant les mains avec une sorte de jubilation arithmétique.

Mon équipe de matheux et moi nous penchâmes sur nos cahiers, prêts à écrire.

— Un nombre transcendant correspond à n'importe quel nombre non algébrique, c'est-à-dire qui n'est la racine d'aucun polynôme à coefficient entier, débuta M. Jaegerman.

Mike Danneker leva soudainement la main.

— Comme pi.

— Oui ! s'écria M. Jaegerman qui pointa immédiatement sa craie vers le tableau pour écrire le symbole pi. Exactement.

Il commençait déjà à transpirer. M. Jaegerman était chauve, légèrement en surpoids et portait du polyester, mais il montrait un enthousiasme admirable pour les nombres.

Je notai le symbole π sur mon cahier, en me disant que j'en avais assez de perdre mon temps avec des concepts théoriques. Je préférais m'entraîner avec des exercices pratiques plutôt que de discuter de notions abstraites.

– Pi est un très bon exemple de nombre transcendant, poursuivit notre professeur. Le rapport de la circonférence d'un cercle sur son diamètre. Nous connaissons tous pi. Mais nous nous arrêtons généralement à 3,14 lorsque nous l'utilisons. Pourtant, comme nous le savons tous, il est bien plus long. Et même si l'homme l'a calculé jusqu'à environ un milliard de chiffres, il n'a en réalité pas de fin. Il va jusqu'à l'infini, l'éternité. Il est « incalculable ». Et ce qui est le plus hallucinant, c'est que ce nombre n'a aucune structure.

Il écrivit frénétiquement sur le tableau. 3,1415926535897932...

– Et cela continue, encore et encore. Jusqu'à l'infini.

Nous arrêtâmes d'écrire, pour intégrer tout ça. Évidemment, en tant que matheux, nous avions tous déjà réfléchi au nombre pi. Mais l'idée de ces chiffres se suivant et parcourant les galaxies et le temps... c'était très perturbant. Presque énervant. Impossible à saisir.

– Et bien sûr, ajouta M. Jaegerman, nous sortant de nos rêveries, un nombre transcendant tel que pi est, par définition, irrationnel.

Ce mot me fit comme un choc. Dans ma tête, je réentendais ma mère dire : « Jessica, il y a des choses dans cet univers qu'on ne peut tout simplement pas expliquer.... »

Mais on peut les expliquer, protesta mon cerveau. Même pi est explicable. Les nombres sont concrets. Réels.

Sauf s'il s'agit de nombres qui font leur chemin jusqu'à l'éternité. L'éternité... Encore un concept que je ne pouvais pas saisir.

Des âmes liées pour l'éternité. Lucius avait dit ça lorsqu'il avait parlé de la cérémonie de fiançailles. Lucius, la personne la moins rationnelle que je connaisse. Les vampires et les pactes... Tout ça, c'était irrationnel. Comme pi ?

– Mademoiselle Packwood ?

En entendant mon nom, je revins à la réalité. Ou ce que je pensais être la réalité. Pourquoi tout me semblait-il si incertain tout à coup ?

— Oui, monsieur Jaegerman ?

— Vous aviez l'air dans la lune, dit-il, le sourire aux lèvres. J'ai pensé que je devais vous ramener à la réalité.

— Excusez-moi.

La réalité. Il était clair que M. Jaegerman y croyait. Il n'aurait jamais cru à des choses irréelles. Comme les vampires. Ou les destins éternels. Ou « le dégoût se transformant en désir ».

La réalité, c'était le stylo qui laissait dans ma bouche un goût de plastique. C'était le motif hideux sur la cravate de M. Jaegerman. C'était la sensation de douceur en effleurant le bois de mon bureau.

Oui. La réalité. Quel bonheur d'être de retour...

Lorsque je reportai mon attention sur mes notes, je vis que j'avais gribouillé dans la marge un petit dessin représentant deux crocs acérés. Je ne m'en étais même pas rendu compte.

Serrant mon stylo avec rage, je rayai le dessin jusqu'à ce qu'il soit couvert d'encre et que chaque trait soit complètement masqué.

14.

Cher oncle Vasile,

Je t'écris pour te remercier d'avoir déposé l'argent sur mon compte, comme je te l'avais demandé, et de m'avoir expédié au plus vite ma collection d'armes ainsi que les meubles, tapis et autres objets. Je crois bien que je n'aurais pu supporter un jour de plus entouré de ces poupées aux yeux de biche qui me fixaient de tous les coins de cette chambre. J'avais l'impression d'être encerclé par une armée de nains multiculturels, qui attendaient que je dorme pour m'attaquer.

Grâce aux outils que tu as eu l'obligeance d'inclure dans l'envoi, j'ai rendu service aux Packwood en les débarrassant de cette collection. Un couple de salière et poivrière en forme de chiens portant des toques de cuisinier a lui aussi, hélas, trouvé la mort. Le jour viendra où les Packwood retrouveront leurs esprits et me remercieront.

Venons-en aux mauvaises nouvelles. J'ai bien peur d'avoir fait un faux pas en présentant de façon plutôt brutale le concept de transformation vampirique à Antanasia. Elle a réagi par une crise d'angoisse, puis a fini par nier complètement l'événement. Sincèrement, Vasile, elle prend l'apparition de mes crocs pour un simple tour de passe-passe. Tu imagines ? L'une des plus fascinantes évolutions de la nature réduite à un

92

tour de magie ? Bon sang ! Que cette fille me contrarie ! Elle est si réfractaire. Si rationnelle.

En bref, je n'ai pas avancé et ai même fait deux pas en arrière.

J'assumerai volontiers la responsabilité de mon erreur (j'aurais dû prévoir la réaction d'Antanasia – j'ai clairement manqué de subtilité), mais n'avais-je pas prédit toutes ces difficultés il y a déjà plusieurs années?

Allongé sur mon lit, j'imagine souvent à quel point les choses auraient pu être différentes si Antanasia avait été élevée comme un vrai vampire. Je ne voudrais pas paraître prétentieux, Vasile, mais mes expériences passées m'ont prouvé que je ne déplaisais pas aux femmes. (La saison des débutantes a-t-elle commencé à Bucarest ? – Profond soupir.) En ce qui concerne Antanasia, malgré tous ses défauts (ses tee-shirts en tête de liste)… eh bien, j'entrevois parfois quelques bribes de ce qu'elle aurait pu être. Ou de ce que nous aurions pu être.

À vrai dire, la qualité la plus agaçante d'Antanasia (sa ténacité susnommée) est une chose qui lui servirait grandement en tant que dirigeante. Elle me tient tête, Vasile. À moi. Combien aimeraient pouvoir en faire autant ? Il y a aussi beaucoup d'intelligence dans son regard. Et elle a un rire un peu moqueur – signe indéniable d'appartenance à notre espèce. Et puis elle est belle, tu sais, Vasile. Ou elle pourrait l'être si elle ne faisait pas tout pour le cacher. Si seulement elle prenait conscience de sa beauté.

Parfois, je réussis à imaginer Antanasia dans notre château, à mes côtés – à condition qu'elle apprenne les bonnes manières, ne s'oppose pas à la notion même de vêtements féminins, et redresse sa colonne vertébrale. (Personne en Amérique ne montre un quelconque intérêt pour la posture. Se tenir droit semble être une sorte d'art oublié, comme l'escrime.)

Dans cette réalité tant espérée que j'imagine parfois, notre jeu de séduction consiste en soirées à l'opéra de Vienne, en promenades à cheval dans les Carpates (elle sait vraiment monter à cheval !) et en conversations autour d'un bon repas avec de la vraie nourriture. C'est de cette façon que j'ai toujours approché – et avec succès !– le beau sexe en Roumanie.

Mais bien sûr, les rêveries et les souhaits ne sont qu'exercices vains et inutiles qui pourraient certainement être le sujet d'un divertissement télévisé (ici, il y a une chaîne entièrement consacrée au jeu du « poker »… est-il nécessaire d'en dire plus ?) mais ne feront pas changer la réalité. Le fait que je frissonne d'horreur à chaque fois que je vois ses défauts ne changera pas le fait qu'Antanasia est une jeune Américaine qui exige une approche à l'américaine. Il me reste encore à déterminer en quoi cela consiste. Des sorties du genre « hamburger-frites », sans aucun doute.

En résumé, je suis « dans le pétrin ». (Encore une expression locale. À croire qu'ils en ont une infinité.) Voilà la situation ici, dans notre « petite démocratie », comme mon « beau-père » aime tant appeler cette ferme ridicule et non productive. Honnêtement, s'il y a bien un endroit qui aurait besoin de la fermeté d'un tyran… Moins de bêtes dans la cour, plus dans le four : voilà qui serait mon premier décret. Mais encore une fois, les souhaits ne changent rien à la réalité.

Ton neveu,

Lucius

P.S. Au risque de mettre ta patience à rude épreuve, j'ai encore une requête. Ma réserve de Groupe A est bientôt à sec (les entraînements de basket me donnent soif). Aurais-tu un bon domestique qui pourrait faire l'affaire ?

15.

  — « Aujourd'hui, lancez-vous ! Prenez des risques ! » lut Mindy qui s'était appuyée contre les casiers pour se plonger dans l'horoscope du dernier *Cosmo*.

  J'éclatai de rire tout en fouillant dans mon casier pour trouver les livres dont j'aurais besoin à la maison.

  — Je n'arrive pas à croire que tu lises ça. Tu as vraiment besoin de connaître les « 75 trucs sexuels pour le rendre fou » ? Tu ne crois pas qu'une vingtaine, ce serait suffisant ?

  Mindy émergea de son magazine en souriant.

  — Ils pourraient tous se révéler utiles un jour ou l'autre. Tu ne veux pas être prête pour le jour où tu auras envie de le rendre fou ?

  Je rougis, repensant aux mots de ma mère, à mon rêve avec Lucius, à ce que j'avais ressenti ce soir-là chez lui, lorsqu'il avait fait ce truc stupide avec ses dents… Et Jake, torse nu, debout à l'arrière de son camion…

  — Bon, OK. Peut-être que oui. Mais ce n'est pas comme si j'avais l'intention d'utiliser ces trucs demain.

  — Tiens ! Tu ne devineras jamais qui vient vers nous, m'interrompit Mindy en désignant quelqu'un derrière moi.

  Je me retournai en m'attendant à voir Lucius au milieu de la foule d'élèves, prêt à rentrer à la maison. Le béguin de

Mindy devenait incontrôlable, et lorsqu'elle parlait de sexe, on pouvait s'attendre à ce qu'elle mentionne Lucius. Mais non. C'était Jake qui récupérait son blouson dans son casier. Je replongeai dans le mien, feignant d'être absorbée par ce qu'il contenait.

— Tu devrais aller lui parler, me conseilla Mindy un peu trop fort. À moins que tu aies enfin compris que Lucius était le meilleur choix possible…

— Lucius n'est pas meilleur, et ce n'est pas un « choix possible », rétorquai-je.

— Très bien, alors c'est l'occasion d'inviter Jake à la fête du lycée, ajouta Mindy qui ressortait son *Cosmo*. Écoute les conseils de ton horoscope. Prends des risques.

— Je savais que tu lisais ces bêtises, mais ne me dis pas que tu crois ces histoires de « destin guidé par les étoiles » ?

Je sortis de mon casier une pile de livres.

— Bien sûr que si.

Pas toi, Mindy… Ne restait-il donc pas une seule personne rationnelle sur cette Terre ?

— Jake n'avait d'yeux que pour toi l'autre jour. C'est à peine s'il m'a remarquée.

— Vraiment ?

— C'est comme si j'étais invisible. Vas-y. Invite-le à la fête. À moins, évidemment, que tes pensées soient occupées par Lucius…

— Non, pas du tout.

— Alors, demande à Jake.

Je jetai un coup d'œil à ma tenue. Pourquoi fallait-il que je porte mes vieilles Converse dégoûtantes ? Sans compter que je n'avais toujours pas perdu de poids.

— Non, je ne crois pas… Je suis horrible, et puis… ça devrait être à Jake de m'inviter, non ?

— On n'est plus au Moyen Âge, Jess, fit remarquer Mindy. Les filles peuvent très bien inviter les garçons à sortir. Ça arrive tout le temps ! Tu le saurais si tu lisais *Cosmo*.

Mindy marquait un point. S'il y avait bien un truc qui me rendait malade, c'était d'avoir encore une Converse dans le Moyen Âge. Je me demandais quelle aurait été la réaction de Mindy si elle avait su que je n'étais pas censée choisir mon mari, ni même celui qui m'accompagnerait à la fête d'Halloween du lycée. De plus, je n'étais pas convaincue qu'inviter Jake était une bonne idée.

– Je peux très bien aller à la fête toute seule.

– Peut-être mais c'est plus cool d'y aller avec un garçon. Et tu devrais te dépêcher parce qu'il est en train de partir.

Je me retournai à nouveau vers Jake, qui fermait son casier. Mindy me poussa en avant.

– Allez !

Son deuxième coup ne me laissa pas le choix. Surtout que Jake marchait dans notre direction.

– Salut, dit-il en souriant alors que j'allais presque m'écraser contre lui. Merci pour le verre l'autre soir.

– De rien.

Génial, Jess. Je cherchai le soutien de Mindy du regard, mais elle, son *Cosmo* et ses 75 trucs sexuels avaient disparu.

– Je parlais justement de toi, dit Jake. J'ai appris que tu étais la grande favorite du concours d'obstacles de la foire cette année.

– Vraiment ?

– Oui. Faith dit que ton Appaloosa saute très bien.

– Faith Crosse a dit ça ? Tu en es sûr ?

Même si les pur-sang de Faith étaient en pension à la ferme de mes parents, elle se comportait comme si je n'existais pas. Tout comme Lucius, on aurait dit qu'elle me prenait pour un palefrenier. Je n'aurais jamais cru qu'elle prenait la peine de me regarder monter à cheval.

Beth Fantaskey

– Oui. Elle pense que tu es sa plus sérieuse concurrente.

– Je ne battrai jamais les pur-sang de Faith. Pas avec un Appaloosa. Aussi forte que soit ma Belle, c'est impossible.

– Je suis sûr que tu t'en sortiras très bien. Peut-être qu'un jour je pourrai venir te regarder t'entraîner, finit-il par ajouter après un temps d'hésitation.

– Vraiment ? Enfin, je veux dire, ce serait super.

Je souris et croisai le beau regard banal de Jake. Ses yeux bleus étaient délicieusement... ordinaires. Pas noirs, pas terrifiants ni changeants. Et ses dents... si merveilleusement normales. C'était maintenant ou jamais. Je pris une grande inspiration.

– Jake ?

– Oui ?

– Tu vas à la fête du lycée ? demandai-je en un souffle, le cœur battant si fort que j'avais peur de ne pas entendre sa réponse. Je me disais qu'on pourrait peut-être... tu sais... y aller ensemble.

Il se figea.

– Eh bien, je n'étais vraiment pas sûr...

Oh non. Même à moitié sourde, j'entendais le ton hésitant de sa voix. Il allait refuser. Je le savais. C'était à cause des Converse. Ça ne pouvait être que les Converse. Ou les trois kilos...

– Oh, je comprends, l'interrompis-je, les joues en feu. Ce n'est pas grave.

– Non, attends...

– Salut Jessicaca !

Un bras lourd tomba sur mes épaules, et je me retrouvai joue contre joue avec Frank Dormand, qui s'appuyait sur moi, un sourire dégoulinant sur son visage bouffi. Horrifiée, j'essayai de me libérer mais Frank me retenait.

– Ai-je bien entendu ? reprit-il. Tu viens d'inviter Jake à la fête ? Qu'est-ce qui t'arrive ?

– Arrête, Frank, lui demandai-je en serrant mes livres contre ma poitrine. Ça ne te regarde pas.

– Oui, Frank, poursuivit Jake. Laisse-nous tranquilles.

Frank ébouriffa mes boucles.

– Espèces de gamins.

J'essayai de repousser sa main pour lisser mes cheveux, mais j'étais tellement énervée que mes mains moites laissèrent tomber mes livres. Mes feuilles d'exercices s'éparpillèrent par terre.

– Fous le camp, Frank ! criai-je, furieuse.

C'était une chose de se moquer de moi à la cafétéria, mais cette fois, il allait trop loin…

Frank fit un clin d'œil à Jake.

– Alors, qu'est-ce que tu vas faire, Jake ? Tu vas sortir avec Jessicaca ? Parce que la rumeur dit qu'elle s'entend plutôt bien avec ce croque-mort étranger qui vit dans son garage. Tu te le tapes, hein, Jess ?

Je me contorsionnais pour échapper à l'emprise de Dormand lorsque je me rendis compte que j'étais libre. Lucius, l'air calme mais déterminé, serrait le cou de Frank de sa main puissante et le maintenait à plusieurs centimètres du sol, plaqué contre les casiers.

Frank agitait les jambes et ses talons cognaient contre la tôle avec un bruit métallique.

– Hé !

Mais Lucius se contenta de soulever Frank encore plus haut.

– Les gentlemen ne posent pas de questions impertinentes sur des sujets délicats aux dames, l'avisa-t-il d'une voix posée, presque emplie d'ennui. Et ils n'utilisent jamais d'expressions grossières en leur présence. À moins qu'ils soient prêts à en assumer les conséquences.

– Lucius, non ! criai-je.

Frank essayait vainement d'attraper la main qui serrait sa gorge tandis que la foule s'agglutinait dans le couloir.

– Arrête, suffoqua-t-il alors que son visage devenait aussi rouge que le mien. Tu m'étrangles, mec.

– Laisse-le, Lucius, le suppliai-je en voyant que Frank passait du rouge au bleu. Il étouffe !

Lucius relâcha son emprise, ce qui permit à Frank de toucher le sol de la pointe des pieds. Mais il le tenait toujours fermement.

– Dis-moi ce que je dois faire de lui, Jessica. Choisis la punition et je l'appliquerai.

Tu n'es pas mon garde du corps.

– Rien, Lucius ! répondis-je. Ce n'est pas ton problème !

– Non. C'est juste mon plaisir.

Il se retourna vers Frank, qui avait cessé de se débattre et était immobile, contre le casier, les yeux exorbités.

– Tu vas ramasser les livres de la demoiselle, les lui rendre gentiment et lui faire tes excuses, ordonna Lucius. Puis nous nous retrouverons dehors et conclurons notre affaire.

Il laissa tomber Frank qui s'effondra et essaya de reprendre son souffle.

– Je ne me battrai pas contre toi, dit Frank d'une voix rauque en se frottant le cou.

– Il s'agira d'une leçon, pas d'un combat, assura Lucius. Et quand j'en aurai fini, tu n'embêteras plus jamais Jessica.

J'échangeai un regard inquiet avec Jake qui se tenait toujours près de moi, silencieux et méfiant.

– C'était juste pour la taquiner, se justifia Frank.

Lucius lança un regard noir du haut de son mètre quatre-vingts. Il semblait emplir complètement l'espace.

– Dans mon pays, causer la détresse d'une femme n'est pas un amusement. J'aurais dû t'expliquer cela clairement la dernière fois. Je ne laisserai pas passer une autre occasion.

– Et d'où est-ce que tu viens ? le défia Frank en gonflant le torse, reprenant confiance. On est plusieurs à se poser la question.

– Je viens d'une nation civilisée. Tu ne connais certainement pas cet endroit. Maintenant, ramasse les livres.

Frank avait dû comprendre l'avertissement irrévocable dans le grondement sourd de Lucius, puisqu'il se pencha et s'exécuta en grommelant. Il me tendit mes livres et s'éloigna à la hâte, mais Lucius le rattrapa.

– Tu as oublié les excuses.

– Je suis désolé, dit Frank en serrant les dents.

Lucius poussa Frank.

– Maintenant, allons dehors.

– Lucius ! l'interpellai-je en l'attrapant par le bras.

Je sentis ses muscles contractés sous mes doigts. Il aurait réduit en miettes le corps flasque de Dormand, qui n'aurait pas été capable de faire dix pompes même si sa vie en dépendait.

– Ça suffit maintenant, repris-je.

Lucius me regarda droit dans les yeux.

– Tu le mérites, Jessica. Il ne te manquera plus jamais de respect. Pas en ma présence.

– Tu ne peux pas faire ça ici… pas comme ça. Nous ne sommes pas en Roumanie. (*Nous ne sommes pas dans ta famille, avec leurs manières brutales, quelles qu'elles soient.*) Tu es allé trop loin.

Nous nous toisâmes longuement. Puis Lucius se tourna vers Frank.

– Va-t'en. Et estime-toi heureux d'avoir un sursis. Parce que tu n'en auras pas d'autre, quelle que soit la volonté de Jessica.

– Espèce de malade, marmonna Frank.

Mais il s'empressa de rejoindre la foule, qui se referma derrière lui, me laissant avec Lucius et Jake. Ce dernier allait s'éloigner lui aussi, mais Lucius l'arrêta.

— Je crois que vous étiez en pleine discussion. Je vous en prie. Continuez.

— On a fini, assurai-je à Lucius, qui ne détachait pas son regard de Jake.

— Vraiment ? demanda Lucius à Jake. Vous aviez fini ?

— Je… on parlait de…, bégaya Jake en fixant ses pieds. Écoute, Jess, on en reparlera plus tard.

— Pas de problème, Jake, je comprends. Tu n'es pas obligé d'en dire plus.

Les larmes qui se formaient dans mes yeux depuis environ cinq minutes commencèrent à couler.

— Pourquoi pleure-t-elle ? s'enquit Lucius. Tu lui as dit quelque chose ?

— Non. Je le jure, dit Jake en levant les mains.

— Va-t'en, Lucius, ordonnai-je.

Il hésita.

— S'il te plaît, ajoutai-je dans un sanglot.

Nos yeux se croisèrent. Je vis de la compassion dans son regard, et ce fut certainement le pire moment de la journée. Un garçon rejeté de tous était désolé pour moi.

— Comme tu veux, dit-il en s'éloignant. Je te surveille aussi, Zinn, ne manqua-t-il pas d'ajouter.

— Waouh, fit Jake une fois Lucius parti. C'était intense, hein ?

Je reniflai et m'essuyai les yeux.

— Quand ça ? Quand Lucius a failli tuer Frank ou quand il t'a menacé ?

— Tout.

— Je suis vraiment désolée.

— Non, ça va. Frank est un crétin. Il l'a cherché.

— La situation était tellement gênante.

— Ouais. Un peu.

– Ne t'inquiète pas pour la fête, murmurai-je. C'était idiot de ma part de t'y inviter.

– Non, j'allais accepter, dit timidement Jake. À moins que toi et Lucius soyez... ensemble ou quelque chose comme ça. Enfin, c'est ce qu'on dit. Et Lucius m'a semblé un peu... possessif tout à l'heure.

– Non ! m'écriai-je. Lucius n'est pas mon petit ami. C'est plus comme... un grand frère très protecteur.

– OK, donc il n'essaiera pas de m'encastrer dans un casier si on y va ensemble, hein ? Parce que je pourrais le battre, mais après l'avoir vu en action, je pense que le combat serait un vrai carnage, dit Jake qui semblait ne plaisanter qu'à moitié.

– Non, Lucius est inoffensif, mentis-je.

Si on ne prend pas en compte le fait qu'il croit être un prince guerrier, représentant d'un peuple d'hommes chauves-souris cannibales, songeai-je.

– Alors je te téléphone, OK ? promit Jake.

– Super, répondis-je avec un sourire, oubliant presque que je venais de pleurer.

Jake commençait à s'éloigner lorsqu'il se retourna.

– Jess ?

– Oui ?

– Je suis heureux que tu m'aies invité.

– Moi aussi, répondis-je en remerciant au fond de moi Mindy et sa foi en *Cosmo* et les horoscopes.

Lucius m'attendait à la sortie du lycée, assis sur un muret en brique. Dès qu'il me vit, il bondit vers moi pour porter mes livres comme il avait pris l'habitude de le faire lorsqu'il réussissait à me retrouver à la fin des cours.

– On a raté le bus, fit remarquer Lucius, sans aucune trace de déception dans la voix.

– On n'a qu'à marcher jusqu'au bureau de maman. Elle nous ramènera.

L'université de Grantley n'était qu'à quelques minutes de là.

— Excellente idée !

Lucius s'aligna sur mon pas, et nous nous dirigeâmes vers le campus, dans l'air frais de cette fin d'après-midi d'automne. Après quelques minutes de silence, il sortit de la poche intérieure de sa veste un petit mouchoir en lin brodé d'initiales et me le tendit.

— Il y a encore des larmes sur ton visage.

— Merci.

Je les séchai et me mouchai. Mais quand je voulus lui rendre son mouchoir, Lucius leva la main avec un mouvement de recul.

— Garde-le. Je t'en prie. J'en ai d'autres.

— Merci.

— Tout le plaisir est pour moi, Jessica.

Son regard était perdu dans le vague. Un pâté de maisons plus tard, il me doubla en marchant à reculons et se pencha pour observer mon visage.

— Ce garçon trapu... ce Zinn...

— Qu'est-ce que tu lui veux ?

Ce fut à mon tour de regarder au loin. Je me concentrai sur la route bordée de chênes.

— Tu es vraiment attirée par ce type ?

Je croisai les bras, haussai les épaules et donnai un coup de pied dans un gland.

— Je ne sais pas trop. Enfin...

— Tu vas avec lui au gala dont tout le monde parle...

— C'est la fête du lycée. Comme une boum dans le gymnase. Pas un « gala ». Personne ne dit « gala ». En tout cas, personne au lycée Woodrow Wilson.

— Gala, fête... peu importe. Est-ce que tu sors avec lui ?

Était-ce du chagrin que je devinais dans les yeux de Lucius ? Ou juste cette noirceur habituelle ?

– Ce n'est qu'un rendez-vous, mais je crois que oui, admis-je sans trop savoir pourquoi je me sentais coupable.

Il n'y avait aucune raison. Le fait que Lucius croie dur comme fer à nos fiançailles ne faisait pas de moi une traîtresse, bon sang. Mais comme il me fixait toujours aussi intensément, j'ajoutai sans conviction :

– J'espère que ça ne pose pas de problème. Avec le pacte et tout ça.

– C'est juste que j'ai du mal à comprendre.

– Quoi ? Moi qui pensais que tu savais tout.

– Il ne t'a même pas défendue, dit Lucius en se frottant le menton, visiblement perplexe.

– Ici, les femmes se défendent toutes seules. Les hommes ne se battent pas pour nous. Comme je te l'ai dit, je me débrouille très bien avec Dormand.

– Pas aussi bien que je peux le faire pour toi. Pas aussi bien que Zinn aurait dû le faire. Que tu le veuilles ou non, les hommes et les femmes sont différents. Tu peux chasser une mouche mais moi, je peux l'écraser. N'importe quel homme d'honneur aurait réagi.

– Hé ! protestai-je. Jake a le sens de l'honneur.

– Pas assez pour te protéger.

– Oh, Lucius, grognai-je. Jake trouve que tu as carrément dépassé les bornes... et il a raison.

Lucius secoua la tête.

– Alors c'est qu'il n'a pas vu ta tête.

Je ne sus que répondre.

Nous continuâmes à marcher en silence, Lucius retenant ses grandes enjambées pour aller à mon rythme. Il paraissait encore plus pensif qu'auparavant, et même contrarié.

Nous passâmes le portail du campus et nous dirigeâmes vers le grand hall où se trouvait le bureau de maman. Soudain, le visage de Lucius s'illumina.

– Tu sais conduire, n'est-ce pas ? Tu as le permis ?

— Oui, bien sûr. Pourquoi ? Où veux-tu qu'on aille ? *À la banque du sang ?*

— J'aimerais bien acheter quelques jeans, répondit Lucius. Peut-être un tee-shirt. Et ils insistent pour qu'on porte un certain type de chaussures en cours de sport. Mes semelles roumaines semblent enfreindre le règlement. Apparemment, il me faut une paire de chaussures avec une « virgule » sur le côté si je veux continuer à jouer au basket.

Je m'arrêtai net.

— Tu veux acheter des vêtements normaux ?

— Non, je veux juste mettre ma garde-robe à jour pour qu'elle corresponde aux normes culturelles locales, me corrigea-t-il. Tu dois savoir où je peux trouver ces fameuses boutiques dont j'ai tant entendu parler, non ?

Je repris ma respiration et arrêtai Lucius d'un doigt que je posai sur sa poitrine.

— Attends ici. Ne bouge pas. Je vais demander à maman si on peut lui emprunter le van.

Il fallait absolument que je voie ça.

Qu'est-ce que Lucius Vladescu pouvait bien considérer comme normal ? Et le plus important, à quoi un Roumain grand, à l'allure impériale et habitué à porter des pantalons noirs confectionnés par un tailleur pouvait-il bien ressembler en jean ?

16.

— Franchement, je ne sais pas du tout d'où viennent toutes ces histoires, se plaignit Lucius en tournant le bouton de l'autoradio, certainement à la recherche de folklore croate, pour finir sur une station de musique classique. Je suppose que ça vient d'Hollywood.

Je mis une station pop, juste pour l'embêter.

— Alors vous ne vous transformez pas en chauve-souris ?

Lucius éteignit la radio et me lança un regard offensé.

— En chauve-souris ? Quel vampire qui se respecte se transformerait en rongeur volant ? Est-ce que tu aimerais te changer en putois ?

— Non, répondis-je en freinant à un feu rouge. Peut-être juste une fois, pour voir ce que ça fait.

— Eh bien, les vampires n'ont pas le pouvoir de se transformer en quoi que ce soit.

— Et à propos de l'ail ? Est-ce ça vous repousse ?

— Seulement si c'est l'haleine de quelqu'un qui sent l'ail.

— Et les pieux ? Est-ce qu'on peut vous tuer avec un pieu ?

— Un pieu peut tuer n'importe qui. Mais oui... c'est vrai. En fait, enfoncer un pieu dans le cœur d'un vampire est la seule solution pour l'éliminer.

— Ah, d'accord.

— Je vais te faire gagner du temps : on ne dort pas dans des cercueils, ni la tête en bas. Et tu l'as déjà remarqué, on ne se désintègre pas au soleil. Comment pourrait-on vivre dans ces conditions ?

— Du coup, être un vampire me semble plutôt ennuyeux.

— Au risque de soulever un sujet épineux — et je m'en excuse encore —, tu ne semblais pas trouver mes crocs ennuyeux l'autre soir. En fait, tu as même réagi de façon assez vive à leur vue.

Et au toucher de ses mains, de son corps... Non, ne t'aventure pas par là, Jess.

— Comment as-tu fait ça ? Tu as des dents en plastique cachées dans la bouche ?

Lucius me regarda, l'air dépité.

— Des dents en plastique ? Tu trouves que ça ressemblait à du plastique ?

— Non, admis-je. Mais les prothésistes dentaires font des merveilles de nos jours.

— Une prothèse dentaire. Ne sois pas ridicule. C'était — ce sont — mes dents. C'est ce que font les vampires. Ils sortent leurs crocs.

— Fais-le maintenant.

— Euh, Jessica... Je ne pense pas que ce soit une bonne idée de faire ça pendant que tu conduis sur une route où il y a autant de circulation. Tu as un peu paniqué l'autre soir.

— Tu ne peux pas, hein ? le défiai-je. Parce que ce n'était qu'un tour stupide, et là, tu n'as pas tes accessoires.

— Ne me provoque pas, Jessica. Sauf si tu tiens vraiment à ce que je le fasse. Parce que je le peux...

— Alors, vas-y.

— Comme tu veux.

Lucius se tourna vers moi, dévoila ses dents, et je faillis quitter la route. Il attrapa le volant pour remettre le van dans le droit chemin.

— Merde alors.

Il avait recommencé. Pour de vrai. Je l'observai attentivement. Mais les dents pointues avaient disparu. *Il y a un truc. Un secret de magicien.* Je ne me laisserai pas avoir. Les dents sont couvertes d'émail, l'une des substances les plus solides du corps humain. L'émail ne peut pas se déplacer ou changer de forme. C'est impossible, sur le plan moléculaire.

— Il va vraiment falloir que tu t'y habitues, me conseilla Lucius.

— Est-ce que tu as acheté ces accessoires dans un magasin de farces et attrapes ?

— Ce n'est pas un tour de magie. Arrête avec ça, lâcha un Lucius agacé et visiblement vexé, qui faisait tambouriner ses doigts sur le siège passager. La transformation vampirique est un phénomène. Si tu avais lu le livre que je t'ai donné...

— Ah non ! Pas encore ce machin, maugréai-je.

Mon exemplaire du *Guide à l'intention des jeunes vampires* était toujours sous mon lit. J'avais voulu le jeter à plusieurs reprises sans jamais m'y résoudre. Je ne voulais même pas savoir ce qui me retenait.

— Oui, « ce machin », dit Lucius. Si tu avais lu le guide comme tu aurais dû le faire, tu saurais que les vampires mâles acquièrent la capacité de sortir leurs crocs à la puberté. Ça arrive lorsqu'on est très en colère. Ou... excité.

— Tu veux dire que ces « crocs » réagissent comme une...

J'allais dire le mot « érection » comme si j'avais l'habitude de l'utiliser. En réalité, je n'avais jamais prononcé ce mot à voix haute, et je me rendis compte que je n'en étais pas capable. Mais Lucius comprit.

109

— Oui. Exactement. On peut dire que ça marche en tandem, si tu vois ce que je veux dire. Mais ça devient plus facile à contrôler avec l'expérience. Et les femmes peuvent sortir leurs crocs, elles aussi.

— Alors pourquoi, moi, je n'en suis pas capable, si je suis censée être un grand vampire ?

Je voulais absolument trouver la faille. Mais Lucius répliqua du tac au tac.

— Les femmes doivent d'abord être mordues. *Je* dois te mordre. C'est un grand privilège pour un homme que d'être celui qui mord sa fiancée.

— Ne recommence pas avec cette histoire de fiançailles, dis-je alors que je repérais l'entrée du premier magasin. Je ne plaisante pas. L'affaire est close.

Lucius inclina la tête.

— Ah bon ? L'affaire est vraiment close ?

— Oui.

Je trouvai une place pour me garer.

— Et pour les miroirs ? Quand tu essaieras les vêtements, tu pourras te voir dans une glace ?

Lucius se massa les tempes.

— Tu es bien inscrite au cours de physique au lycée, non ? Tu ne connais pas le principe de réflectivité ?

— Bien sûr que si. Je plaisantais. Je te rappelle que je suis celle qui croit en la science.

Je retirai les clés du contact.

— Bon, récapitulons. Vous ne pouvez pas vous transformer en chauve-souris, vous ne vous désintégrez pas sous les rayons du soleil, et vous voyez votre reflet dans les miroirs. Alors que font les vampires de spécial ? Pourquoi c'est si bien d'en être un ?

— Qu'est-ce qu'il y aurait de merveilleux à se désintégrer au soleil ? Ou à ne pas pouvoir se regarder dans une glace ?

– Tu sais très bien ce que je veux dire. Tu n'arrêtes pas d'affirmer que les vampires sont géniaux. J'aimerais juste savoir pourquoi.

Lucius appuya sa tête contre le dossier. Il fixait la moquette grisâtre au plafond du van, comme pour implorer qu'on lui vienne en aide et lui donne assez de patience.

– Nous sommes juste la plus puissante race de surhommes. Physiquement, la nature nous a donné la grâce et la force. Nous possédons des pouvoirs psychiques supérieurs, comme la capacité de communiquer sans parler. Nous régnons sur le côté obscur de la nature. Est-ce que ça te paraît assez « génial » ?

J'attrapai la poignée de la portière.

– Alors pourquoi boire du sang ?

Lucius soupira en ouvrant de son côté.

– Pourquoi tout le monde est-il obsédé par le sang ? Il y a des choses bien plus importantes.

Je changeai de sujet, notre « virée shopping » occupant soudain mes pensées.

– Par où veux-tu commencer ?

Lucius me rejoignit devant le van et posa ses mains sur mes épaules pour me tourner dans la direction de la boutique Levi's.

– Là.

Cinq magasins et environ cinq cents dollars plus tard, Lucius Vladescu ressemblait presque à un adolescent américain. Et, je devais l'admettre, un adolescent américain super sexy. Le jean 501 lui allait encore mieux que ses pantalons noirs. Et lorsqu'il enfila une chemise blanche décontractée – puisqu'il avait décidé qu'un tee-shirt faisait un peu trop Koh Lanta pour la famille royale roumaine –, l'effet fut plutôt réussi. Avec ce look, cela ne me gênait plus d'être en sa compagnie. Plus du tout. Mindy serait certainement tombée dans les pommes en le voyant.

– Et si tu te débarrassais de cette cape en velours ? sug-gérai-je.

– Jamais.

Plus gênée par son look ? J'avais parlé trop vite.

Nous marchions vers la voiture avec tous ses achats dans les bras, lorsque Lucius s'arrêta brusquement et m'attrapa le bras, laissant tomber un sac.

– Qu'est-ce qu'il y a ?

Il regardait la vitrine d'un magasin appelé Boulevard Saint-Michel, une boutique chic qui vendait des vêtements extrêmement chers. Le genre de vêtements que portent les femmes riches dans les cocktails. Je n'y étais jamais entrée. Pour deux très bonnes raisons : tout d'abord mon père était contre le nettoyage à sec, à cause de « l'émission de perchloréthylène », très polluant pour l'environnement. Et puis, je n'aurais même pas pu m'offrir une chaussure dans ce magasin, même en soldes. Même après tout un été à servir des hamburgers.

– Qu'est-ce que tu fais ? lui demandai-je en suivant son regard.

Lucius était figé devant la vitrine.

– Cette robe… celle avec les fleurs sur le corsage…

– Est-ce que tu viens de dire « corsage » ?

– Oui, et robe…

– La robe avec le décolleté en V ?

– Oui. Celle-là. Tu serais ravissante là-dedans.

Lucius avait officiellement pété son dernier fusible. Non seulement il se prenait pour un vampire, mais maintenant il croyait que j'étais du genre à participer à des cocktails pour trentenaires. J'éclatai de rire.

– Tu es vraiment cinglé. La coupe – et le prix – de ces vêtements sont pour des femmes qui vont à… je ne sais pas, moi… à l'opéra ou à des trucs du genre.

– Qu'as-tu contre l'opéra ?

– Rien. Sauf que je n'y suis jamais allée. Enfin, tu m'imagines dans cette tenue à la fête d'Halloween ? En plus, je parie qu'elle coûte une fortune.

– Essaie-la.

Je fis un pas en arrière.

– Pas moyen. Je suis sûre à cent pour cent qu'ils n'aiment pas les jeunes, dans ce magasin.

Lucius dit avec humour :

– Ils aiment tous ceux qui ont de l'argent.

– Alors ils ne m'aimeront pas. Je n'ai même pas assez d'argent pour regarder.

– Moi, si.

– Lucius…

Mais je devais admettre que j'étais intriguée. C'était *vraiment* une très belle robe. Je n'avais jamais essayé quelque chose comme ça. Elle était si… sophistiquée. Sa couleur crème contrastait parfaitement avec les petites fleurs noires brodées çà et là, sans suivre un motif particulier, mais qui la rendait encore plus jolie. Cela me rappela la théorie du chaos : le hasard créant la beauté simple. Le décolleté était plus osé que tous ceux que j'avais pu porter auparavant. On pouvait deviner les formes de la poitrine en plastique du mannequin sous le tissu. Un tissu très chic. Je tirai Lucius par le bras.

– Allez, viens. On s'en va.

Lucius m'attira vers lui, et évidemment il était plus fort que moi.

– Mais tu sais, toutes les femmes ont besoin de belles choses.

– Je n'ai pas besoin de ça.

– Bien sûr que si. Tu pourrais la porter pour cette « fête du lycée » où tu iras avec Le Trapu. Elle conviendrait tout à fait à ce genre d'occasion.

– Il n'est pas trapu.

– Essaie cette robe.

– J'ai déjà plein de vêtements, insistai-je.

– Oui. Et tu ferais mieux de tous les jeter. Et en particulier ce tee-shirt avec le cheval blanc, le cœur et la lettre *l* dans le fond. Qu'est-ce que ça veut dire ?

– I love les chevaux arabes. Pour dire que j'aime les chevaux arabes, expliquai-je.

– J'aime la viande saignante, mais ce n'est pas pour autant que je porte la photo d'un steak cru sur le torse.

– Et j'ai déjà choisi ma tenue.

– Un truc qui brille tout droit sorti du « centre commercial », je suppose, persifla Lucius.

Je rougis. Je détestais lorsque Lucius avait raison.

– Crois-moi, reprit-il. Si tu portes cette robe, tu ne le regretteras pas. Elle a été faite pour toi.

– Comment peux-tu t'y connaître autant en vêtements féminins ?

Lucius sourit avec malice.

– C'est bon. Épargne-moi les détails.

Il se dirigea vers la boutique et je le suivis. Comme je l'avais prédit, les vendeuses ne semblèrent pas franchement ravies de voir entrer deux lycéens. Mais Lucius fit comme si de rien n'était.

– Cette robe dans la vitrine, avec les broderies. Elle voudrait l'essayer, annonça-t-il en reculant légèrement, les bras croisés, pour m'apprécier de la tête aux pieds. Quelle taille ?

– 40.

– Le 40 est dans la vitrine, sur le mannequin, informa la vendeuse, ses mains maigres aux ongles rouges manucurés posées sur ses hanches. Ça m'embête vraiment de la défaire, si vous ne pensez pas sérieusement à la prendre…

Oh oh… Je ne comprenais pas encore grand-chose à Lucius Vladescu, mais je savais que le ton de la vendeuse ne lui plairait pas. Il haussa un sourcil.

– Je ne vous parais pas sérieux… Leigh Ann ?

Il s'était penché pour lire son nom sur son badge.

– Viens, Lucius…, murmurai-je en amorçant ma sortie.

– Nous sommes plutôt pressés, donc si vous pouviez nous l'apporter maintenant, s'il vous plaît, insista Lucius.

Il me fut soudain très facile de l'imaginer en train de donner des ordres à des serviteurs dans un château.

La vendeuse plissa les paupières, comme pour juger Lucius. Apparemment, elle sentit l'argent dans son eau de toilette, l'entendit dans son accent, ou le vit dans son arrogance.

– Très bien. Si vous insistez, soupira-t-elle.

Elle partit vers la vitrine et revint quelques minutes plus tard avec la robe.

– Voilà, dit-elle en la déposant délicatement dans mes bras. Les cabines d'essayage sont au fond.

– Merci, répondit Lucius.

– De rien.

Leigh Ann s'installa derrière la caisse et nous ignora.

Lucius me suivit dans le fond de la boutique jusqu'aux cabines. Je l'arrêtai à l'entrée en posant fermement ma main sur son torse.

– Attends-moi ici.

Dans l'intimité de la cabine, j'ôtai mes Converse, me tortillai pour sortir de mon jean et de mon tee-shirt, et enfilai la robe, en regrettant de ne pas porter un plus joli soutien-gorge. Un soutien-gorge qui aurait rendu justice à la robe.

Bien qu'il semblât délicat, le tissu était plus épais et plus doux que tous ceux que j'avais touchés jusque-là. Je remontai la fermeture Éclair dans mon dos tant bien que mal, et soudain toutes les parties de mon corps que je détestais le plus se transformèrent en magnifiques atouts. Ma poitrine remplissait le corsage encore mieux que le faisaient les minuscules seins du mannequin. En me regardant

115

dans la glace, je me souvins de ce qu'avait dit Lucius à propos des filles « saillantes » et de l'avantage d'avoir des formes. Dans cette robe, je compris ce qu'il avait voulu dire. Je tournai sur moi-même et contemplai l'avant. Puis l'arrière. Le tissu enveloppait admirablement mes hanches et le drapé tombait sur mes fesses à la perfection. Lucius avait eu raison. J'étais *pas mal*. C'était comme une robe magique.

— Alors ? demanda Lucius de l'autre côté du rideau. Comment te va-t-elle ?

— Elle est jolie, admis-je en minimisant le fait que je la trouvais en réalité magnifique.

— Sors, alors.

— Oh, je ne sais pas…

J'étais un peu gênée qu'il me voie. Je jetai un coup d'œil à ma poitrine. Des zones généralement cachées étaient révélées. La forme de ma poitrine – cette poitrine que j'essayais habituellement de cacher – était exposée à la vue de tous. À la vue de Lucius. Ce n'était pas vulgaire. Mais pour moi, c'était se dévoiler.

— Jessica, tu me l'as promis.

— OK…, concédai-je en essayant de remonter le corsage, en vain. Ne te moque pas. Et ne me fixe pas trop non plus.

— Je ne rirai pas, promit Lucius. Je n'aurai aucune raison de rire. Mais je risque de te fixer.

Je pris une grande inspiration et ouvris le rideau.

Lucius était avachi dans un des fauteuils mis à la disposition des maris qui s'ennuyaient, ses longues jambes tendues devant lui. J'aurais juré avoir vu une étincelle de plaisir dans ses yeux noirs.

— Alors ? Qu'est-ce que tu en penses ?

Je résistai à l'envie de croiser mes bras sur ma poitrine avant de me retourner pour me regarder dans le miroir.

– Tu es… fantastique.

Lucius se leva et se plaça derrière moi sans me quitter des yeux.

– Vraiment ?

– Magnifique, Antanasia, murmura-t-il. Magnifique.

Avant que j'aie pu lui rappeler de ne pas m'appeler par ce nom, Lucius fit un pas de plus vers moi, glissa sa main sous mes longs cheveux indisciplinés, et remonta la fermeture jusqu'en haut.

– Les femmes ont toujours besoin d'aide pour les derniers centimètres.

Je retins mon souffle. À quel point était-il expérimenté ?

– Euh, merci.

– Tout le plaisir est pour moi.

Puis, à ma grande surprise, Lucius passa ses doigts dans mes boucles, les rassembla et en fit une torsade qu'il remonta sur le haut de ma tête. Soudain, mon cou parut très long.

– Voilà à quoi doit ressembler une princesse roumaine, chuchota-t-il dans mon oreille. Ne redis plus jamais que tu ne vaux rien, Antanasia. Ou que tu n'es pas belle. Ou que tu es « grosse », bon sang. Lorsqu'il te prendra l'envie de te complaire dans des critiques aussi ridicules et déplacées, souviens-toi de ce moment.

Personne ne m'avait jamais fait un tel compliment.

Pendant un moment, nous restâmes là, à m'admirer. Je croisai le regard de Lucius dans le miroir. L'espace de quelques secondes, je réussis presque à nous imaginer… ensemble.

Puis il lâcha mes cheveux. Ils retombèrent le long de mon dos, et la magie disparut. Je jetai un coup d'œil au prix sur l'étiquette.

– Oh, mon Dieu ! Il faut que je l'enlève immédiatement avant que je ne sue dedans.

Lucius leva les yeux au ciel.

– Si tu dois mentionner la transpiration corporelle en rapport avec ta personne – mais je te le déconseille forte-ment –, utilise plutôt le verbe « transpirer ».

– Je suis sérieuse, Lucius. Rien que le prix me fait transpirer.

Lucius se pencha pour voir le chiffre sur l'étiquette et haussa les épaules.

Je courus dans la cabine pour remettre mon jean et lacer mes vieilles Converse usées. L'effet princesse s'était défini-tivement évanoui. À contrecœur, je tendis la robe à la ven-deuse qui attendait avec un magnifique châle en cachemire noir dans les mains.

– Je vais vous emballer tout cela.

Je cherchai Lucius du regard et le trouvai devant la caisse, tapotant une carte de crédit contre la vitre du meuble.

– Je ne peux pas accepter.

– Considère cela comme un remerciement pour les conseils vestimentaires que tu m'as donnés aujourd'hui. Mon cadeau pour ton gala.

Je cherchai de l'ironie ou du sarcasme dans ses yeux, mais en vain. *Qu'est-ce que cela voulait dire ?* Lucius Vla-descu avait-il abandonné ? Ne voulait-il plus me séduire ? C'était peu probable. *Quoique…*

– Merci, balbutiai-je.

Leigh Ann emballa soigneusement la robe et le châle dans deux boîtes et me les tendit.

– Passez une agréable fin de journée.

Elle s'était considérablement radoucie depuis que le paiement par carte de crédit avait été validé.

– Au revoir, Leigh Ann.

Lucius mit sa main dans le creux de mon dos pour me guider vers la sortie du magasin.

– Je ne sais vraiment pas quoi dire, bégayai-je une fois dehors. C'est un si beau cadeau. Rien que la robe coûte une fortune, et le châle est en cachemire.

– Il fera sûrement froid le soir, et tu ne peux pas porter une « veste en jean » avec cette robe.

– Oui… merci.

– Comme je te l'ai dit, toutes les femmes méritent de porter de belles choses. J'espère juste que tu plairas au Trapu habillée ainsi, ajouta-t-il avant de s'arrêter devant une vitrine. Tu ne voudrais pas aller prendre un Julius Fraise maintenant ?

17.

– Alors, Jake, les récoltes sont bonnes cette année ? demanda papa pour essayer de faire la conversation.

– Je crois que oui.

Jake semblait hésiter, même pour répondre à une question aussi banale, probablement parce que mes parents lui faisaient subir un véritable interrogatoire.

– Je serais ravie de te montrer les méthodes sans produits chimiques que j'utilise, si ça t'intéresse…

– Papa, l'interrompis-je, tu avais promis. Pas de discours sur la protection de l'environnement.

Pourquoi mes parents avaient-ils tant insisté pour inviter Jake à dîner à la maison, d'ailleurs ? Ils n'arrêtaient pas de parler de l'importance de la vie privée et de l'apprentissage de l'autonomie – enfin… jusqu'à ce qu'il me prenne l'envie de sortir avec un garçon. Ils s'étaient alors transformés en membres de la famille Camden de *Sept à la maison* et avaient absolument voulu inviter Jake à dîner – alors qu'il avait grandi de l'autre côté de la barrière et nous livrait du foin presque toutes les semaines. C'était ridicule. Et la mauvaise humeur de Lucius n'arrangeait pas les choses.

– Un autre verre de lait de soja ? proposa maman.

Jake leva la main en signe de refus, peut-être un peu trop vite.

– Non, merci.

– Ça a un goût spécial qu'il faut apprendre à aimer, le soutins-je.

– Euh, ouais. Je crois. Je suis plutôt habitué au lait normal.

– Pour lequel on exploite les vaches, intervint papa en pointant sa fourchette dans la direction de Jake. Pauvres bêtes, parquées les unes à côté des autres, les mamelles agrippées par une machine de métal froid…

Mamelles ?

– Papa, s'il te plaît. N'utilise pas ce mot…

– Pourquoi ? s'exclama papa en levant les mains en l'air. Jake vit dans une ferme. Je suis sûr qu'il a l'habitude des mamelles des vaches.

Je sentis tout le sang de mon corps me monter au visage. Papa venait de parler de l'anatomie intime des vaches pendant mon premier dîner avec Jake et avait poursuivi en l'accusant d'avoir « l'habitude » de l'équivalent bovin des seins. Comme si Jake passait son temps à tripoter du bétail. Je lançai un coup d'œil à Lucius, m'attendant à voir un sourire en coin, mais il triait sa salade, les yeux rivés sur les tomates cerises primées de papa, comme si de petits êtres venus de l'espace avaient élu domicile sur sa fourchette.

– Ned, peut-être qu'on pourrait changer de sujet, suggéra maman, me donnant l'espoir d'un instant de soulagement. J'ai cru comprendre que vous lisiez *Moby Dick* pour le cours de littérature.

– Euh… oui.

– J'ai adoré ce livre quand j'avais votre âge, poursuivit maman. Imaginer toutes ces aventures en mer. Et toutes ces idées qui se bousculent. Qui sommes-nous pour traiter ainsi la baleine blanche ? Et finalement, qu'est-ce que cela symbolise ? divaguait-elle, l'air songeur, s'adressant toujours à Jake. Dieu, la nature, le mal… ou n'est-ce pas tout simplement le symbole de l'orgueil pur et simple, et pourtant humain, du capitaine Achab ?

Il y eut un long silence pendant que Jake essayait de trouver une réponse à la question, qui, à en juger par sa tête, était aussi indigeste que le lait de soja.

– Euh… un peu tout ça ? se hasarda-t-il finalement.

– On ne lit que la version abrégée, précisai-je bêtement.

Vivant avec un professeur, j'avais régulièrement droit à ce genre de test à table, mais maman avait-elle vraiment besoin d'embêter Jake comme ça ?

– Peut-être ont-ils coupé quelques métaphores qui…

– La baleine représente une puissance destructrice sous-jacente qui attend que le monde soit en confiance pour faire surface, m'interrompit Lucius.

Comme il s'agissait de ses premières paroles de la soirée, tous les regards se tournèrent vers lui.

– Hein ? laissa échapper Jake, visiblement perplexe, avant de se ressaisir et de me lancer un regard penaud.

– J'aime cette baleine, ajouta Lucius d'un ton morose tout en continuant de fixer son assiette. Et Achab aussi. Ils savent ce qu'est la persévérance. Ils savent attendre le bon moment.

Il leva ses yeux noirs et m'adressa un regard aussi acéré que ses crocs.

– Et ils acceptent leur destin commun, aussi sinistre qu'il soit.

Non. Mon estomac se noua. Si Lucius commençait à parler des fiançailles, Jake allait prendre ses jambes à son cou. Et pourquoi Lucius utilisait-il l'adjectif « sinistre » pour définir un avenir avec moi ? Est-ce qu'il sous-entendait qu'être marié avec moi serait aussi pénible que d'être ligoté à une baleine agonisante ?

– Hé, Lucius. Comment s'est passé l'entraînement de basket ? demandai-je, essayant désespérément de reprendre le contrôle de la conversation.

– Je t'ai vu au gymnase, mec, fit remarquer Jake. Tu es prêt pour la NBA. Tu pourrais amener l'équipe jusqu'aux sélections nationales avec un tel *jump shot*. Tu as bluffé tout le monde à l'entraînement.

– Ah, oui. L'entraînement, répéta Lucius sans aucun enthousiasme.

– Les entraînements, c'est la base, lança Jake. Il faut s'entraîner.

– Les entraînements m'ennuient, riposta Lucius sans vraiment regarder Jake. Je préfère la compétition.

– Tu fais de la lutte, n'est-ce pas, Jake ? demanda papa en lui passant le plat de *saag*.

Mes parents étaient dans leur période cuisine indienne. L'entrée de ce soir consistait en une bouillie d'épinards. Dieu nous préservait bien de jeter quelques steaks sur le gril pour faire un barbecue lorsque nous avions des invités. Jake lança un regard méfiant à la bouillie pâteuse vert vif, mais accepta poliment le plat.

– Oui, je suis lutteur. Et je suis le capitaine de l'équipe cette année.

– Un vrai homme de l'époque gréco-romaine, lâcha Lucius sèchement tout en soulevant sa fourchette et en laissant dégouliner les épinards. Un lutteur qui aime se bagarrer avec ses camarades.

Jake me regarda, confus. Je haussai les épaules, l'air de lui dire « Ignore le correspondant roumain bougon ».

Maman posa bruyamment sa serviette sur la table.

– Lucius, pourrais-je te dire deux mots dans la cuisine, s'il te plaît ?

Ce n'était pas vraiment une question.

Oh maman, merci mille fois. J'épinglai un pense-bête dans un coin de ma tête pour ne pas oublier de ranger ma chambre ou de faire plus de lessives. Je laverais même les boxers de Lucius. Je lui devais bien ça.

Lucius sortit de la cuisine derrière ma mère. Il y eut un silence désagréable à table, pendant lequel nous feignîmes de ne pas entendre des bouts de phrases comme « échanges de politesse », « nigaud faible d'esprit », ou « sors d'ici » qui émanaient de la cuisine.

Quelques minutes plus tard, on entendit claquer la porte de la cuisine. Maman revint seule.

– Qui reveut du pain azyme ? demanda-t-elle comme si de rien n'était, un sourire gêné sur les lèvres, ne donnant aucune explication sur l'absence du jeune Roumain colérique.

De l'autre côté de la table, le *saag* de Lucius refroidissait dans son assiette abandonnée.

Après le départ de Jake, j'allai me promener jusqu'au garage. Lucius faisait des paniers dans un cerceau rouillé fixé au mur et dont toute la famille avait oublié l'existence. Dribble, vise, marque. Je l'observai marquer au moins dix points d'affilée avant de l'interrompre.

– Hello.

Il se retourna et coinça le ballon sous son bras. Il ressemblait incroyablement à un étudiant américain, avec le sweat-shirt de l'université Grantley que maman lui avait rapporté. Enfin… jusqu'à ce qu'il ouvre la bouche.

– Bonsoir Jessica. Que me vaut l'honneur de cette visite ? Tu n'es pas en train de t'amuser ?

– Jake a dû partir.

– Quel dommage !

Lucius fit passer le ballon au-dessus de son épaule et l'envoya dans le panier sans toucher le cerceau.

– Qu'est-ce qui s'est passé ce soir ? Tu sais qu'on t'a entendu l'insulter.

– Ah bon ? s'étonna Lucius qui semblait tomber des nues. Ce n'était pas dans mon intention. C'est tellement vulgaire.

Je croisai les bras.

— Est-ce que tu as quelque chose à redire sur ma relation avec Jake ? Parce que si c'est le cas, tu ferais mieux de me le dire en face plutôt que de faire des discours énigmatiques sur les baleines et le destin pendant le repas.

— Que veux-tu que je dise ? Je pense que tu as été assez claire.

— Je ne comprends pas où tu veux en venir, dis-je honnêtement. Lorsque tu m'as acheté cette robe, j'ai pensé que c'était ta façon de me dire que ça t'était égal que je sorte avec Jake.

Le ballon roula aux pieds de Lucius. Il se pencha pour le ramasser puis caressa la couture usée du bout des doigts en évitant soigneusement de croiser mon regard.

— Oui. Je le pensais aussi... mais ce soir, lorsque je l'ai vu te regarder...

— Quoi ?

Lucius était-il jaloux ?

— C'est juste que je ne l'aime pas, Jessica, finit par dire Lucius. Il n'est pas assez bien pour toi. Même sans tenir compte de notre relation, ne te laisse pas posséder par n'importe quel homme. Par n'importe quel *garçon*.

— Tu ne connais pas Jake, répliquai-je alors que je sentais la colère monter en moi. Tu n'as même pas essayé d'apprendre à le connaître. Il a été gentil avec toi pendant le dîner.

Lucius haussa les épaules.

— Je l'ai bien vu à l'école, à lutter pour comprendre les concepts de base de la littérature anglaise. C'est très révélateur, tu ne crois pas ?

— Jake n'aime pas *Moby Dick*. Et alors ? Moi non plus je n'aime pas ce livre.

J'eus l'impression de décevoir Lucius. À moins qu'il ne soit triste. Ou bien les deux.

– Je crois que je suis d'humeur particulièrement maussade, Jessica, dit-il en évitant mon regard. Je ne suis pas de très bonne compagnie. Tu m'excuseras... Mais laisse-moi vaquer à mes occupations solitaires.

– Lucius...

– S'il te plaît, Jessica.

Il me tourna le dos et lança le ballon. Encore une fois, il marqua sans toucher le panier.

– Très bien. Je m'en vais.

Lorsque je jetai un coup d'œil par la fenêtre une heure plus tard, Lucius était toujours en train de marquer des paniers. Il faisait nuit et il jouait à la lueur d'un petit projecteur fixé sur le mur du garage. J'allais l'interpeller lorsque je repris mes esprits. Quelque chose dans son obstination à marquer panier après panier, sans jamais en rater un seul, s'élevant au-dessus du cerceau avec une aisance impressionnante pour battre le ballon comme s'il le punissait, me faisait froid dans le dos.

18.

Cher oncle Vasile,

Je te présente tous mes vœux puisque nous arrivons à la Toussaint (et la très américaine fête d'Halloween). Je suis sûr que tu apprécierais la représentation naïve mais omniprésente des vampires que les Américains affichent un peu partout en cette période de l'année. C'est à croire que notre race se limite à des hommes d'un certain âge à la peau très pâle et ayant un fort penchant pour l'application abusive de gel capillaire.

Mais venons-en au fait. À mon grand regret, je dois admettre que la situation échappe peu à peu à mon contrôle.

Depuis ma dernière lettre, j'ai expérimenté de nombreuses stratégies « à l'américaine » ne serait-ce que pour créer un lien entre Antanasia et moi. Je porte même des « jeans » (qui, je dois l'avouer, sont plutôt confortables) et, comme je l'ai déjà mentionné, je fais du basket-ball, le sport des jeunes Américains. (Appelle-moi « Numéro 23 ».)

Malgré tout, jusqu'ici Antanasia ne semble pas le moins du monde impressionnée par mes efforts. En fait, elle « sort » avec ce paysan. (Vasile, si tu l'entendais essayer de faire la conversation… c'est insupportable, vraiment. Je préférerais que ces satanées lentilles poussent dans mes oreilles plutôt que de l'entendre parler plus de deux minutes.)

Honnêtement, Antanasia me rend perplexe. L'autre jour, j'ai cru que nous avions passé un cap. Je lui ai acheté une magnifique robe – vraiment, si tu l'avais vue la porter, tu l'aurais crue prête à monter sur le trône... Pendant un très court instant, j'ai pensé que nous avions progressé. La lueur dans ses yeux alors qu'elle se regardait dans le miroir... Elle avait changé, Vasile... Tout comme son regard sur moi... J'aurais pu le jurer.

Et pourtant, le paysan s'accroche comme un parasite. Comme une sangsue ou une tique dont on n'arrive pas à se débarrasser. Que voit Antanasia en lui ? Et pourquoi persiste-t-elle à le voir ainsi ? Je peux lui offrir tellement plus. Ne serait-ce que de la conversation. De la repartie. Sans parler de se retrouver à la tête de deux clans prestigieux. Un château. Des domestiques. Tout ce qu'elle désire. Tout ce qu'elle mérite, Vasile.

Zut. Je divague.

Le fait est que j'ai bien peur de te décevoir si je ne parviens pas à convaincre Antanasia d'honorer le pacte et de m'accepter comme époux. Et, en toute franchise, la perspective de te décevoir m'effraie. Je me sens donc contraint de te tenir au courant de la situation telle qu'elle évolue. Je ne voudrais pas me présenter à toi avec un échec imprévu. Je préfère te préparer à la pire des éventualités – même si j'ai la ferme intention de poursuivre mes efforts.

Humblement,

Ton neveu,

Lucius.

P.S. Si quelqu'un te propose du « saag », fais tout ce qui est en ton pouvoir pour refuser sans enfreindre les règles de la politesse. Y aurait-il une chance que le cuisinier puisse m'envoyer un ou deux lièvres congelés ?

P.P.S. L'investissement que j'ai fait avec l'avance sur mon compte ne devrait pas tarder à arriver. Je l'attends impatiemment.

P.P.P.S. Le paysan ne comprend pas la symbolique de la baleine dans Moby Dick, *Vasile*. Je t'assure. Les concepts qui étaient déjà en ébullition dans mon cerveau pendant ma préadolescence (te souviens-tu de ma tutrice à moitié gitane, Bogdana, dont la maîtrise des procédés littéraires n'était dépassée que par sa poigne sur une cravache ?) restent hors de sa portée. Est-il simple d'esprit ? Ou juste stupide ?

Quel parasite.

19.

– Hé, Belle ! Prête à t'entraîner ? Il ne nous reste plus beaucoup de temps avant le concours.

J'étais arrivée enthousiaste près de ma jument Appaloosa et caressais son encolure musclée, mais mon sourire s'évanouit rapidement. Lorsque je m'étais inscrite au concours, seulement quelques semaines auparavant, cela m'avait semblé être une bonne idée. Mais là, le stress me submergeait.

De toute façon, il était trop tard pour faire marche arrière, non ?

Alors que j'attrapais la bride de Belle, j'entendis un véhicule s'arrêter dehors. Une porte claqua et je lançai un regard par la porte de l'écurie. Un étranger approchait. Un homme trapu vêtu d'une salopette sale, avec un calepin dans les mains.

– Puis-je vous aider ? demandai-je.

– Vous connaissez un... (Il regarda sa feuille.)... un Luc Vlad... ici ?

Il me tendit le papier. Mon cœur se serra. Je n'avais même pas besoin de regarder.

– Oh non. Vladescu. Qu'est-ce qu'il a fait ? Il a commandé quelque chose ?

– Ouais. Et il doit récupérer le monstre qu'il a commandé et qui n'arrête pas de donner des coups de pied à mon camion. Je veux que ce truc sorte tout de suite.

– Un monstre ?

– Vous me cherchez ?

Comme en réponse au mot « monstre », Lucius sortit de l'ombre, attrapa le bon de livraison et le signa.

– J'espère que vous savez ce que vous faites, dit le livreur en secouant la tête.

– Bien sûr.

Je les suivis.

– Lucius, qu'est-ce que tu as acheté ?

Le livreur tourna la tête pour répondre à la place de Lucius.

– Que les choses soient claires : votre ami a acheté un cheval meurtrier.

– Lucius ?

Nous traversâmes tous les trois la cour poussiéreuse jusqu'au van. Il tanguait et des bruits sourds s'en échappaient.

– Fais-le sortir, gamin, ordonna le livreur. Je ne veux plus toucher à ce truc.

Sans aucune hésitation, Lucius s'approcha du van, défit les loquets et ouvrit la porte.

– Euh… Lucius ? Tu es sûr de vouloir entrer ?

– Il va en faire de la chair à pâté, fit remarquer le livreur.

On entendit des bruits de lutte, puis la voix de Lucius calmant l'animal, et les sabots tapant contre le métal. Puis le silence. Un long silence. Et finalement, Lucius sortit, suivi par un cheval nerveux à la musculature impressionnante. Je n'avais jamais vu un cheval aussi noir. Il devait mesurer un bon mètre quatre-vingts au garrot. Le blanc de ses grands yeux ronds contrastait avec sa tête couleur ébène. Je reculai lorsqu'il passa devant moi, mais il fit un écart et essaya de me mordre.

– Doucement. Là, murmura Lucius pour le calmer. Désolé, elle est un peu nerveuse, ajouta-t-il dans ma direction.

Le livreur partit en grommelant et je suivis Lucius qui essayait de persuader sa nouvelle monture d'entrer dans une stalle. Juste à côté de celle de Belle.

– Je veux qu'elles soient voisines, déclara Lucius avec le sourire.

Je levai les yeux au ciel.

– Super.

– Doucement, répéta Lucius à la jument alors qu'elle tentait de lui mordre les doigts.

Il passa sa main sur ses naseaux, tout en luttant pour attacher son licol à deux longes de chaque côté de la stalle. Lorsqu'elle fut maîtrisée, il la relâcha, mais elle se jeta sur lui pour attraper son avant-bras avec les dents.

– Ça suffit !

Je me plantai là, les bras croisés.

– Tu as acheté un cheval ?

– Oui, répondit Lucius en frottant son bras endolori. Je me suis souvenu que tu avais dit un jour que « nous n'avions rien en commun ». Voilà donc un point commun, dit-il en pointant le pouce en direction du cheval diaboli-que. Une activité qu'on pourra partager. Un moyen de passer du temps ensemble.

– Tu ne vas pas t'inscrire au concours ?

Il arborait un large sourire.

– On brode ma veste au moment même où je te parle. Cela fait si longtemps que j'attends l'occasion de porter ce velours côtelé bleu. Tu sais que le velours est le tissu des rois ? Il me semble que c'est tout à fait approprié.

– Mais je croyais que tu avais abandonné…

Lucius fronça les sourcils, caressant sa jument. Cette fois, elle eut un mouvement de recul mais ne le mordit pas.

– Tu pensais que j'avais oublié le pacte que je me prépare à honorer depuis mon enfance juste parce que je dois supporter les avances peu délicates que te fait Le Trapu ? Je ne crois pas, non.

— Arrête de dire qu'il est trapu et d'insinuer qu'il est stupide. Jake est un garçon très gentil.

— Gentil. De nos jours, c'est vraiment surfait.

Lorsque Lucius détacha une des cordes qui maintenaient sa jument, elle se cabra. Il caressa son encolure.

— Tu ne trouves pas que la gentillesse est une qualité surfaite ?

Après un instant de silence, il se tourna vers moi.

— Comment pourrais-je l'appeler ? demanda-t-il, l'air songeur. Il lui faut un nom si je veux l'inscrire au concours d'obstacles.

— Tu ne peux pas ! criai-je. J'y suis déjà inscrite.

— Je sais. Je pensais justement qu'on pourrait s'entraîner ensemble.

— Je te l'ai déjà dit, je ne veux pas de ton aide.

— Tu ne craindrais pas d'avoir un peu de concurrence amicale, par hasard ?

Je tapai du pied. D'une part parce que je ne voulais pas être en compétition avec lui. C'était un athlète-né. Un champion de l'équipe de polo de Roumanie. Et aussi parce que je ne voulais pas le voir rôder autour des écuries.

— Je t'ai dit que je ne voulais pas faire du cheval avec toi.

— Tu réagis de façon exagérée.

— Et toi de façon stupide… Stupide vampire ! Tu ne m'écoutes jamais. Je t'ai clairement demandé de ne pas intervenir dans cette partie de ma vie. On vit ensemble, on va au lycée ensemble… C'est le seul endroit où je suis encore tranquille et où tu n'es pas là pour m'embêter.

— Un vampire ?

La voix venait de derrière nous.

Oh oh…

Lucius et moi nous retournâmes brusquement pour voir une Faith Crosse curieuse et quelque peu amusée qui nous regardait nous disputer. Ses bras légèrement hâlés étaient croisés devant son tee-shirt moulant de pom-pom girl, et sa queue-de-cheval blonde dansait sous les rayons du soleil.

— Tu viens de le traiter de *vampire* ?

Je bégayai, cherchant une explication à lui fournir.

— Il pompe toute mon énergie comme un vampire pompe le sang de ses victimes, dis-je finalement.

Lucius sourit, perplexe.

— Jessica adore me donner des petits noms. Ravi de te voir ailleurs qu'en classe, Faith, ajouta-t-il en lui tendant la main.

Oh mon Dieu !

Faith parut un peu surprise, mais tendit la main à son tour.

— Euh… moi aussi, Lucius.

Lucius ne la lui serra pas. Il la frôla du bout des lèvres.

— Charmé.

— Oh. Waouh. C'est original.

— Salut Jenn.

— C'est Jess.

— OK, dit-elle alors que son attention s'était déjà reportée sur le cheval sans nom. Quelle magnifique jument. Je vous ai vus l'amener ici. Elle a l'air dangereuse.

Lucius détacha l'autre longe, libérant ainsi son redoutable animal.

— Je trouve que les chevaux, comme les humains, sont ennuyeux s'ils sont soumis. Je préfère lorsqu'ils ont un peu de caractère. (Il se tourna vers Faith et moi.) Elle a été mal traitée, la pauvre bête. Elle a un passé difficile.

— Un passé difficile ? répéta Faith.

— Ne vous approchez jamais d'elle avec une cravache ou un fouet, expliqua Lucius. C'est ce que m'a fortement conseillé son ancien propriétaire. Apparemment, son premier maître avait la main assez lourde.

Élevée au fouet. Je repensai à l'aveu que m'avait fait Lucius sur son enfance, au fait qu'il avait été battu par ses oncles. Encore et encore. Et je me demandai s'il avait délibérément choisi cette jument à cause du lien qui les unissait. Cela lui ressemblait bien.

Faith et moi fîmes un pas en arrière pour éviter Lucius qui sortait sa jument de la stalle.

— Tu as l'intention de la monter ? demandai-je, incrédule.

— Ce n'est pas ce qu'on est censé faire avec un cheval ?

— J'ai une selle que je n'utilise pas, proposa Faith.

Je lançai un regard furieux à Faith.

— Non ! T'es sérieuse ?

Faith n'était pas le genre de personne qu'on défiait, mais je n'arrivais pas à croire qu'elle voulait voir Lucius monter cette jument au regard diabolique.

— Lucius, n'y pense même pas, lançai-je.

— Je ne crois pas qu'elle apprécierait d'avoir une selle sur le dos. Pas encore. Je vais lui laisser le temps de s'habituer à me porter seul.

— Tu vas te faire tuer.

Lucius me jeta un regard entendu.

— S'il y a bien une personne qui doit être au courant, c'est bien toi. Les animaux ne portent pas d'armes.

Sans aucune hésitation, il se glissa au côté de la jument et bondit sur son dos avec la même aisance que sur un terrain de basket. La jument se mit immédiatement à hennir et à tourner sur elle-même, mais Lucius resta fidèle à sa prétention. Après quelques secondes seulement, il la maîtrisait, et le couple — l'homme fou et le cheval fou — se retrouva au milieu du manège à nous faire une démonstration endiablée mais contrôlée. Lucius la guidait aux jambes et au licol. Régulièrement, la jument faisait un écart ou se retournait pour attraper les jambes de Lucius. Mais le lien se créait progressivement, de façon effrayante.

— Nous sauterons très bientôt, déclara Lucius en souriant.

Il avait réussi. Il montait la jument la plus terrifiante que j'avais jamais vue. Mon soulagement fut de courte durée, puisque je compris ce que cela signifiait pour moi. Lorsque viendrait le concours de la foire, je serais en compétition avec Faith Crosse et la vedette roumaine sur son cheval de l'enfer.

Lucius mit sa monture au trot. Puis au petit galop. Cela ressemblait à la fois à une danse et à une bagarre de bistrot.

Faith l'observait avec admiration.

— Waouh. Lucius doit avoir quelque chose de magique. Je pensais vraiment qu'il allait se faire tuer.

— Laisse-lui le temps, répliquai-je à voix basse. Laisse-lui juste le temps. Il va se faire tuer.

20.

— Merci d'avoir gagné ce hot dog en peluche pour moi.

Je serrai la grosse saucisse que Jake avait gagnée en lançant deux balles en mousse dans la bouche d'un clown.

— J'ai passé un très bon moment à la fête avec toi, dis-je.

— Je suis désolé de ne pas avoir réussi à avoir le nounours.

— Un hot dog, c'est bien aussi. Au moins, c'est original.

Nous étions assis dans le 4 x 4 Chevrolet de Jake, devant la ferme, ne sachant comment nous dire au revoir. Étais-je censée sauter de la voiture à ce moment-là ? Est-ce qu'il sortirait aussi ?

— Je t'ai déjà dit que tu étais vraiment jolie dans cette robe ?

Il ne me l'avait pas encore dit, mais je l'avais lu dans ses yeux lorsqu'il était venu me chercher. La même admiration que j'avais vue dans les yeux de Lucius à la boutique. Toute la soirée, j'avais remarqué que des garçons me regardaient. Au début, je m'étais sentie un peu gênée. Mais finalement, on s'habitue vite à ce genre de considération.

— Ça te va très bien, les cheveux relevés comme ça, ajouta Jake.

J'enroulai une mèche qui s'était échappée de mon chignon. J'avais fait de mon mieux pour imiter la coiffure que m'avait faite Lucius, juste en passant ses doigts dans mes cheveux.

— Merci.

— Je suis vraiment heureux que tu m'aies invité à sortir avec toi. J'ai passé une très bonne soirée.

Il y eut un long silence.

— Bon… je crois que je vais y aller, dis-je finalement, posant ma main sur la poignée.

— Oh… Attends, je vais t'ouvrir la portière.

Jake arrêta le moteur, descendit à toute allure pour faire le tour et venir de mon côté. Il m'ouvrit la portière et j'essayai de descendre, sauf que je faillis tomber sur les genoux.

— Merde !

Trop classe, Jess.

Lorsque je trébuchai, Jake me rattrapa et nous nous retrouvâmes très proches l'un de l'autre. Face à face.

C'est là qu'il m'embrassa. Vraiment. Ses lèvres étaient plus douces que je ne l'avais imaginé, et un peu mouillées. J'ouvris légèrement la bouche, comme je l'avais vu à la télé ou au cinéma. Cela sembla si naturel… Puis nos langues se touchèrent. Alors c'est à ça que ça ressemblait… La sensation n'était pas électrique, mais je ressentis un frisson de bonheur. Jake mit ses bras autour de moi, c'était comme l'étreinte d'un ours. Un câlin de lutteur. Nos langues s'enroulaient l'une autour de l'autre et Jake me caressait le dos. *Cool.* Et ce serait sûrement encore mieux avec de l'entraînement. Peut-être emprunterais-je à Mindy son article sur les « 75 trucs sexuels pour le rendre fou »…

Jake se recula le premier.

— Il faut que j'y aille ou je vais dépasser le couvre-feu. Je t'appelle, OK ?

Je me rendis compte que je tenais toujours la peluche dans mes bras.

– Oui. D'accord.

Il se pencha pour m'embrasser à nouveau. Un contact doux et léger entre nos lèvres.

– À plus.

– Bye.

Je restais là à regarder la voiture s'éloigner.

Lorsque les feux arrière eurent pratiquement disparu dans l'obscurité, je me dirigeai vers le porche, le bas de ma robe bruissant contre mes jambes. *Mon premier vrai baiser.*

– Alors, c'était comment ?

La voix grave sortie de nulle part me fit sursauter et je m'arrêtai net. Je scrutai l'obscurité.

– Lucius ?

– Je suis là.

Je suivis sa voix et le trouvai assis sur les marches du porche, dans l'ombre, près d'une citrouille d'Halloween qui émettait une faible lumière. Je m'avançai vers lui.

– Tu m'espionnais.

Lucius me tendit un saladier.

– Je suis de corvée de bonbons. Tu en veux ? Je crois qu'il ne reste plus que des nougats au soja. Les enfants n'ont pas eu l'air d'apprécier la sélection de bonbons.

J'en pris un et m'assis près de lui.

– On ne voit jamais beaucoup d'enfants le soir d'Halloween. On n'a pas de voisins à moins de cinq cents mètres à la ronde.

Lucius haussa les épaules.

– Ah. Alors c'est moi qui ai laissé les nougats au soja. Tes parents ne voudront pas de ça dans la maison, ajouta-t-il en m'enlevant le hot dog en peluche des mains. De la viande en peluche. Est-ce que Le Trapu a gagné ça grâce à ses prouesses physiques ?

Il balança la saucisse derrière lui, sur une chaise, et j'ignorai la moquerie.

– Tu m'attendais, n'est-ce pas ?

Lucius regardait au loin dans le noir.

– C'était comment ?

– Quoi ?

– Il t'a embrassée. C'était comment ?

Je souris alors que les souvenirs me revenaient en tête.

– Sympa.

Lucius émit un petit soupire ironique.

– Sympa ? C'est comme « gentil ». L'adjectif « sympa » est surfait.

– S'il te plaît, ne recommence pas avec ça, lui conseillai-je.

Ne gâche pas ça.

– Lorsque tu embrasses la bonne personne, ça doit être mille fois mieux que « sympa », marmonna Lucius.

– Tu n'as pas le droit de dire ça.

Je me levai pour rentrer, relevant ma robe. Il ne gâcherait pas ce moment si important pour moi. C'était hors de question.

À ma grande surprise, Lucius céda.

– Tu as raison. C'était méchant. Je n'avais pas le droit. S'il te plaît, tiens-moi compagnie, me demanda-t-il gentiment en tapotant la marche. Je crois que je suis un peu mélancolique ce soir.

– Tu aurais dû aller à la fête, dis-je en me rasseyant.

Lucius prit une grande inspiration et soupira.

– Il n'y avait rien pour moi là-bas.

– C'était assez amusant. Il y avait des jeux et on...

– Est-ce qu'il t'est déjà arrivé une minute d'essayer de regarder la vie de mon point de vue ? m'interrompit Lucius un peu brusquement. Tu as déjà pensé à ce que je pouvais ressentir ?

Il se tourna vers moi. Ses yeux brillaient légèrement, comme ceux de la citrouille.

– Est-ce qu'il t'arrive de regarder autre chose que toi-même ? reprit-il.

– Qu'est-ce qui t'arrive ? Tu as… le mal du pays ou quelque chose du genre ?

Puis la lueur dans ses yeux se ranima.

– Oui, on va dire ça. Pour l'amour du ciel. Je vis dans un garage, loin de tout ce que j'ai toujours connu. On m'a envoyé ici pour séduire une femme qui me délaisse pour un paysan…

– Jake est un garçon très sympa, Lucius.

Lucius soupira à nouveau.

– Est-ce tout ce que tu attends de la vie ? Sympa ? Est-ce que tout doit être *sympa* ?

– Sympa c'est… sympa, protestai-je.

– Oh, Antanasia, murmura Lucius en secouant la tête. Je pourrais te faire découvrir des choses qui seraient bien mieux que juste « sympas ». Cela te ferait tourner la tête. Ton si joli minois.

Sa voix avait soudainement changé. Elle était encore plus grave et caverneuse. Elle trahissait quelque chose que je n'avais encore jamais entendu mais que j'identifiai instinctivement. L'énergie sexuelle. La luxure. Le désir. Un désir plein d'anxiété, de frustration et de colère.

– Lucius… on ferait peut-être mieux de rentrer.

Mais il s'approcha de moi, parla plus doucement, mais toujours avec cette frustration à peine dissimulée.

– Je pourrais te montrer des choses qui te feraient oublier tout ce que tu connais ici, dans ta petite vie bien tranquille…

Je déglutis. Que pouvait-il me montrer ? Avais-je vraiment envie de savoir ?

Oui. Non. Peut-être.

– Lucius…

– Antanasia.

Il se pencha encore un peu plus vers moi, et je remarquai qu'il respirait fort, et moi aussi. Inhalant la puissance qui émanait toujours de lui, partageant l'air qui nous faisait défaut.

— Tu ne t'es jamais posé de questions sur cette partie de toi-même ? Cette partie qui est Antanasia ?

— Antanasia n'est qu'un prénom...

— Non. Antanasia est une personne. Une partie de toi.

Puis Lucius caressa mon cou, traçant une ligne avec son pouce, et je me surpris à fermer les yeux, et à me balancer tel un cobra sous l'emprise d'un charmeur de serpents. J'aurais pu m'arrêter, mais je restai là, à me balancer.

— Cette autre moitié de toi. Cette moitié ne se contenterait pas de choses « sympas », chuchota doucement Lucius.

Il prit mon menton dans ses mains, et je sentis son souffle sur ma bouche. Froid et proche.

— J'ai fini par entrevoir cette partie de toi, de ton âme, lorsque tu as mis cette robe..., reprit-il. Tu es si belle dans cette tenue. Elle te transforme...

Ma robe... J'avais commencé à apprécier cette sensation de pouvoir en sentant sur moi les regards des garçons à la fête. Mais lorsque j'étais avec Lucius, j'avais l'impression que ce pouvoir me glissait des mains pour se retrouver dans les siennes. Il prenait les rênes avec autant d'assurance qu'il l'avait fait avec son cheval sauvage. Et c'était terrifiant. J'humectai mes lèvres, l'estomac noué par cet étrange mélange de désir, de répugnance et de peur que j'avais déjà ressenti le soir où il avait sorti ses crocs dans sa chambre.

Allait-il recommencer ?

— Antanasia...

Ses lèvres touchèrent presque les miennes, et une folle envie m'envahit, la même envie que j'avais éprouvée pour ce chocolat indécent, irrésistible, défendu dans mon rêve.

Non… Je venais juste d'embrasser Jake… Je ne voulais pas désirer Lucius… Il était tout ce que je ne désirais *pas*. Il se prenait pour un fichu vampire. Et pourtant je sentais mon corps se serrer contre le sien, ma main se diriger vers le bas de son visage pour caresser sa cicatrice, cette ligne dentelée de peau douce sous cette barbe naissante. La violence dans son enfance… cela l'a rendu rude. Même dangereux ? Peut-être.

Les bras de Lucius glissèrent dans mon dos, et il effleura mes lèvres à nouveau, plus doucement cette fois. Même sa bouche était dure. Mais je voulais en goûter plus.

— Comme ça, Antanasia, murmura-t-il. Voilà comment ça devrait être… et pas juste *sympa*…

Il faisait tout pour me tenter, pour que j'en veuille plus. Le souvenir de ses doigts remontant la fermeture Éclair de ma robe, cette assurance, cette expérience. Tout cela jaillit soudainement dans mon esprit. *Expérimenté…* Maman m'avait prévenue. *Ne te fais pas avoir, Jess…*

Lucius fit glisser sa main sur mon cou, encerclant ma nuque de ses doigts, son pouce caressant le creux de ma gorge.

— Laisse-moi te donner un baiser, Antanasia… un vrai baiser… un baiser tel que tu le mérites.

— Je t'en prie, Lucius…

Le suppliais-je ou protestais-je ?

— Ta place est à mes côtés, dit-il doucement. Avec ceux de notre race… Et tu le sais… Arrête de lutter… Arrête de lutter contre moi…

Non !

J'avais dû crier à haute voix, puisque Lucius eut un mouvement de recul.

— Non ?

Il semblait ne pas y croire. Je lus le choc et l'incertitude dans ses yeux. Ma bouche bougeait mais aucun son n'en sortit. Oui ? Non ?

– Je... je viens juste d'embrasser Jake, finis-je par bafouiller. Il y a à peine quelques minutes.

N'était-ce pas mal de flirter avec deux garçons le même soir ? N'était-ce pas le comportement... d'une traînée ? Qu'est-ce que cette fichue robe était en train de me faire faire ? Et ce truc qu'il avait dit à propos de « ceux de notre race »...

Non.

Lucius retira brusquement sa main de ma gorge et se pencha en avant, passant ses mains dans ses longs cheveux noirs en émettant un son entre le gémissement et le grognement.

– Lucius, je suis désolée...

– Ne dis pas ça.

– Mais je le suis...

Même si je ne savais pas vraiment de quoi, j'étais désolée. D'avoir embrassé Jake ? D'avoir failli embrasser Lucius ? De m'être arrêtée ?

– Rentre, Jessica.

Lucius était toujours recroquevillé, les mains sur la tête. La porte s'ouvrit alors.

– Il me semblait bien avoir entendu des voix, dit papa, feignant de ne pas remarquer la tension palpable.

– Papa, fis-je d'une petite voix en me levant d'un bond. Je viens juste de rentrer. Lucius et moi étions en train de discuter.

– Il se fait tard, répliqua papa en me tirant vers lui. Et, Lucius, je pense qu'on peut dire que ta corvée de bonbons est terminée. Tu devrais aller te coucher.

– Bien sûr, monsieur.

Lucius se déplia lentement et se leva lui aussi. Il semblait en colère lorsqu'il tendit le saladier à mon père.

– Joyeux Halloween, lança-t-il.

– Oui, bonne nuit, répondis-je.

Puis je me précipitai à l'intérieur, montai l'escalier et me dépêchai d'enlever ma robe et de la balancer au fond de mon placard. Je défis mon chignon et mes cheveux tombèrent sur mes épaules. Tout était à sa place. Revenu à la normale. Après avoir enfilé un tee-shirt et un survêtement pour dormir, je rampai jusqu'à la fenêtre et regardai en direction du garage. La lumière chez Lucius était éteinte. Il était allé se coucher. Ou peut-être était-il sorti dans la nuit...

Maman vint cogner à ma porte.

– Jessica ? Tout va bien ?

– Oui, maman, mentis-je.

– Tu veux parler ?

– Non, répondis-je tout en continuant d'observer la fenêtre de Lucius, sans trop savoir ce que j'attendais. J'ai juste envie de dormir.

– D'accord... Bonne nuit, ma chérie.

Alors que le bruit des pas de maman s'éloignait dans le couloir, je grimpai dans mon lit et fermai les yeux très fort. Je ne me demanderais pas – vraiment pas – ce que pouvait faire Lucius dehors dans la nuit. Étant donné l'état dans lequel je l'avais laissé, je craignais honnêtement qu'il fasse quelque chose de « pas sympa ».

21.

Cher oncle Vasile,

Ici, rien ne se passe comme il le faudrait. Ce serait moins difficile à expliquer si tu voulais bien te mettre à Internet pour que nous puissions communiquer par e-mail. Ce n'est pas si difficile que cela en a l'air. Penses-y, s'il te plaît.

En attendant, j'ai la pénible tâche de t'informer par courrier que le pacte semble irrémédiablement sombrer dans le néant.

Ce soir… Est-ce par là que je dois commencer ?

Je n'ai visiblement pas choisi le bon moment, et je ne vois pas ce que je pourrais en raconter. Si Antanasia n'a pas ressenti la même chose que moi à cet instant, si elle a eu le réflexe de reculer, jusqu'à me crier « Non ! »… je ne vois franchement pas ce que je vais pouvoir faire de plus.

Je suis sûr que, grâce à ces quelques phrases, tu pourras déduire ce qui s'est passé entre nous. Je ne déshonorerai ni ma personne ni celle d'Antanasia en fournissant de plus amples détails. Agir ainsi serait non seulement humiliant mais discourtois. Et je suppose que tu le comprendras.

Ai-je réellement été devancé par un paysan ? Un paysan trapu, stupide et parasite ?

Peut-être qu'au lever du jour la situation paraîtra moins catastrophique. Après tout, l'espoir fait vivre.

En attendant, me donnerais-tu un aperçu de la punition que je devrai subir dans l'éventualité d'un échec de ma part ? J'aimerais pouvoir me préparer psychologiquement. Surtout si je dois faire face au pire. J'ai toujours préféré affronter le destin le dos au mur et la tête haute, comme vous me l'avez enseigné. Or, il est plus facile d'agir ainsi lorsqu'on peut s'armer de courage.

Ton neveu dévoué, en proie au doute et à l'inquiétude,
Lucius

22.

– Tout va très bien se passer, ma chérie, me promit ma mère tout en épinglant mon numéro dans le dos de ma veste de concours.

– J'ai envie de vomir. Pourquoi me suis-je inscrite ?

– Parce que relever des défis nous fait grandir.

– Si tu le dis.

Dans quelques minutes, ce serait mon tour. J'allais chevaucher Belle et sauter tous les obstacles du parcours.

Cela ne durerait pas plus de trois minutes.

Alors pourquoi étais-je terrifiée à ce point ?

Parce que tu pourrais tomber. Belle pourrait piler devant une barre. Tu n'es pas une athlète ; tu es une matheuse, pensai-je.

– J'aurais pu me limiter à présenter un veau, comme l'été dernier, marmonnai-je. Tout ce qu'il y a à faire, c'est marcher dans la carrière et attendre de voir si tu gagnes un ruban.

– Jessica, tu es bonne cavalière, insista maman qui m'avait fait faire un demi-tour pour me regarder dans les yeux. Et puis, ce n'est pas comme si tu n'avais jamais fait de compétition en public…

– Mais c'était des maths, protestai-je. Je suis bonne en maths.

– Tu te débrouilles aussi très bien à cheval.

148

Je pensai à Faith et Lucius.

— Peut-être, mais je ne suis pas la meilleure.

— Alors c'est l'occasion pour toi de repousser tes limites. Vise la deuxième ou la troisième place.

Je scrutai les alentours et vis Lucius galoper sur sa jument qu'il avait appelée « Belle d'Enfer ». *Ha ha.*

— Il n'est pas toujours bon de prendre des risques, observai-je en regardant Lucius travailler la maîtrise de son animal à moitié sauvage.

Lucius était le seul à pouvoir la toucher. Il la défendait en insistant sur le fait qu'elle était incomprise, mais je persistais à croire que cette jument était l'incarnation du mal.

— C'est vrai. Là, c'est peut-être un peu trop risqué, concéda maman en suivant mon regard. J'espère qu'il ne lui arrivera rien.

À la façon dont elle dit cela, j'eus l'impression étrange qu'elle ne parlait pas seulement du concours d'obstacles.

— Il faut que je lui donne son dossard, ajouta maman en mettant sa main au-dessus de ses yeux pour les abriter du soleil, avant de faire signe à Lucius.

En la voyant, il leva la main et trotta vers nous, puis il descendit de sa monture et attacha les rênes à la barrière. Belle d'Enfer n'était définitivement pas le genre de cheval qu'on pouvait laisser détaché.

Lucius s'inclina légèrement.

— Madame Packwood. Jessica.

Je fis un petit signe, gênée.

— Salut, Lucius.

Il se retourna pour que ma mère lui épingle son numéro dans le dos. À ma grande surprise, maman lui fit faire un demi-tour, exactement comme elle l'avait fait avec moi, et le serra dans ses bras. La surprise laissa place au choc lorsque Lucius l'étreignit lui aussi. *Quand ces deux-là se sont-ils réconciliés ?* À bien y réfléchir, le fait que je ne l'eusse pas remarqué n'était pas si étonnant. Lucius et moi, nous nous évitions depuis ce moment bizarre sous le porche.

— Bonne chance, lança ma mère en époussetant des peluches imaginaires sur la veste impeccable et parfaitement coupée de Lucius. Et mets ta bombe. C'est obligatoire.

— Oui, oui, la sécurité avant tout, dit Lucius sur un ton proche du sarcasme. Je vais la chercher. Bonne chance, me lança-t-il avec un regard froid.

— À toi aussi.

Lucius détacha sa jument et s'éloigna avec elle. Maman le regardait, le visage crispé.

— Tout ira bien pour lui, promis-je.

— Je l'espère.

— Je suis la deuxième à passer, c'est ça ?

— Oui. Après Faith.

Super. La pire configuration dans laquelle je pouvais me retrouver. Faith ne participait pas seulement au concours de la foire annuelle. Elle faisait des concours bien plus importants avec son hongre de luxe. Mon estomac se noua une nouvelle fois.

— Tu vas très bien t'en sortir, m'assura maman en me serrant dans ses bras à mon tour.

Les haut-parleurs beuglèrent. C'était l'heure.

— C'est parti.

Évidemment, Faith fit un parcours sans faute sur Moon Dance, son pur-sang. Elle domina la course, les longues jambes musclées de son cheval les projetant sans difficulté au-dessus de chaque obstacle, même le cinquième, qui s'élevait comme une tour et paraissait incroyablement haut de là où je patientais.

Le stress me donnait envie d'aller aux toilettes, mais je n'avais plus le temps. Je montai sur Belle, tandis que Moon Dance piaffait après avoir fini sa course.

– Prochain concurrent, Jessica Packwood, lycée Woodrow Wilson, sur Belle, une Appaloosa de cinq ans.

C'était à moi.

J'aperçus Jake installé sur les gradins. Lorsqu'il me sourit en levant le pouce, je me forçai à lui rendre la pareille.

Lucius n'était pas loin, lui non plus, appuyé sur une barrière pour me regarder. Zut. Comme si j'avais besoin de ces regards hypercritiques rivés sur moi.

Je jetai un coup d'œil par-dessus mon épaule, imaginant ce qui se passerait si je faisais demi-tour avec ma jument... Mais c'était trop tard. Je ne pouvais plus y échapper.

Je pris une grande inspiration et me lançai. Les sabots de Belle faisaient un bruit sourd dans la terre lourde de la carrière écrasée par le silence. Je ressentais la puissance de ma jument entre mes jambes, chacun de ses pas familiers ondulant sous mon corps. Je me concentrai. Le premier obstacle approchait. Une haie. Je la mis au galop. Elle sauta et le passa. *Tu sautes juste avec Belle. Comme à la maison.* Nous passâmes les barrières basses suivantes, et le trac disparut pour faire place à la jubilation. Sous le regard attentif du public, nous nous en sortions très bien.

Belle passa les deux autres haies sans même les effleurer.

Lorsque nous arrivâmes devant la cinquième haie, la plus haute, mon cœur se mit à battre très fort. Mais Belle s'élança, plana et nous étions passées.

Un parcours parfait. Sans faute. Finalement, nous avions réussi. Un sourire victorieux apparut sur mon visage. *Prends ça, la vedette roumaine.*

Alors que je me dirigeais vers la sortie au petit galop, je fis signe à mes parents qui m'applaudissaient, et à Jake, qui avait deux doigts dans la bouche pour siffler. Je cherchai

Lucius des yeux et le vis applaudir avec enthousiasme et prononcer un « Joli parcours ». Quel que soit l'état de nos rapports, ils venaient de s'améliorer un peu.

Je mis Belle au calme et revins juste à temps pour voir passer Lucius.

Il montait Belle d'Enfer avec aisance et majesté, comme s'il était né sur son dos. Le cheval noir comme les ténèbres semblait étonnamment calme lui aussi. Talonnant ses flancs, Lucius lui demanda d'accélérer et elle se mit au grand galop. Son allure était bien trop vive pour un si petit parcours, mais Lucius ne semblait pas y prêter attention. Un petit sourire se dessina sur ses lèvres alors qu'ils s'approchaient du premier obstacle. Belle d'Enfer s'envola et atterrit délicatement. Je réalisai alors que ce cheval était né pour sauter. Ils semblaient avoir fusionné tous les deux, le cheval et son cavalier, traversant le parcours comme une flèche, Belle d'Enfer sautant deux fois plus haut que nécessaire. Un tonnerre d'applaudissements éclata. Les spectateurs avaient le souffle coupé.

C'était de la folie. De la pure folie. Je jetai un coup d'œil à mes parents dans les gradins. Ils semblaient terrifiés et, soudain, je le fus aussi.

Alors que Lucius s'élançait vers le cinquième obstacle, une main attrapa mon poignet, me faisant sursauter.

– Regarde-le…, murmura Faith Crosse.

J'étais quasiment certaine qu'elle n'avait pas réalisé qui elle était en train de toucher. Elle regarda Lucius avec tant d'intensité. Faith tapotait sa cravache contre son mollet, au rythme des foulées. J'éloignai mon bras.

– Pardon, dit Faith sans quitter Lucius des yeux.

Belle d'Enfer passa la dernière barrière et les haut-parleurs annoncèrent un nouveau record pour le concours de la foire.

Lucius et sa jument s'arrêtèrent devant la porte. Il descendit et enleva calmement ses gants, comme s'il revenait d'une petite promenade. Il semblait ne pas prêter attention aux applaudissements.

Toujours cette arrogance…

— Je vais le féliciter, déclara Faith.

Je remarquai une lueur particulière dans les yeux de la future reine du bal.

Faith se dirigea vers la sortie pour suivre Lucius à l'extérieur de la carrière et disparut dans la foule. Soudain, sa cravache apparut dans mon esprit. Belle d'Enfer n'allait pas apprécier. Lucius avait même affiché une pancarte dans l'écurie – une pancarte que je voyais tous les jours.

— Faith, attends ! m'écriai-je en la suivant.

Mais je ne fus pas assez rapide. Le temps que je la rattrape derrière les écuries, Faith avait atteint Lucius et Belle d'Enfer, et agitait sa cravache pour attirer l'attention de Lucius. La cravache effleura le flanc de la jument. Belle d'Enfer se retourna comme une furie en arrachant pratiquement les rênes des mains de Lucius, avant même qu'il réalise ce qui se passait.

Je l'entendis donner l'ordre à Faith de lâcher la cravache, mais il était trop tard.

La jument se cabra, fouettant l'air avec ses antérieurs, tout près de Faith. Je poussai un cri en devinant ce qui allait se passer, mais Lucius poussa Faith et se mit entre elle et les sabots qui s'agitaient en tous sens. Il tomba sous leurs poids.

On entendit un craquement effrayant lorsque les sabots de Belle d'Enfer, poussés par une tonne de tendons et de muscles, percutèrent les jambes et les côtes de Lucius. Tout cela en seulement quelques secondes. Le grand corps de Lucius se retrouva au sol, replié et brisé. Il y avait du sang sur sa chemise blanche, du sang qui coulait de ses bottes en cuir hautes et tachait sa culotte de cheval beige.

— Lucius ! hurlai-je lorsque je retrouvai ma voix, en accourant à toutes jambes, avant de m'effondrer à son côté.

J'avais tellement peur pour lui que j'en oubliais complètement le dangereux animal qui était juste derrière moi, toujours aussi énervé.

— Attrape-la, me demanda Lucius en serrant les dents, et en essayant de se contorsionner vers la jument qui sautait toujours sur place, effrayée et méfiante. Tu peux le faire. Avant qu'elle…

Faith éclata en sanglots, comme si elle venait juste de réaliser ce qui s'était passé. Mais personne ne pouvait nous entendre. Tout le monde était sur les gradins et assistait à la suite de la compétition. Belle d'Enfer était là, la tête basse, ronflant telle une sentinelle en furie au-dessus de Lucius. Je sentais son souffle chaud dans mon cou, et j'eus soudainement peur pour moi aussi. Pas de mouvement brusque…, m'intimai-je.

— Il faut l'attacher, Jess, me pria Lucius en grimaçant de douleur.

J'acquiesçai en silence. Je savais qu'il avait raison. Je me relevai alors, aussi lentement que possible, et me retournai.

— Doucement, ma fille, chuchotai-je en tendant la main vers elle.

La jument eut un mouvement de recul, et moi aussi. *Du calme, Jess…*

Je m'approchai. Les yeux de Belle d'Enfer s'écarquillèrent, mais elle ne broncha pas. Elle semblait avoir compris que quelque chose d'horrible venait d'arriver. Les mains tremblantes, je cherchai à attraper les rênes qui pendaient de sa bride.

— Gentille fille…

Les yeux rivés sur ceux de la jument, je trouvai les rênes à tâtons, du bout des doigts. Son souffle était de plus en plus rapide et fort, mais elle ne bougeait toujours pas. Lucius gémit. Il fallait que j'agisse plus vite. Me déplaçant avec plus d'assurance, mais toujours tremblante, j'attachai les rênes à un anneau.

Ouf ! Merci mon Dieu. Elle était attachée.

Je me précipitai vers Lucius qui se tenait les côtes à travers sa chemise ensanglantée. Je m'agenouillai et attrapai sa main libre.

— C'est bon.

Mais je ne pus m'empêcher de regarder sa jambe. Il y avait visiblement une fracture à mi-mollet. La botte était pliée en deux.

— Va chercher de l'aide ! criai-je à Faith qui semblait paralysée et pleurait à gros sanglots. C'était un accident.

Elle ne bougeait pas.

— Va chercher de l'aide ! répétai-je en hurlant. Vite !

Cela la réveilla. Et Faith allait se mettre à courir pour avertir les secours.

— Non ! aboya Lucius plus fort que je ne l'aurais cru possible dans son état. Va chercher les parents de Jessica. Et personne d'autre, ordonna-t-il sur un ton autoritaire qui interrompit Faith.

Elle hésita, paniquée, perplexe, perdue. Elle regarda dans ma direction. Je la suppliai :

— Va chercher l'équipe de secours.

Que faisait Lucius ? Il lui fallait une ambulance.

— Seulement les parents de Jessica, répéta Lucius en me regardant d'un air sévère.

Il attrapa ma main droite pour me retenir.

— Je… Je…, bégaya Faith.

— Vas-y, ordonna Lucius.

Faith courut. Je priai pour qu'elle ramène l'équipe de secours.

155

– Mince, ça fait mal, grommela Lucius tout en serrant ma main très fort, le visage contorsionné par des spasmes de douleur. Reste avec moi, s'il te plaît.

– Je ne bouge pas, le rassurai-je en essayant de maîtriser les tremblements dans ma voix.

J'étais terrifiée mais je ne voulais pas que Lucius s'en aperçoive. Lorsqu'un filet de sang s'échappa de sa bouche, je réprimai un cri. Cela n'était pas bon signe. C'était peut-être une hémorragie interne. J'essuyai le liquide écarlate avec mes doigts tremblotants et une larme tomba sur sa joue.

– S'il te plaît, ne pleure pas, soupira Lucius en me regardant dans les yeux. Ne craque pas devant moi. N'oublie pas, tu es une princesse.

Je serrai sa main encore plus fort.

– Je ne pleure pas. Accroche-toi.

Il bougea un peu et grimaça.

– Tu sais… ce n'est pas ça qui va tuer un…

Bon sang, il n'allait quand même pas me faire son numéro de vampire ici ? Je ne croyais pas une seule seconde qu'il était immortel…

– Reste calme.

Et prie pour que Faith ne t'ait pas écouté.

– Ah, ma jambe…

Sa poitrine se souleva et il toussa du sang. Beaucoup trop de sang. Il coulait de ses poumons. C'était sûrement une perforation. J'avais suivi assez de formations de premiers secours à l'école pour avoir une idée du diagnostic. J'essuyai sa bouche avec ma manche, mais cela ne fit que répandre un peu plus de sang sur nous deux.

– Les secours vont arriver, promis-je.

Mais est-ce que ce serait suffisant ? Ne serait-il pas trop tard ?

Inconsciemment, je caressai les cheveux noirs de Lucius avec ma main gauche. Son visage sembla se décontracter très légèrement ; son souffle se calma un peu. Alors je laissai ma main là, sur son front.

— Jess ? murmura-t-il en cherchant mon visage des yeux.

— Ne parle pas.

— Je… je pense que tu mérites… une médaille.

Malgré moi, je me mis à rire, d'un rire irrégulier et crispé, et me penchai pour embrasser son front. Juste comme ça. De façon très naturelle.

— Toi aussi.

Ses yeux se fermèrent. Je sentais qu'il perdait conscience.

— Jess ?

— Reste calme.

— Ne les laisse pas faire quoi que ce soit… à ma jument, réussit-il à articuler malgré sa respiration difficile. Elle ne voulait pas… faire de mal. C'est à cause de la cravache, tu sais…

— J'essaierai, Lucius, promis-je.

Mais je savais que je ne pourrais rien y faire. Il n'y avait plus de sursis pour Belle d'Enfer.

— Merci, Antanasia…

Sa voix était à peine audible.

J'entendis un son de pneus sur l'herbe. Je poussai un petit soupir de soulagement. Faith était allée chercher l'ambulance.

Mais non. Lorsque je pus apercevoir le véhicule, je reconnus le van Volkswagen déglingué et Ned Packwood au volant. Mes parents, défigurés par la peur, en sortirent à toute vitesse et m'écartèrent du passage.

— Ramenez-moi à la maison, dit Lucius qui revenait un peu à lui. Vous comprenez…

Maman se tourna vers moi.

— Ouvre l'arrière du van.

— Mais, maman… il lui faut une ambulance !

— Fais ce que je te dis, Jessica.

157

Je me remis à pleurer, parce que je ne comprenais pas ce qui se passait et parce que je ne voulais pas participer au meurtre de Lucius. Pourtant je m'exécutai.

Mes parents transportèrent Lucius dans le van aussi délicatement que possible, mais il poussa un gémissement, bien qu'il fût désormais totalement inconscient. La douleur devait être si forte qu'elle avait atteint la partie incontrôlée de son cerveau. J'allais grimper à côté de lui, mais papa m'en empêcha en posant une main ferme sur mon épaule. Maman monta dans la voiture à ma place et s'accroupit près de Lucius.

— Tu restes là, et tu expliques ce qui s'est passé, dit papa. Dis-leur... dis-leur qu'on a amené Lucius à l'hôpital.

Je compris que mon père mentait et mes yeux s'écarquillèrent.

— C'est bien ce que vous allez faire, non ? L'amener à l'hôpital ?

— Dis à tout le monde qu'il va bien, dit-il sans répondre à ma question. Et occupe-toi du cheval.

Il m'en demandait trop. Et s'ils n'avaient pas l'intention d'amener Lucius à l'hôpital ? Et si Lucius mourait ? Ils seraient responsables. Peut-être accusés de non-assistance à personne en danger ou même de meurtre. Faith avait bien vu que Lucius n'allait pas bien. Elle savait qu'il avait besoin d'un médecin. Et les organisateurs du concours vérifieraient sûrement qu'il avait bien été hospitalisé. Pour des histoires de responsabilité, tout ça. Qu'est-ce que mes parents étaient en train de fabriquer ? Ils risquaient la prison. Et pour quoi ? Cela n'avait aucun sens de ne pas amener Lucius à l'hôpital.

Mais je n'avais pas le temps de protester. Lucius devait au moins être transporté au chaud. Et avec un peu de chance, ce serait dans un lieu où des personnes savaient soigner des jambes cassées et des poumons perforés. Tant

que ce n'était pas dans notre cuisine, avec papa qui essaierait un de ses soins aux plantes…

L'appréhension me serra de nouveau la poitrine. Et si mes
parents comptaient essayer un de leurs « remèdes naturels »
sur Lucius… ils n'étaient pas du tout compétents. Toutes
ces choses bouillonnaient dans ma tête alors que je suivais
le vieux van à pied, le fixant désespérément lorsqu'il sortit
de la zone d'herbe pour rebondir sur le parking recouvert
de graviers, aussi vite que papa pouvait le faire sans provoquer les soupçons ou trop bousculer Lucius.

Je les regardais s'éloigner dans un nuage de poussière
lorsque Faith réapparut à mes côtés, plus calme. Ses yeux
étaient rouges, mais elle s'était redressée. Pourtant, sa voix
semblait nouée lorsqu'elle me demanda :

— Est-ce que tu penses qu'il… va… ?

— Il va s'en sortir, promis-je en mentant plus aisément
que je ne l'aurais cru possible.

Mais je n'avais pas le choix. Je devais paraître convain-
cante. La survie de toute ma famille, et pas seulement de
Lucius, en dépendait.

— Je ne crois pas que ses blessures soient si graves qu'on
ait pu le penser au début, ajoutai-je.

— Ah bon ? s'étonna Faith, sceptique.

Mais son regard était plein d'espoir. Je voyais bien qu'elle
voulait croire à ce mensonge. Après tout, elle ne voulait
certainement pas être responsable des blessures de Lucius
– et encore moins de sa mort.

— Il a réussi à se redresser un peu, lui racontai-je en m'efforçant de la regarder en face. Et il a même fait de l'humour.

La tension sur le visage de Faith se relâcha.

— S'il paraissait si mal au début, c'est sûrement parce
que tout s'est passé très vite…

— Oui, certainement, confirmai-je. C'était tellement
effrayant.

Faith dirigea son regard vers le parking, comme si elle pouvait toujours voir le van. Elle tenait toujours la cravache, la tapotant contre sa botte. J'aurais aimé balancer ce truc à la poubelle ou l'enterrer. Comment pouvait-elle ne pas avoir vu la pancarte dans l'écurie ?

La réponse était si évidente que cela en était presque risible. Parce que Faith Crosse ne faisait attention à rien au-delà de sa petite sphère personnelle. Voilà pourquoi.

— Même s'il n'allait pas aussi mal qu'on a pu le croire, pourquoi a-t-il refusé que j'appelle les secours ? se demanda-t-elle à voix haute.

Je n'étais pas sûre de la réponse moi-même, mais j'avais l'impression que cela avait un rapport avec le fait que Lucius pensait être un vampire. Ce n'était définitivement pas une réponse valable pour Faith, aussi me lançai-je dans une fausse explication :

— Je pense que c'est par fierté. Il ne voulait pas être transporté en ambulance avec les sirènes et plein de monde qui le regarde.

Connaissant Lucius, cette excuse était plausible.

Un petit sourire apparut sur le visage de Faith, qui regardait toujours au loin. La cravache battait sur sa botte à un rythme régulier. Elle était de nouveau complètement calme, presque à l'aise.

— Oui, dit-elle plus à elle-même qu'à moi. Lucius Vladescu semble n'avoir peur de rien. C'est un homme déterminé, non ?

Tu n'imagines pas à quel point, eus-je envie de lui répondre. Mais c'est à ce moment qu'un groupe d'organisateurs du concours s'avança dans notre direction. Je me retournai, prête à leur raconter des mensonges.

23.

Il faisait nuit lorsque je rentrai à la maison. J'avais fait le chemin du retour sur le dos de Belle, en coupant par les champs de maïs en jachère pour éviter les routes, comme si j'avais peur d'être suivie. Je craignais de croiser certaines personnes comme Faith ou les organisateurs du concours. Particulièrement ces derniers, avec leurs questions auxquelles j'avais déjà répondu au moins cinquante fois. Ils m'avaient demandé à maintes reprises pourquoi aucun des hôpitaux de la région n'avait entendu parler d'un garçon blessé par un cheval. Puis ils avaient insisté pour parler à mes parents. J'avais même cru qu'ils allaient venir à pied jusqu'à la ferme. Alors ils auraient vu Lucius Vladescu à l'agonie – ou peut-être même déjà mort – sur notre canapé, mon père à ses côtés, essayant de le ressusciter avec des herbes et des infusions.

À cette idée, je talonnai un peu plus Belle.

Se pouvait-il que Lucius soit mort ? Comment réagirais-je si c'était le cas ? Est-ce que je le pleurerais ? Serais-je affligée par le chagrin ? La culpabilité m'envahit. Et si je me sentais soulagée ?

Et pour qui étais-je le plus inquiète ? Pour Lucius ou pour mes parents qui avaient une grande part de responsabilité dans ce dénouement ?

161

Toutes ces questions qui mijotaient dans ma tête comme un ragoût fétide se dissipèrent lorsque j'arrivai avec Belle sur le chemin de la maison, à une allure qui me paraissait ridiculement lente, alors que j'aurais payé cher pour y arriver aussi vite qu'en avion. Einstein avait expliqué cette impression, non ? La relativité. Notre perception du temps est relative à notre désir de le voir passer. C'est cela, non ?

Le temps. La relativité. Les sciences.

J'essayai de me concentrer sur ces concepts plutôt que de m'inquiéter inutilement, mais l'image du sang sur la chemise de Lucius ne cessait d'apparaître dans mon esprit. Ce sang qui giclait de sa bouche. Ce sang si rouge. Le temps d'arriver au bout de notre allée, j'avais lancé Belle au triple galop et lâché les rênes qui caressaient son encolure. J'aperçus alors le van de mes parents garé devant la maison. Il y avait une autre voiture. Une berline tout aussi abîmée que je ne connaissais pas. La maison était quasiment plongée dans le noir, mais j'aperçus de faibles lumières.

J'abandonnai ma pauvre Belle, consciente que j'aurais dû m'occuper d'elle et la mettre dans sa stalle, et me ruai à l'intérieur.

— Maman ! hurlai-je à pleins poumons en faisant claquer la porte.

Ma mère émergea de la salle à manger, me faisant signe de me taire en posant un doigt sur sa bouche.

— S'il te plaît, Jessica. Ne parle pas si fort.

— Comment va-t-il ?

Je la poussai pour me frayer un passage mais maman m'attrapa par le bras.

— Non, Jessica… Pas maintenant.

J'essayai de décrypter son expression.

— Maman ?

— C'est grave, mais nous avons de bonnes raisons de penser qu'il s'en sortira. Il reçoit de bons soins. Les meilleurs qu'on puisse lui fournir, sans avoir de problèmes, ajouta-t-elle de façon énigmatique.

— Que veux-tu dire par « sans avoir de problèmes » ?

Les meilleurs soins étaient promulgués dans les *hôpitaux*.

— Et à qui est la voiture dehors ?

— On a appelé le Dr Zsoldos…

— Non, maman !

Pas le Dr Zsoldos ! Pas ce charlatan hongrois complètement fou qui avait perdu le droit d'exercer la médecine après avoir préconisé des « remèdes » traditionnels controversés, ici, aux États-Unis, où les gens avaient le bon sens de croire en la vraie médecine. J'aurais dû reconnaître sa voiture. Longtemps après que tous les gens du coin l'eurent rejeté, le vieux Zsoldos et mes parents étaient restés amis et se réunissaient parfois autour de la table de la cuisine pour jacasser jusqu'au bout de la nuit à propos de ces idiots qui ne croyaient pas aux « thérapies alternatives ».

— Il va tuer Lucius !

— Le Dr Zsoldos comprend Lucius et les siens, m'expliqua maman en me prenant par les épaules. On peut lui faire confiance.

Lorsque ma mère prononça le mot « confiance », j'eus l'impression qu'elle ne parlait pas uniquement du fait que le charlatan ait le droit d'exercer ou pas.

— Lui faire confiance pour quoi ?

— Pour sa discrétion.

— Pourquoi ? Pourquoi devons-nous être discrets ? Tu n'as pas vu le sang qui sortait de sa bouche ? Sa jambe broyée ?

— Lucius est spécial, reprit maman, en me secouant un peu par les épaules comme si j'aurais dû m'en rendre compte depuis bien longtemps. Tu dois l'accepter, Jessica. Il ne serait pas en sécurité à l'hôpital.

– Parce qu'ici, il est en sécurité ? Dans notre salle à manger ?

Maman lâcha mes épaules et se frotta les yeux. Je réalisai à quel point elle devait être fatiguée.

– Oui, Jessica. Plus en sécurité ici que là-bas.

– Mais il fait une hémorragie interne ! Même moi je suis
capable de m'en rendre compte. Il a sûrement besoin d'une
transfusion !

Ma mère me regarda avec un air étrange, comme si elle
venait d'avoir une révélation.

– Oui, Jessica. Il a besoin de sang.

– Alors amène-le à l'hôpital, je t'en supplie !

Maman me fixa un long moment.

– Jessica, il y a des choses sur Lucius que la plupart des
médecins ne pourraient pas comprendre. On pourra reparler de tout ça plus tard, mais là, je dois retourner près de
lui. S'il te plaît, monte dans ta chambre et essaie d'être
patiente. Je te tiendrai au courant de l'évolution de son
état.

Elle me tourna le dos et ouvrit la porte de la salle à manger. J'entendis des murmures filtrer de la pièce plongée
dans l'obscurité. La voix de mon père. Celle du Dr Zsoldos.
Ma mère se glissa à l'intérieur pour se joindre à leur cabale
secrète, puis la porte se referma.

Furieuse, terrorisée et frustrée, je me précipitai en haut,
oubliant complètement la pauvre Belle. J'ai honte d'avouer
qu'elle passa toute la nuit dans le froid du mois de novem-
bre, à errer entre les écuries et les paddocks, la selle toujours sur le dos. J'étais trop déstabilisée pour penser au
cheval qui m'avait fait vivre un moment de gloire seulement quelques heures plus tôt. Au lieu de cela, je regardai
par la fenêtre, cherchant désespérément une solution.

Alors que je me demandais si je ne ferais pas mieux d'appeler moi-même un vrai médecin, j'aperçus mon père qui

courait vers le garage. La lumière de la chambre de Lucius s'alluma, mais très peu de temps. Papa en ressortit aussitôt et traversa la pelouse à grandes enjambées. Grâce au clair de lune, je vis qu'il tenait quelque chose dans les mains. Quelque chose de la taille d'une boîte à chaussures mais avec des coins arrondis. Un paquet emballé dans du papier.

J'attendis d'entendre mon père passer le seuil de la maison et la porte de la salle à manger se fermer pour descendre l'escalier à pas de loup en évitant les marches grinçantes qui auraient pu me trahir. Je rampai presque jusqu'à la porte de la salle à manger et tournai la poignée pour l'entrouvrir. Juste assez pour voir à l'intérieur.

Le feu dans la cheminée était presque éteint et la lumière du plafonnier avait été réglée sur le minimum, mais je devinais tout de même la scène.

Lucius était étendu sur notre longue table en bois, celle que nous n'utilisions que pour les grandes occasions. Il était torse nu. Ses vêtements tachés de sang avaient été enlevés – certainement coupés au ciseau – et le bas de son corps était recouvert d'un drap blanc. Son visage était totalement placide. Les yeux fermés, la bouche figée.

On aurait dit qu'il était mort. Il ressemblait à un cadavre. Je n'étais jamais allée à un enterrement, mais je ne pouvais pas imaginer qu'on puisse paraître plus mort que Lucius à cet instant.

J'observai sa poitrine, espérant la voir se soulever, mais si ses poumons fonctionnaient, c'était trop faiblement pour que je puisse le discerner dans cette pièce sombre. *Je t'en prie, Lucius. Respire !*

Alors que la poitrine de Lucius ne se soulevait toujours pas, quelque chose se déchira au fond de moi, et j'eus l'impression que mon corps tout entier se transformait en une vaste grotte où soufflait un vent glacial. *Non... Il ne peut pas être parti. Je ne peux pas le laisser s'en aller.* Je luttai pour me calmer. Si Lucius était mort, ils ne resteraient pas comme ça autour de lui, à lui apporter des soins. Ils auraient tout arrêté. Et couvert son visage.

Ma mère faisait les cent pas devant la cheminée, avec une main devant la bouche, et regardait mon père et le Dr Zsoldos discuter à voix basse du paquet que papa avait rapporté du garage.

Ils devaient avoir pris une décision, puisque le Dr Zsoldos sortit un couteau – un scalpel ? – d'un sac noir. Allait-il opérer Lucius ? Sur la table de notre salle à manger ?

J'allais détourner mon regard, de peur de me sentir mal, mais non, le charlatan hongrois ne planta pas son couteau dans le corps de Lucius. Il coupa la ficelle qui liait le paquet et déchira le papier. Il en sortit le contenu, le berçant comme s'il s'agissait d'un nouveau-né – un bébé glissant et tremblotant qui faillit lui échapper des mains. *Qu'est-ce que c'est que ça ?*

Je me penchai encore, passant ma tête dans l'entrebâillement et m'efforçant de contrôler ma respiration. Heureusement, personne ne prêtait attention à la porte. Papa, maman et le Dr Zsoldos regardaient tous cette… chose qu'il tenait dans les mains. Cela ressemblait à… quoi ? À une espèce de poche ? Faite d'un matériau que je ne pouvais pas identifier. Quelque chose de mou, en tout cas, puisque le paquet adoptait la forme des mains du docteur, comme un sac en plastique plein de gelée.

– Nous aurions dû nous douter qu'il cachait ça quelque part, murmura le Dr Zsoldos en agitant la tête si bien que sa barbe blanche dansait. Évidemment.

– Oui, affirma maman en s'approchant de Lucius. Bien sûr. On aurait dû y penser.

Ensemble, ils glissèrent leurs bras sous les épaules de Lucius pour le relever délicatement et le mettre en position assise. Lucius émit un bruit, entre un gémissement de douleur et le rugissement de colère d'un lion blessé. Ma main moite glissa sur la poignée lorsque j'entendis ce son. Ce n'était ni tout à fait humain, ni tout à fait animal. Mais ça faisait vraiment froid dans le dos.

J'essuyai ma main sur mon pantalon de cheval, plissant les yeux pour mieux voir la scène qui se déroulait devant moi.

Le Dr Zsoldos était penché au-dessus de son patient et tendit la poche devant Lucius comme une offrande. Le feu de la cheminée se reflétait dans les lunettes en demi-lune du docteur, et il esquissa un sourire lorsqu'il encouragea doucement Lucius à boire.

Le patient ne répondit pas. Comme la tête de Lucius tombait sur le côté, papa s'approcha pour le maintenir.

Le Dr Zsoldos hésita, puis se saisit de nouveau du scalpel pour percer la poche sous le nez de Lucius. Les yeux que j'avais eu peur de ne plus jamais voir ouverts clignèrent. J'émis alors un petit glapissement.

Les yeux de Lucius, déjà sombres d'habitude, étaient d'un noir très pur. Un noir d'ébène très foncé, comme si la pupille avait consumé l'iris et même une grande partie du blanc de l'œil. Je n'avais jamais vu ça. J'étais incapable de détourner le regard.

Il ouvrit la bouche et ses dents... s'étaient de nouveau transformées.

Mes parents m'entendirent certainement crier, mais cela n'avait pas d'importance. Je n'en croyais pas mes yeux, et mes parents étaient eux aussi stupéfaits lorsque Lucius releva la tête et planta ses crocs dans cette poche pour boire péniblement mais avec un appétit évident. Une goutte de liquide coula le long de son menton et sur son torse. Un liquide foncé. Épais. J'avais vu ce genre de liquide quelques heures auparavant. Et il avait taché ce torse.

NON !

Je fermai les yeux, refusant d'y croire. Je secouai la tête pour clarifier mes idées. Pour bannir cette image de mon esprit. Oublier ce que je pensais avoir vu. Ce que j'étais presque sûre d'avoir vu.

Il y avait une odeur aussi. Une odeur âcre que je ne connaissais pas. Enfin, je l'avais déjà légèrement sentie, mais là… là, elle était si forte. Et devenait encore plus forte. J'ouvris les yeux et me forçai à observer de nouveau la scène. Cet arôme – ce n'était pas comme si je le sentais avec mon nez. Je le ressentais, quelque part au fond de mon ventre, ou ailleurs, dans cette zone éloignée du cerveau dont on parlait en cours de biologie, et qui contrôlait le désir sexuel, l'agressivité et… le plaisir ?

Lucius se releva en s'appuyant sur un coude, et continua à boire avec vigueur, comme s'il ne serait jamais rassasié. Cependant, il n'y en eut bientôt plus. La poche était vide. Lucius faillit retomber brutalement en émettant une sorte de râle qui exprimait en même temps l'agonie sauvage et la pure satisfaction. Mais papa le rattrapa à temps pour éviter qu'il ne se fasse mal et le rallongea sur le dos.

— Repose-toi, Lucius, conseilla papa.

Maman s'avança pour essuyer le sang qui avait coulé sur son torse…

Du sang. Il avait bu du sang…

Je fermai les yeux. Quelque chose de bizarre se produisit alors : même si j'étais accroupie sur un sol en bois bien dur, il commença à tanguer sous mes pieds. Toute la maison tournait autour de moi, et même lorsque je rouvris les yeux pour essayer de retrouver mes esprits, j'eus l'impression que mon regard se dirigeait vers le plafond, qui disparaissait peu à peu comme l'image de fin d'un film.

Je me réveillai plus tard la même nuit, dans mon lit, vêtue de mon pyjama en flanelle, mais désorientée, comme si je me retrouvais soudainement dans un pays étranger. Il faisait toujours nuit. Je restai aussi calme que possible, les yeux ouverts, au cas où la pièce se remettrait à tanguer et que le plafond disparaîtrait une nouvelle fois.

La maison ne bougea pas, même lorsque je revoyais dans ma tête tout ce dont j'avais été témoin. Tout ce que j'avais ressenti.

J'avais vu Lucius boire du sang. Enfin… je crois. Puis ma tête s'était mise à tourner. Tout s'était embrouillé. Et cette odeur… Peut-être que le Dr Zsoldos avait donné à Lucius un alcool roumain ou une potion ou un truc du genre. Peut-être avais-je mal compris, perturbée par la panique et la peur.

Mais je n'arrivais toujours pas à trouver de justification à ma réaction lorsque j'avais cru Lucius mort.

Ce chagrin. Le chagrin le plus profond que j'aurais pu imaginer. Comme un trou béant au fond de moi.

Voilà… voilà ce qui m'avait vraiment fait paniquer. À dire vrai, j'étais encore si paniquée que je descendis discrètement au beau milieu de la nuit pour me faufiler dans la salle à manger. Le feu avait été ranimé et Lucius était toujours étendu sur la table, mais il y avait à présent un oreiller sous sa tête. Une couverture chaude avait été déposée par-dessus le drap, le couvrant des épaules jusqu'aux orteils. Mon père se trouvait toujours dans la pièce. Il ronflait sur le fauteuil à bascule. Maman n'était plus là. Et le Dr Zsoldos avait disparu, tout comme son sac, et la poche dont j'avais certainement rêvé…

Je m'approchai furtivement du visage de Lucius. Aucune trace rouge sur ses lèvres, aucune tache sur son menton, aucun signe de transformation dans sa bouche. Il n'y avait que ce visage pâle désormais familier, et cette cicatrice. Il dut sentir ma présence alors que je le regardais, ou alors il rêvait, puisqu'il bougea légèrement, et son bras se tendit. La position paraissait inconfortable, alors, après avoir attendu un instant pour voir s'il allait bouger de lui-même, j'attrapai doucement son poignet et le replaçai sur la table. Malgré la couverture et le feu qui crépitait dans la cheminée, sa peau était très froide… même gelée. Ma main glissa vers la sienne, nos doigts s'entrelaçant, pour lui offrir un peu de réconfort et de chaleur.

Il était vivant.

Je me mis à pleurer, aussi silencieusement que possible pour ne pas réveiller papa. Je laissai les larmes couler le long de mes joues et atterrir sur nos mains jointes. Lucius me rendait folle. Il était fou. Mais cela n'avait aucune importance. Je ne voulais plus jamais ressentir cela à nouveau. Plus jamais.

Je ravalai un sanglot. Papa grogna, de ce genre de ronflement qu'on émet lorsqu'on essaie de dormir sur une chaise trop dure, et j'eus peur qu'il se réveille. Alors je lâchai la main de Lucius, essuyai mon visage avec ma manche, et retournai dans ma chambre. De toute façon, il ferait bientôt jour.

24.

Cher oncle Vasile,

C'est avec grand regret – et une petite dose d'appréhension concernant ta réaction – que je t'écris pour t'informer que j'ai eu un petit accident avec le cheval que j'ai acheté « sur le Net ».

Je suis persuadé que tu aurais adoré Belle d'Enfer. C'est une créature sauvage et redoutable. Noire comme l'ébène du toupet aux bouts des sabots, et, dois-je le préciser, jusqu'au fin fond de son être. Qu'aurais-je pu demander de plus ?

Revenons-en aux faits. Ma délicieuse et vicieuse jument m'a donc offert une raclée admirable – dont je ne saurais la tenir responsable. Résultat : une jambe cassée, quelques côtes brisées, et un poumon perforé. Rien que je n'avais pas déjà expérimenté à la maison. Mais je crains toutefois de devoir rester couché pendant une bonne semaine.

Je t'écris surtout dans l'espoir de gagner ta sympathie... (Quelle pensée savoureuse, n'est-ce pas ? Toi, l'impitoyable Vasile, se lamentant sur le bien-être d'autrui. Je rirais bien à gorge déployée si cela ne me faisait pas cracher du sang.) Je prends la plume dans le but de rendre aux Packwood les hommages qu'ils méritent, puisque jusqu'ici je ne les ai jamais épargnés de mes critiques. (Te souviens-tu de ma lettre à propos des lentilles ? J'ai un peu honte, en y repensant. Cela ne nécessitait peut-être pas tant de commentaires.)

Lors de cet accident, cependant, et c'est tout à leur honneur, Ned et Dara se sont montrés à la hauteur, comprenant immédiatement qu'amener un non-mort à l'hôpital serait un geste résolument malheureux. (Combien de nos contemporains ont été malencontreusement laissés dans des morgues plusieurs jours – et parfois même dans des mausolées pendant plusieurs années – à cause de l'absence de ce que les humains appellent « les signes vitaux » ?)

Mais comme toujours, je divague. Revenons-en aux faits, peut-être avons-nous été injustement sévères envers les Packwood. Ils ont fait preuve d'une grande perspicacité, et surtout, ils ont pris de gros risques pour moi. J'ai presque souhaité retrouver leurs poupées hideuses pour les remettre à leur place, en signe de gratitude. Peut-être pourrais-tu trouver dans la région une artisane qui pourrait fabriquer des poupées grossières avec un morceau de bois et un peu de laine ? Rien de bien sophistiqué. Les standards esthétiques de cette collection tout à fait particulière n'étaient pas très élevés, crois-moi. « Moches » et « mal confectionnées » semblaient être leurs critères de sélection.

Quant à Antanasia… Vasile, que puis-je dire ? Elle a réagi à mon accident avec la bravoure, la volonté et la vaillance d'une véritable princesse vampire. Mais d'une princesse au cœur tendre. Nous devrions nous demander ce que cette particularité engendrerait pour elle dans notre monde.

Vasile, rares sont les fois où j'ose affirmer avoir plus d'expérience que toi, quel que soit le sujet. Tu sais que je reste humble devant ta supériorité. Mais je vais courir le risque de m'adresser à toi avec autorité à mon tour, en tant que personne ayant eu un contact intime avec des humains pendant un temps désormais considérable.

(Je n'ai aucun doute sur la colère qui doit monter en toi en constatant tant d'impertinence de ma part – crois-moi, je sens déjà la douleur provoquée par ta main sur mon visage, même

à plusieurs milliers de kilomètres de distance – mais je dois persister.)

En vivant comme tu le fais dans notre château, isolé au milieu des Carpates, tu n'as eu que peu de contacts avec des individus extérieurs à notre race. Tu ne connais que le mode de vie des vampires – le mode de vie des Vladescu. La voie du sang et de la violence et la lutte cruelle pour la survie. Le combat éternel pour la domination.

Tu n'as jamais vu Ned Packwood accroupi devant un carton plein de petits chatons remuants, les nourrissant à la pipette – alors que l'un des nôtres les aurait jetés dans le froid à la merci des prédateurs sans aucun regret. Et même avec une certaine satisfaction pour le charognard rassasié.

Tu n'as jamais senti la main tremblante de Dara Packwood cherchant ton pouls alors que tu agonises à moitié nu et blessé – vulnérable ! – sur une table en bois.

Qu'aurait fait l'un des nôtres, Vasile ? Si Dara avait été une Dragomir, et pas une Packwood, n'aurait-elle pas au moins été tentée de saisir cette opportunité pour abattre le prince rival ? Au lieu de cela, elle s'est inquiétée pour moi.

Voilà… C'est dans une famille comme celle-là qu'Antanasia a été élevée. Ce n'est pas juste une Américaine. C'est une Packwood. Et pas une Dragomir. Elle a grandi au milieu des chatons, de la gentillesse et de la douceur. Elle a été nourrie au « tofu » blanchâtre et ramolli, et pas aux restes ensanglantés d'un massacre.

Et tu ne l'as pas entendue pleurer, Vasile. Tu n'as pas ressenti son chagrin, comme j'ai pu le ressentir, lorsqu'elle a cru que je n'étais plus… Ce chagrin palpable. Il l'aurait détruite, Vasile.

Antanasia – enfin, Jessica – est bonne, Vasile. Bonne. Son cœur est si tendre qu'elle n'a pas pu s'empêcher de me pleurer, moi – un homme qu'elle peut à peine supporter.

Ses ennemies – et tu sais qu'en tant que princesse elle en aura, même en temps de paix – sentiront cette faiblesse, comme j'ai senti son chagrin. Un jour où l'autre, une autre femelle, assoiffée de pouvoir, fera surface pour prendre la place de Jessica. N'est-ce pas ainsi que fonctionne notre monde ? Et, au moment de vérité, lorsqu'elle devra combattre, Jessica hésitera, incapable de se décider à sacrifier une vie, et elle faillira. Je ne pourrai pas toujours être là pour la protéger.

Dans le passé, j'avais peur de considérer Jessica de façon superficielle. Je suis (nous sommes ?) coupable(s) d'avoir cru que quelques vêtements, des leçons de bonnes manières et un coup de crocs acérés dans le cou la transformeraient en princesse vampire.

Mais tu ne l'as pas entendue pleurer, Vasile. Tu n'as pas senti ses larmes couler sur ton visage, sur ta main.

Le monde des vampires pourrait peut-être survivre à Antanasia – mais Antanasia pourra-t-elle survivre aux vampires ? C'est quelqu'un de très prometteur, Vasile, mais cet accomplissement est loin de se réaliser. Et d'ici là, elle sera condamnée.

Peut-être sont-ce les médicaments qui parlent à ma place. Honnêtement, Vasile, les Packwood ont un merveilleux soigneur hongrois, libéré du système, si tu vois ce que je veux dire. Alors oui, peut-être est-ce à cause de la multitude de potions qui coulent dans mes veines et saturent mon cerveau que je réfléchis à ces choses alors que je suis allongé ici – et que je rate d'ailleurs le premier match important de la saison de basket, contre nos rivaux les « Couguars de Palmyra ». (Comme s'ils n'étaient pas vaincus d'avance et que je doive le prouver sur le terrain.)

Revenons-en à Antanasia. Nous, les vampires, n'avons pas d'âme. Mais nous ne trahissons pas les nôtres, n'est-ce pas ? Nous ne détruisons pas sans raison, exact ? Et j'ai bien peur que le monde des vampires détruise, à coup sûr, Jessica.

Ne peut-on pas imaginer de la libérer pour qu'elle vive une existence normale d'adolescente humaine ? Et laisser les problèmes de notre monde où ils doivent être, c'est-à-dire dans notre monde et pas sur les épaules d'une jeune Américaine innocente qui ne vit que pour monter sa jument, papoter avec sa meilleure amie (étrangement, j'ai appris à apprécier cette Melinda délirante et obsédée par le sexe), et partager des baisers « sympas » avec un simple fermier ?

J'attends ton opinion, même si j'anticipe déjà un refus catégorique. Seulement, tu m'as appris à n'être pas seulement impitoyable mais aussi honnête, Vasile, et je sens que l'honnêteté et l'honneur apporteront des réponses à ces questionnements.

Ton neveu, sur la voie de la guérison,

Lucius

P.S. À propos des poupées : demande des yeux en boutons si possible. Il semblerait que ce soit le « thème » de la collection.

25.

– Maman, je veux savoir ce qui s'est passé cette nuit.

Ma mère était installée derrière son bureau, ses lunettes perchées sur son nez, et lisait les dernières revues scientifiques qu'elle venait de recevoir à la pâle lueur de sa lampe de bureau. En entendant ma voix, elle releva la tête.

– Je m'attendais à ce que tu viennes m'en parler, Jess.

Elle me fit signe de m'installer dans le vieux fauteuil de relaxation destiné aux invités. Je m'y enfonçai et posai la couverture en laine péruvienne qui sentait le renfermé sur mes genoux.

Maman fit rouler sa chaise jusqu'à moi et remonta ses lunettes sur sa tête.

– Par où veux-tu qu'on commence ? Par ce qui s'est passé entre toi et Lucius sous le porche ?

Me sentant rougir, je détournai le regard.

– Non. Je ne veux pas discuter de ça. Je veux qu'on parle de l'autre nuit. Lorsque vous avez ramené Lucius ici. Pourquoi ? Pourquoi ici plutôt qu'à l'hôpital ?

– Je te l'ai déjà dit, Jessica. Lucius est spécial. Il est *différent*.

– Différent comment ?

– Lucius est un vampire, Jessica. Un médecin tout droit sorti d'une école de médecine américaine n'aurait pas su comment le soigner.

176

– C'est un garçon normal, maman, objectai-je.

– C'est vraiment ce que tu continues à croire ? Même après ce que tu as vu, cachée derrière la porte ?

Les yeux baissés, je regardai mes mains et entortillai autour d'un de mes doigts un fil qui dépassait pour l'arracher.

– Mais c'est tellement déroutant, maman.

– Jessica ?

– Hmmm ? fis-je en relevant la tête.

– Toi aussi tu as touché Lucius.

– Maman, je t'en prie…

On n'allait pas revenir là-dessus, hein ?

Elle me regarda droit dans les yeux.

– Ton père et moi ne sommes pas aveugles. Il vous a surpris à la fin de votre… moment… le soir d'Halloween.

J'étais contente que la lampe de bureau éclaire si peu, parce qu'elle m'aurait certainement vue rougir.

– Ce n'était qu'un baiser. Même pas, en fait.

– Et en touchant Lucius, tu n'as jamais remarqué quelque chose… d'inhabituel ?

Sa peau glaciale. Je sus immédiatement ce dont elle voulait parler, mais, sans vraiment savoir pourquoi, je me dérobai.

– Je ne sais pas. Peut-être.

Maman comprit que je ne disais pas tout à fait la vérité. Or, elle n'avait jamais été très patiente avec les personnes qui ne faisaient pas d'efforts pour comprendre un concept difficile. Elle rechaussa ses lunettes. Je savais qu'elle allait me demander de partir.

– Je veux que tu réfléchisses à ce que tu as vu dans la salle à manger. Ce que tu as ressenti. Ce que tu *crois*.

– Je veux croire ce qui est réel. Je veux savoir la vérité. Tu te souviens du Siècle des Lumières ? Lorsque les mathématiques ont remplacé la superstition ? Isaac Newton, ça

177

te dit quelque chose ? Celui qui a résolu le « mystère » de la gravité ? Un jour il a dit : « Ma meilleure amie est la vérité. » Comment un vampire pourrait-il être « vrai » ?

Ma mère me fixa un long moment. J'entendais le tic-tac de l'horloge posée sur son bureau tandis qu'elle rassemblait sa formidable réserve de savoir.

— Isaac Newton, finit-elle par dire, a voué toute sa vie à l'astrologie. Tu savais ça, à propos de ton pseudo-scientifique ?

— Euh, non, admis-je. Je ne le savais pas.

— Et tu te souviens d'Albert Einstein ? reprit maman d'un air suffisant. Celui qui a révélé l'existence de l'atome ? Quelque chose qu'on ne pouvait pas concevoir ne serait-ce qu'un siècle plus tôt ? Un jour, Einstein a dit : « La plus belle chose que nous puissions éprouver, c'est le mystère des choses. » Si les atomes existent, eux qui sont restés cachés mais pourtant omniprésents pendant des millénaires... pourquoi pas les vampires ?

Mince. Elle avait raison.

— Maman...

— Oui, Jessica ?

— J'ai vu Lucius boire du sang. Et j'ai vu ses dents. Plusieurs fois.

Maman prit ma main et la serra.

— Bienvenue dans le monde du mystérieux, Jessica, me dit-elle avant qu'une ombre traverse son visage. Je t'en prie, sois prudente. C'est un territoire semé d'embûches. Un territoire sauvage. Le mystérieux peut être beau... mais il peut être dangereux.

Je savais de quoi elle parlait. Lucius.

— Je ferai attention, maman.

— La famille Vladescu a la réputation d'être impitoyable, ajouta-t-elle de façon plus directe. Tu sais que ton père et moi aimons beaucoup Lucius, il est charmant, mais nous

ne devons pas oublier que son éducation a été très différente de la nôtre. Et pas seulement en termes de biens
matériels.

– Je sais, maman. Il m'en a un peu parlé. D'ailleurs, j'en
profite pour te répéter que je ne ressens rien pour lui.

Menteuse.

– Bien. En tout cas, tu sais que je suis toujours là pour
discuter. Et ton père aussi.

Je la remerciai en me débarrassant de la couverture et
me levai pour l'embrasser sur la joue.

– Pour le moment, j'ai surtout besoin de réfléchir.

– Je comprends, dit-elle avant de retourner à ses revues.
Je t'aime, Jessica, ajouta-t-elle alors que je refermais la
porte derrière moi.

Malgré ses avertissements, malgré son évidente inquiétude à mon égard, j'étais sûre d'avoir entendu une pointe
de satisfaction à peine perceptible dans sa voix.

26.

Cher oncle Vasile,

J'attends toujours ta réponse à propos du destin incertain de Jessica et de son accession au trône. N'as-tu rien à dire ?

Comment dois-je interpréter ton silence ?

Honnêtement, Vasile, je suis fatigué de gérer cette situation avec si peu de conseils et à des milliers de kilomètres de chez moi. Je suis épuisé par cette compétition vaine avec un paysan. Je suis exténué par ces blessures physiques. J'attends impatiemment... J'attends quoi ? Je n'arrive même pas à savoir. Je suis las de ma propre nature, de mes propres pensées, de mon passé, et de mon futur, qui s'exposent devant moi.

En l'absence de remarques constructives à propos d'Antanasia, je procéderai selon ce que mon instinct me dictera. Je doute que tu sois en accord avec ma façon de faire, mais, dernièrement, je me sens frustré, énervé et dangereusement obstiné.

Bien à toi,
Lucius

27.

— Tu dois être content. Tu as fini par quitter ton garage, taquinai-je Lucius.

— Je n'arrive pas à croire que tu vives là-dedans.

Il était appuyé sur mes oreillers en satin rose. Dans ma chambre. Maman avait insisté pour que Lucius s'installe ici jusqu'à ce que sa jambe soit guérie. Son plâtre était posé sur mon énorme hot dog en peluche.

— On se croirait dans un cocon de barbe à papa, reprit-il en grimaçant. Tout est tellement rose.

— J'aime le rose.

— Ce n'est que le triste et pâle cousin du rouge, lâcha-t-il en ricanant.

— De toute façon, ça ne durera pas longtemps. Tu seras bientôt de retour dans ton donjon lugubre avec tes armes rouillées, lui lançai-je en scrutant les alentours. Tu n'aurais pas vu mon iPod ?

— Ça ? répondit Lucius en attrapant mon lecteur MP3 au milieu d'un tas de feuilles.

— Oui. Donne-le-moi.

— Ah, je ne peux pas le garder ? Je m'ennuie tellement, coincé ici, et ça me plairait beaucoup de découvrir tes goûts musicaux.

Nous y voilà…

– Pourquoi tu ne t'en achètes pas un ?

– Mais sur le tien il y a déjà les Black Eyed Peas.

Il se moquait de moi.

– Arrête tes bêtises.

– Non mais honnêtement. Je les aime bien, assura-t-il, mais avec un sourire diabolique. *My humps ! My humps !* Ils parlent tellement bien des formes ! Pourquoi n'aimerais-je pas leur musique ?

Alors que je lui arrachais l'iPod des mains, il se mit à rire. Je souris aussi.

– Si tu n'étais pas déjà dans un sale état…

Il saisit mon poignet à une vitesse fulgurante pour quelqu'un qui a des côtes cassées.

– Quoi ? Tu me frapperais pour que je me soumette ? C'est ça. Dans tes rêves.

Oui. Ça m'arrive, ces derniers temps. Dans mes rêves. Enfin, je ne veux pas dire que je rêvais que je le frappais. Mais depuis quelques nuits, Lucius s'invitait dans mes rêves. Dans des mariages. Dans des grottes sombres. À la lumière vacillante des bougies.

Il me relâcha et prit un air sérieux.

– Jessica, j'ai pris tellement d'antidouleurs. Je ne remercierai jamais assez ce médecin, le Dr Zsoldos. Finalement, pourquoi souffrir ?

– Tu délires.

– Oh, oui. D'ailleurs, je ne t'ai pas encore remerciée convenablement, ajouta-t-il en se redressant un peu et clignant des yeux à cause de la douleur lancinante dans ses côtes. Tu as maîtrisé Belle d'Enfer, puis tu es restée à mes côtés. Tu as été si courageuse…

Je me déplaçai légèrement pour éviter d'écraser sa jambe.

– Je suis désolée qu'ils l'aient fait abattre.

Lucius regarda par la fenêtre.

– Tu as fait de ton mieux. Mais, je suppose que certaines créatures sont trop dangereuses pour vivre.

– Tu as essayé de la dresser, dis-je sans conviction. Ça a marché pendant un temps.

– Ce n'était pas dans sa nature d'être dressée. Finalement, nous restons tous fidèles à notre nature. À notre éducation.

Nous restâmes assis en silence quelques secondes, puis je me demandai de qui Lucius était en train de parler. Du cheval… ou de lui-même ?

– Félicitations pour ta deuxième place, me dit-il finalement.

En suivant son regard, je vis le ruban rouge que j'avais épinglé sur un tableau en liège sur le mur, à côté de plusieurs rubans bleus que j'avais gagnés à des concours de mathématiques. Évidemment, Faith Crosse avait gagné le bleu. Ma performance avait été bonne, mais pas assez.

– Tu méritais le bleu, affirmai-je à Lucius.

– Comme par hasard, je suis « disqualifié à vie » pour ce concours. Étrange, non ? Ils ont créé une toute nouvelle règle, tu sais. Juste pour moi. « Interdiction de venir sciemment accompagné d'un animal vicieux à un événement public. » J'ai été le premier à violer cette règle, rétroactivement. Je pourrais me faire appeler « le pionnier des hors-la-loi ».

Il éclata de rire, puis toussa un peu en se tenant les côtes.

– Mince.

– Ça va ?

– Oui, je me fais juste littéralement mourir de rire.

Je n'arrêtais pas de tripoter mon iPod.

– Lucius ?

– Oui, Jessica ?

Mon regard rencontra ses yeux noirs.

– J'étais présente. Cette nuit.

– Je sais.

– Ah bon ?

– Tu es venue près de moi, tard dans la nuit. Et tu as pris ma main.

Gênée, je baissai les yeux.

– Ah… je pensais que tu dormais.

– Arrête de gigoter pendant que nous parlons, m'ordonna Lucius en m'enlevant le lecteur MP3 des mains. Bien sûr que je savais que tu étais là. J'ai le sommeil léger. Surtout quand chaque parcelle de mon corps me fait souffrir le martyre.

– Pardon. Je ne voulais pas te déranger.

– Non… au contraire, ça m'a touché, murmura Lucius alors que son regard s'adoucissait. Personne n'avait jamais pleuré en me voyant souffrir. Je n'oublierai jamais ta gentillesse, Jessica.

– Ça m'est venu comme ça. Je n'ai pas pu m'empêcher de pleurer.

Cela sembla le blesser.

– Oui, je sais bien. En tout cas, quand je retournerai en Roumanie, personne ne pleurera si le pauvre Lucius Vladescu se brise les os. Et quand je souffrirai – et cela arrivera forcément –, je me souviendrai de ton geste avec tendresse et gratitude.

– Moi non plus, je n'oublierai jamais cette nuit, promis-je alors que j'essuyais mes mains moites sur mon pantalon. Lucius… Je t'ai vu boire du sang.

– Ah, le sang, répéta-t-il d'un ton neutre comme s'il n'était pas surpris par ma confession. J'espère que cela ne t'a pas bouleversée outre mesure. Que cela ne t'a pas trop dégoûtée. Je ne te jugeais pas encore prête pour voir ça. Ça doit être plutôt déroutant quand on n'est pas habitué.

– Je me suis juste évanouie.

Lucius sourit avec un air triste et regarda par la fenêtre.

— Même inanimé sur une table, je réussis à te rendre malade. On dirait que je suis très doué pour ça.

— Non. Ce n'était pas seulement la vue du sang. Il y avait aussi... l'odeur.

Lucius tourna brusquement la tête vers moi, comme s'il n'arrivait pas à croire ce que je venais de dire. Il y eut comme une étincelle dans ses yeux.

— Vraiment ?

— Oui.

— Et à quoi ressemblait cette odeur, exactement ?

— C'était une odeur forte. Presque... irrésistible.

— Oui. C'est ça. C'est ainsi qu'elle devient.

— C'est ce qu'il y a toujours dans ton verre de Julius Orange, n'est-ce pas ?

Je décelai un sourire narquois sur le visage de Lucius.

— Est-ce que j'ai vraiment l'air de quelqu'un qui boit un de ces jus de fraises mousseux qu'on achète au centre commercial ? Ne t'ai-je pas dit ce que je pensais des trucs de fille ?

— Ouais. J'aurais dû le deviner avant.

Une question me taraudait. Une question à laquelle je n'étais pas sûre de vouloir de réponse. Mais je devais la lui poser.

— Lucius, où est-ce que tu le trouves ? Est-ce que c'est... violent ?

Des images de vieux films d'horreur avec des femmes terrifiées en nuisette transparente surgirent dans mon esprit.

— Oh, Jessica... les vampires ont leurs astuces aujourd'hui. Ce n'est plus aussi sordide que ça a pu l'être dans le passé. Une grande quantité est conservée en cave, comme le vin. Il n'est pas nécessaire de presser une grappe de raisin à chaque fois qu'on boit du champagne, tu sais.

Lucius mit ses mains derrière sa tête en bougeant doucement pour ne pas avoir mal aux côtes. Une fois couché, il
fixa le plafond. Sa voix grave se fit mélancolique.

— Notre cave en Roumanie… c'est la meilleure cave au
monde. Avec des millésimes datant du début du dix-
huitième siècle. Il suffit de claquer des doigts et de demander ledit élixir pour qu'un domestique vous l'apporte. Et on
peut alors céder à la tentation.

Dégoûtée et tremblante, je le laissai parler et le regardai
plonger dans des rêveries lointaines.

— Et évidemment, lorsque deux vampires se marient, ils
se donnent l'un à l'autre. On dit que c'est alors le cru le
plus fin. La source la plus pure. (Il avait l'air de s'éloigner
encore dans ses pensées.) Entre la femme et l'homme. Le
sang s'entremêle. Existerait-il un lien plus fort entre deux
êtres ?

Un sourire se dessina sur ses lèvres.

— Les rapports sexuels sont un plaisir fugace, un moment
intime. Et je ne voudrais pas occulter ce fait. Il s'agit d'un
acte crucial pour la procréation, au-delà de ses autres ver-
tus évidentes.

Le sourire s'effaça.

— Mais partager son sang avec un autre : exposer la zone
la plus vulnérable de son corps, où le pouls bat sous la peau,
et faire confiance à son partenaire pour le satisfaire sans se
soumettre… Cela rend le sexe presque insignifiant en comparaison. Comme un acte inéquitable – le mâle agit *sur* la
femelle. Mais le sang… le sang, lui, peut être partagé d'égal
à égal.

Il semblait avoir oublié ma présence. Je l'écoutais, comme
hypnotisée… Mais Lucius n'avait peut-être pas oublié ma
présence. Son regard se tourna vers moi.

— Mais bien sûr, tu penses que je délire, que je divague à
propos d'actes improbables, irrationnels. Et tu as raison :

l'existence d'un vampire *est* irrationnelle. Nous sommes un modèle d'improbabilité.

Du sang millésimé. Des crocs s'enfonçant dans les zones de pouls. Cela semblait toujours aussi fou. Mais pas impossible à présent. Et même plutôt enviable, à la façon dont Lucius l'avait décrit. Oui, j'en avais presque envie.

– Lucius, je t'ai vu boire du sang. Je ne trouve plus ça impossible.

– Aah, Jessica, dit-il en ôtant sa main de derrière sa tête. Pourquoi maintenant ? Pourquoi arrives-tu à la fin de la partie, nom de Dieu, comme le dirait cet impie d'entraîneur Ferrin sur le terrain de basket.

– De quoi tu parles ? Quelle fin de la partie ?

Pour moi, ce n'était que le début. Je commençais tout juste à comprendre. Aussi difficile que ce soit pour moi de mettre mon cerveau en sourdine, je ne pouvais plus le nier. Je croyais au fait que Lucius Vladescu était un vampire. Et que j'étais capable de sentir le sang, moi aussi. Et de réagir à cette odeur. Il y avait tant encore à comprendre... à découvrir.

– Pourquoi serait-ce la fin ?

Lucius mit sa tête entre ses mains et se frotta les yeux.

– Pourquoi t'ai-je donc raconté toutes ces âneries romantiques ? Je me suis laissé emporter. Bon sang, qu'est-ce que je peux être irréfléchi parfois. Je voulais tellement que tu comprennes, mais là, ça tombe mal. J'avais très envie de te dire ça plus tôt. De partager tout ça avec toi. Puis, au moment même où tu commençais à t'y intéresser, je n'ai pas pu tenir ma foutue langue.

– Je ne trouve pas que c'était des « âneries », lui assurai-je.

Au contraire, tout ce qu'il avait dit m'avait intriguée. Même déconcertée, il fallait l'avouer.

– Et pourquoi ça tombe mal ? repris-je.

Mais avant que Lucius ait eu le temps de répondre, mon père frappa à la porte entrebâillée de ma chambre.

– Lucius, tu as de la visite.

Se redressant d'un bond, Lucius fronça les sourcils.

– Moi ? De la visite ?

J'étais aussi surprise que lui. À ma connaissance, Lucius ne s'était pas lié d'amitié avec beaucoup de personnes ici.

Avant que nous ayons le temps d'essayer de deviner, papa fit un pas en arrière, ouvrit la porte en grand, et un petit nez espiègle – attaché à un joli visage surmonté d'une masse de cheveux tellement blonds qu'ils semblaient presque scintiller – surgit dans la pièce.

– Salut, Lucius.

Lucius avait les yeux rivés sur la porte, comme s'il n'avait jamais vu Faith Crosse auparavant.

Je pensais qu'il serait furieux contre celle qui avait failli le tuer. Mais un sourire éclaira son visage. Un sourire étrange. Un peu comme s'il avait eu une révélation.

– Bienvenue, Faith. Entre, je t'en prie. Quelle bonne surprise ! Excuse-moi de ne pas me lever pour t'accueillir.

– Non, c'est à moi de te faire des excuses, dit Faith en entrant dans ma chambre avec une moue exagérée. C'est ma faute si tu es coincé ici. C'est horrible, ajouta-t-elle en inspectant la pièce.

Je la regardai en plissant les yeux. *Elle parle des blessures de Lucius ? Ou de la décoration de ma chambre ?*

– Ma jument et moi étions constamment dans l'affrontement, et ce depuis le début, dit Lucius pour la rassurer. Je courtisais le danger ; tu as simplement célébré la cérémonie de mariage.

Faith pencha la tête, comme si elle ne savait pas vraiment s'il s'agissait ou pas d'un reproche. Puis elle fouilla dans son sac et sortit un iPod.

– J'espère que tu vas mieux. Je t'ai apporté un cadeau de convalescence.

Elle tendit le lecteur MP3 à Lucius, qui la regarda en souriant.

– Eh bien, merci, Faith. C'est très gentil de ta part. Je pense que je n'aurai plus besoin du tien maintenant, Jessica, dit-il en se tournant vers moi.

– J'ai pensé que tu devais t'ennuyer, cloué au lit, ajouta Faith, qui faisait toujours comme si je n'étais pas là. C'est le dernier modèle, et tu peux y mettre tout ce que tu veux.

– Il aime la musique traditionnelle croate, fis-je remarquer, même si personne ne m'avait demandé mon avis.

– Et les Black Eyed Peas. Et il ne faut pas oublier Hoobastank aussi. Qui pourrait oublier Hoobastank ?

– Vraiment ? pépia Faith en tapant des mains. Moi aussi, j'adore Hoobastank !

– Je t'en prie, assieds-toi, Faith, proposa Lucius en tapotant sur le lit.

Trois, c'était définitivement trop pour mon petit lit – surtout avec un vampire d'un mètre quatre-vingts –, alors je me levai. De toute façon, je n'étais pas vraiment enthousiaste à l'idée de papoter avec une pom-pom girl vulgaire et égocentrique.

– Je crois que je vais vous laisser.

– À plus, Jenn.

Faith me congédia et prit ma place près de Lucius. Elle s'assit brutalement sur le lit, et il plissa les yeux, presque imperceptiblement.

– Fais attention à sa jambe, lui conseillai-je en réalisant quelle sorcière narcissique elle était.

– Jessica, m'interpella Lucius alors que j'allais sortir. Attends.

– Quoi ? Tu as besoin de quelque chose ?

– Non. J'ai quelque chose pour toi.

Il chercha derrière l'oreiller et sortit un livre. Je retins mon souffle lorsque je reconnus mon exemplaire du *Guide à l'intention des jeunes vampires*.

— Tu as laissé ça traîner sous ton lit, dit-il en cachant le titre avec sa main. Il était au milieu des moutons de poussière. Après tout le cœur que j'ai mis à rédiger le message…

J'attrapai le manuel et le pressai contre ma poitrine pour que Faith ne le voie pas.

— Euh… merci.

— Je pense que le chapitre 7 pourrait t'être utile. Je suis désolé de ne pas pouvoir te donner plus de conseils que ça. Mais le livre répondra sûrement à la plupart de tes questions.

— Moi qui croyais que c'était ton domaine de prédilection, plaisantai-je en faisant référence à son petit mot.

— Pour être honnête, je suggère que tu satisfasses ta curiosité en jetant un œil à ce bouquin puis que tu t'en débarrasses. Définitivement. Ça a vraiment fait beaucoup trop de bruit pour rien.

— Quoi ?!

Je n'arrivais pas à y croire. Depuis quand Lucius Vladescu pensait-il que tout ce qui concernait les vampires était « beaucoup de bruit pour rien » ? Je venais juste de l'entendre faire tout un discours sur les liens du sang…

J'essayai de décoder son expression, mais Lucius avait déjà reporté son attention sur Faith.

— Ce n'est pas poli de ma part d'aborder des sujets personnels en présence d'une invitée. Pardonne-moi, Faith.

— Ce n'est pas grave, Lucius. J'ai tout mon temps. À plus, me répéta-t-elle en souriant.

— Oui, au revoir, Jessica.

Lucius me mettait dehors lui aussi. Pas très délicatement d'ailleurs.

— Ouais… à plus.

Mais ils m'avaient déjà oubliée. Faith s'était empressée de s'approcher encore de Lucius pour lui expliquer toutes les nouvelles fonctions de son iPod. Penchés sur l'écran miniature, ils riaient.

Je jetai un dernier regard à mon stupide ruban de deuxième place et regrettai de l'avoir épinglé sur le tableau. Faith était assise juste en dessous. Dans sa chambre, le ruban était bleu. Et plus grand. Le ruban d'une gagnante. Mon ruban était plus vif, plus voyant, brillait sous les rayons du soleil couchant, était aussi voyant qu'un oiseau exotique. Et pourtant, le bout de soie cramoisi n'était que le triste et pâle cousin du bleu.

— Salut, répétai-je.

Ils ne répondirent toujours pas, déjà plongés dans leur conversation. Alors je partis, mon livre à la main.

Une fois en bas des escaliers, j'ouvris le livre et me rendis au chapitre 7. Il s'intitulait : « Vous sentez l'odeur du sang ? Félicitations ! »

Je lus le premier paragraphe, pas une fois mais quatre ou cinq, lisant des choses comme : « Une conscience olfactive accrue – s'approchant parfois de la stimulation sexuelle – lorsque vous êtes en présence de sang est un signe que votre nature de vampire s'épanouit ! »

Ma nature de vampire.

Quelques paragraphes plus loin, le manuel donnait des précisions : « Vous serez bientôt assoiffé de sang, surtout lorsque vos émotions seront exacerbées ! »

À l'étage, j'entendais les rires de Lucius et Faith. Ils riaient fort, comme s'ils partageaient une complicité de longue date.

28.

— Mindy, qu'est-ce que tu fais là ? demandai-je en m'approchant des gradins où elle était assise.

— Je pourrais te poser la même question, répliqua-t-elle en me faisant signe de m'asseoir à côté d'elle.

Je posai mon sac à dos et m'assis.

— Jake m'a proposé de venir voir l'entraînement de lutte.

Je fis signe à Jake lorsque nos regards se croisèrent. Il m'adressa un clin d'œil et je remarquai ses muscles qui se contractaient presque comme dans les dessins animés, donnant l'impression que sa combinaison en Lycra allait craquer.

— Je répète : qu'est-ce que toi tu fais ici ?

— Oh, je ne sais pas, répondit Mindy en souriant. Je passais dans le coin, alors je me suis arrêtée pour regarder l'entraînement.

Le gymnase était séparé en plusieurs zones pour permettre aux différentes équipes de s'entraîner en même temps. Le tapis de lutte avait été déroulé dans un coin, les pompom girls faisaient des bonds à côté des lutteurs, et l'équipe de basket monopolisait une moitié du terrain. Des grognements virils, des piaillements de filles, des grincements de chaussures et une forte odeur de transpiration emplissaient la salle.

192

Puis un sifflement retentit et la grosse voix de l'entraî-neur Ferrin éclata au-dessus de tout ce vacarme.

– Vladescu ! À l'avant-centre, bon sang ! Ça fait une heure que tu traînes près de cette foutue fontaine ! Ramène tes fesses sur le terrain au lieu de te promener !

Toujours assise sur le gradin, je me redressai pour voir une grande perche roumaine sortir des vestiaires des gar-çons et se diriger vers le terrain.

– Lucius joue ?

– Toujours, soupira Mindy, rêveuse.

– Mindy, c'est pour Lucius que tu viens ici ?

– Ce n'est pas comme si j'étais accro, protesta-t-elle. Je viens juste une ou deux fois par semaine. Mais regarde-le !

Lucius attrapa un ballon qu'on lui avait envoyé, puis fit quelques enjambées déterminées vers le panier avant de s'envoler sans effort apparent et de marquer.

– Mais il n'est même pas encore revenu en cours.

– Ouais, je l'ai vu dans le hall avant l'entraînement, affirma Mindy. Il a dit qu'il revenait demain. Je croyais qu'il s'était cassé la jambe ?

Et mince... J'en avais assez de devoir essayer d'expli-quer le mystère Lucius Vladescu.

– C'était à cause du choc... Apparemment, il a retrouvé la forme.

– On dirait bien, oui !

– Mindy !

– Ben quoi ? Regarde-le en short, Jess. Il y en a d'autres, tu préférerais qu'ils restent habillés. Mais quand on voit Lucius, on a envie qu'il enlève une autre épaisseur. Tu n'aimerais pas savoir ce qu'il y a en dessous ?

Il y avait une explication au fait que Lucius soit aussi beau habillé. Le corps dissimulé sous ses vêtements était tout sim-plement parfait – à l'exception d'une cicatrice, une marque dentelée sur son biceps droit contracté. Comment s'était-il fait ça ? En avait-il d'autres sur le reste du corps ? Sa jambe gauche, celle qui avait été cassée, avait un énorme bleu, la seule trace de sa blessure. En dehors de ces quelques petites imperfections, il n'y avait tout simplement rien à redire. En réalité, même ses cicatrices étaient sexy. Il faut dire aussi que Lucius devait bien faire une tête de plus que la plupart des autres joueurs, ses muscles étaient mieux dessinés, et ses épaules plus larges, plus masculines, sans être trop gonflées...

Je lançai un regard coupable à Jake. J'avais l'impression de le tromper.

Mindy suivit mon regard.

— Eh, regarde, ton copain est en plein combat.

— Je ne sais pas si c'est mon copain...

— Enfin, Jess. Vous êtes ensemble. Vous êtes sortis deux fois, vous déjeunez ensemble presque tous les jours, et tu es là. Ça ne te suffit pas ?

— Tu peux garder un secret, Mindy ?

— Hé ! On est amies depuis la maternelle. Est-ce que j'ai déjà répété un seul de tes secrets ?

— Non. Jamais.

Mindy avait plusieurs défauts — écervelé, impulsive, obsédée — mais elle avait toujours été loyale.

— Alors ? Dis-moi.

— Je ne suis pas sûre que, Jake et moi, on aille très bien ensemble.

Les yeux de Mindy, cerclés par un épais trait d'eye-liner offert dans *Jeune & Jolie*, s'écarquillèrent.

— Quoi ? Je croyais que tu étais amoureuse de lui !

— Il est... gentil, dis-je en hésitant un peu à utiliser cet adjectif que Lucius méprisait. Mais j'ai l'impression qu'il manque une petite étincelle. Ce n'est pas comme je l'imaginais.

— Hmmm. Il faut dire que Jake, ce n'est pas Lucky, concéda Mindy alors que son regard se redirigeait vers le terrain de basket. Je te l'ai dit dès le début.

– Oui, ils sont très différents.

Si seulement elle savait à quel point… peut-être qu'elle ne serait pas aussi fan de son Lucky. Mindy avait tourné de l'œil lorsqu'on avait disséqué des vers de terre en cinquième. Ce n'était pas le genre de fille à fréquenter des buveurs de sang.

– Je ne dis pas que je vais larguer Jake pour Lucius. Je dis juste que je ne suis pas sûre de notre relation.

– Et moi, je dis que tu devrais retrouver tes esprits et choisir Lucius avant qu'il en ait marre de te courir après. Regarde la vérité en face, Jess. Lucius a du charisme, fit remarquer Mindy en désignant les pom-pom girls. Regarde comment même Faith le dévisage. Lucius attire toutes les attentions.

Et elle avait raison. Lorsque je parcourus le gymnase des yeux, je vis Faith Crosse grimpant tout en haut d'une pyramide de pom-pom girls – elle marchait sur tout le monde, comme d'habitude –, mais sa tête était tournée vers le terrain de basket où Lucius était en pleine conversation avec l'entraîneur. Faith était au sommet de sa pile humaine mais ne le lâchait pas du regard.

– Bref, dit Mindy, me sortant de mes pensées. Tu es vraiment jolie aujourd'hui. C'est une nouvelle tenue ?

J'arrachai mon regard de Lucius et Faith, et balayai de la main ma jupe qui m'arrivait au-dessus des genoux.

– Ouais, tu aimes ?

– Carrément. Le violet te va très bien. Et le col en V… c'est très sexy.

– Trop sexy ?

– Non. Juste ce qu'il faut. Tu devrais t'habiller comme ça plus souvent. Ça te donne un air… exotique. Et tu as fait quelque chose à tes cheveux ?

J'ébouriffai mes boucles.

– J'ai décidé d'utiliser un soin pour les boucles plutôt que d'essayer de les lisser tous les jours. J'en ai assez de me battre contre la nature.

– Ça te va bien. Ils sont bien brillants. Et en plus, c'est original. Ça change de ce que toutes les filles font pour soi-disant suivre la mode. C'est cool, je trouve.

Un cri perçant retentit, et je me retournai juste à temps pour voir Faith Crosse dégringoler et emporter avec elle toute la pyramide qui s'affaissa comme un château de cartes.

Tout le gymnase se rua vers elles pour les regarder bêtement ou les aider à se relever. Et la première personne sur place, et qui tendit sa main à Faith, n'était autre que Lucius Vladescu.

Une par une, les autres pom-pom girls finirent par se relever et vérifier si elles n'avaient rien de cassé. Comme toutes les autres, Faith semblait aller bien, mais Lucius la tenait par le bras et l'accompagnait vers les vestiaires, où ils s'arrêtèrent pour discuter.

– Bien, bien, bien, observa Mindy. Si tu comptes larguer Jake pour Lucky, tu ferais bien de te dépêcher, parce qu'on dirait que tu vas avoir de la concurrence. Regarde-la… Elle lui donne le rôle du preux chevalier au secours de sa damoiselle en détresse !

Je faillis éclater de rire en entendant cela. Premièrement, Faith sortait avec le footballeur Ethan Strausser depuis aussi longtemps que n'importe qui pouvait s'en souvenir. Et deuxièmement (et c'était le plus important), Lucius ne m'abandonnerait jamais pour une autre fille, même si on devinait ses petites fesses osseuses sous sa jupe provocante de pom-pom girl. Il aimait les femmes qui avaient des formes. Et il m'était promis.

Mais je les voyais tous les deux, Faith et Lucius, rire à gorge déployée, comme dans ma chambre. Puis elle lui donna une petite tape charmeuse, à laquelle il répondit par un grand sourire. Il semblait moins accablé qu'avant. Plus décontracté… Libéré.

– Ouaip, gloussa Mindy. Si tu veux Lucky, il va falloir t'y mettre. Faith bave devant lui comme si c'était un sac Prada en soldes, prêt à être emporté à son bras.

– C'est du délire, protestai-je.

Mais finalement, ne pensais-je pas que les vampires étaient un concept délirant seulement quelques semaines auparavant ?

Qu'avait voulu dire Lucius en parlant de « fin de la partie » ?

Alors que je regardais Lucius et Faith plaisanter ensemble, je ressentis une étrange sensation, comme des épingles brûlantes – de jalousie – qui se plantaient dans mon cœur. Un autre sentiment m'assaillit. La possessivité. Un sens aigu de la propriété qui attisait ma colère. La possession. Mes *droits* sur Lucius.

Mes poings se serrèrent très fort.

Et soudain, pour la première fois de ma vie, j'eus soif.

Très, très soif.

Soif de quelque chose dont je n'avais jamais eu envie auparavant. Exactement comme l'avait prédit le manuel pour jeunes vampires.

29.

– Je suis complètement mort, déclara Mike Danneker en bâillant alors qu'il rassemblait ses livres et fermait son ordinateur portable. Je ne peux pas faire un exercice de maths de plus.

– Allez, encore quelques problèmes, l'encourageai-je tout en ouvrant le manuel à la page d'un des énoncés les plus difficiles. On pourrait faire cette série d'exercices…

– Pas question. Tu devrais rentrer chez toi aussi, Jess. Tu vas finir par faire une crise de surmenage à étudier autant. Il nous reste encore quelques semaines avant le concours.

– C'est bien pour ça qu'on doit travailler.

Mike se leva et mit sa sacoche de portable sur l'épaule.

– À plus, Jess. Et repose-toi un peu.

Je le vis s'éloigner dans le couloir, me laissant seule au beau milieu de la bibliothèque du lycée. Je tournai une page de mon cahier et essayai de me concentrer. Peut-être étais-je vraiment fatiguée finalement : le simple concept de nombre me paraissait compliqué. Peut-être parce que je ne pouvais pas m'empêcher de repenser à ce que j'avais ressenti au gymnase, cette soif de sang.

Alors que je fixais mon livre, mon esprit s'échappa de nouveau loin des limites, des dérivées et autres intégrales.

J'entendis des voix et des bruits de pas dans le dédale des étagères.

— On n'a qu'à acheter des dissert' toutes faites sur le Net.

Frank Dormand.

— Pas question. Trois mecs se sont fait attraper l'année dernière, et deux d'entre eux ont perdu leur bourse de sport-études. Ils ont foutu en l'air toute une année de foot.

Ethan Strausser.

— Ben alors on va devoir trouver un bouquin sur la Société des Nations ? Ça m'emmerde.

Je les entendis prendre des livres sur les étagères.

— Pourquoi tu ne demandes pas à Faith de nous les faire ? suggéra Dormand. Elle est plutôt intelligente.

Je tendis l'oreille en entendant le nom de Faith.

— C'est une vraie garce ces derniers temps, dit Ethan. Je ne sais pas ce qui lui prend.

— Elle traîne avec Vladescu, dit Frank, en crachant le nom de Lucius comme si un moucheron s'était retrouvé dans sa bouche. Il doit déteindre sur elle, le bâtard.

Lucius et Faith traînaient-ils vraiment ensemble ? Souvent ? Et que faisaient-ils ? La possessivité et la jalousie jaillissaient de nouveau en moi. J'essayai de me souvenir. Quand Lucius avait-il mentionné le pacte pour la dernière fois ? Et le fait qu'il devait me séduire ? Je ne savais pas vraiment. Comment pouvais-je ne pas savoir ?

— Ce connard croit qu'il est le roi de cette putain d'école juste parce qu'il arrive à tirer quelques paniers du milieu du terrain, râla Ethan.

— Il y a quelque chose qui tourne pas rond chez ce type. Il n'est pas normal.

Figée sur ma chaise, je me concentrai sur mon espionnage. Même si Frank et Ethan ne pouvaient pas être au courant pour Lucius, ça me dérangeait que ces deux crétins discutent du fait qu'il était différent. Je ne savais pas trop pourquoi – deux abrutis ne pouvaient pas représenter une menace pour quelqu'un qui possédait la maîtrise et la force physique de Lucius – mais j'étais un peu nerveuse.

— Tu as juste les nerfs parce qu'il t'a plaqué contre le mur devant tout le monde, fit remarquer Ethan.

— Ouais. Et s'il avait failli t'étrangler, toi aussi tu serais en rogne. Je te le dis, poursuivit-il après une pause, il y a quelque chose de différent chez lui. Quand il m'a attrapé... je ne sais pas... je me suis senti bizarre.

— Quoi, ça t'a excité ? plaisanta Ethan. Qu'est-ce que tu veux dire par « bizarre » ?

Je m'attendais à ce qu'un macho comme Dormand prenne très mal la réflexion d'Ethan. Mais pour une fois, Frank semblait presque pensif.

— Ferme-la. Tu ne sais pas de quoi tu parles.

Je devinai qu'ils reposaient violemment les livres sur les étagères.

— Sortons de cette foutue bibliothèque, assena Ethan. Je trouverai quelqu'un d'autre pour rédiger nos dissert'.

Alors qu'ils s'éloignaient, j'entendis Dormand ajouter :

— Vladescu... Un jour ce type aura ce qu'il mérite. Il y a un truc qui cloche chez lui. Et je trouverai ce que c'est...

La voix de Dormand s'évanouit tandis qu'ils sortaient de la bibliothèque.

Je regardai dans le vague, essayant de me convaincre que la sensation de malaise que j'avais ressentie était tout à fait injustifiée. Mais pour une raison inconnue, je n'arrivais pas à m'en persuader. Frank Dormand était une brute... aussi inexorablement que Lucius était un vampire. D'aussi loin que je m'en souvienne, j'avais toujours été la cible des moqueries de Frank. Je savais à quel point il pouvait s'acharner sur quelqu'un, sans jamais lâcher l'affaire...

Et que se passerait-il si Frank commençait à fouiller dans la vie de Lucius ? Dans son passé ? Est-ce que Dormand pourrait découvrir quelque chose ?

Non.

Rien que l'idée était ridicule. Frank Dormand n'était même pas capable de trouver un livre sur la Société des Nations dans la bibliothèque d'un lycée. Il ne découvrirait jamais que Lucius était un vampire. Il en était à des années-lumière.

Et même s'il le découvrait, qu'est-ce qui pourrait arriver au pire ? Le comté de Lebanon n'était pas la Roumanie. C'était un lieu civilisé. Les gens ne se regroupaient pas en meute enragée pour empaler leurs voisins avec des pieux.

C'en était risible. Tout irait bien pour Lucius.

Alors pourquoi ne me sentais-je pas mieux quand je fermai mes livres, abandonnant les maths – et, par la même occasion, tournant la page de la logique et de la raison ?

30.

Cher Vasile,

Le mois de décembre dans le comté de Lebanon, en Pennsylvanie, te « retournerait le cerveau », pour utiliser cette expression que je considère comme ma préférée de toutes celles que j'ai apprises pendant mon séjour prolongé ici. Est-ce une bonne chose d'avoir le cerveau retourné ? Ou une mauvaise ? Même dans le contexte, j'ai du mal à l'expliquer... Mais je m'amuse à visualiser la scène. Un crâne ouvert. Le cerveau à l'air et qu'on peut mettre à l'envers... Ce genre de chose.

Pour poursuivre sur le sujet de la stimulation visuelle : le mois de décembre est célébré de façon plutôt conviviale ici aux États-Unis. Même oppressante, si je puis dire. Chaque centimètre est recouvert de guirlandes de lumières, les immeubles sont étouffés de verdure et les habitants sont victimes d'une folie étrange qui les pousse à ériger des « bonhommes de neige » gonflables et surdimensionnés devant leurs maisons. C'est assez hystérique – et la rumeur des arbres éternellement verts n'est pas une légende, Vasile. Les gens en achètent vraiment, et en grand nombre. Ils sont en vente partout. T'imagines-tu payer pour rapporter une portion de forêt salissante dans ton salon pour avoir le privilège de l'orner de boules en verre et le contempler ?

Pourquoi un arbre ? Si on ressent le besoin d'étaler des boules de verres – et je n'en vois pas franchement l'intérêt –, pourquoi ne pas juste utiliser une vitrine ? Ou une étagère ?

J'ai dépensé tant d'énergie à défendre les vampires contre des accusations sur leur « irrationalité ». Si j'avais connu plus tôt cette omniprésence temporaire des « éternellement verts » à l'intérieur des maisons, j'aurais pu dire : « Oui, peut-être suis-je irrationnel. Mais au moins, je laisse les arbres là où ils sont censés être. À l'extérieur. Maintenant, dites-moi, entre vous et moi, qui est le plus sain d'esprit ? »

Mais assez parlé des « fêtes de fin d'année ». (Mets-moi la tête sous l'eau jusqu'à ce que je me noie pour qu'enfin je n'entende pas une autre série de « Jingle Bells » !) Je t'écris principalement pour t'informer que je n'ai pas grand-chose à raconter. Je semble guéri et j'ai appris à maîtriser l'art de dormir pendant les cours de « sciences sociales ». (Continuez vos discours incessants, Miss Campbell ! J'ai déjoué votre tentative abominable de faire passer la Première Guerre mondiale pour l'un des conflits les plus dramatiques que la Terre ait connu : du gaz moutarde ! Des tranchées ! La destruction de pas moins de quatre empires !)

Ah, oui. Peut-être cela t'intéressera-t-il – ou pas – de savoir que je me suis fait une amie. Une fille assez pernicieuse, Vasile. Je suis presque sûr que le « bon vieux Saint Nicolas » l'a inscrite à l'encre rouge sur sa liste de « vilaines » personnes. (Cette référence se révélera certainement trop obscure pour toi. Fais-moi juste confiance : c'est une créature plutôt fascinante.) Elle s'appelle Faith Crosse. Comme le signifie son nom en anglais, elle est souvent « fâchée », et est aussi « infidèle » que l'on peut l'imaginer. Tu sais que j'adore l'ironie.

Je crois que c'est tout ce qu'il y a à dire de ce côté de l'Atlantique.

Je te souhaiterais bien un « Joyeux Noël », mais franchement, je sais pertinemment que s'il y a bien une chose que tu détesterais encore plus que ces fêtes, ce serait cet état de « joyeuseté ».

Ton neveu,

Lucius

P.S. Rassure-toi, même si je ne l'ai pas mentionné dans le corps de ma lettre, j'ai bien reçu ta réponse tonitruante à ma suggestion de libérer Antanasia de ses responsabilités vampiriques. J'ai aussi bien compris ta colère en réaction à ma déclaration lorsque tu as dit que je « rongeais mon frein ». À vrai dire, tu as été on ne peut plus clair lorsque tu as dit dans ta réponse que tu « me ferais lâcher les rênes sous tes coups de cravache ». L'image équestre est très parlante. Tous ces points ont été pris en considération. Mais dois-je me plier à tes directives et continuer à poursuivre Antanasia avec ardeur ? C'est difficile à dire depuis la Roumanie, n'est-ce pas ? La distance a tendance à « retourner le cerveau », non ?

31.

– Jessica, c'est toi ? demanda Lucius.

J'entendis la porte de l'appartement du garage se fermer, puis des pieds frapper pour se débarrasser de la neige.

– Hé, fis-je en sortant de la kitchenette. Tu es déjà là.

Il balança son manteau sur le fauteuil en cuir.

– Et toi, tu es là… tout court. Je croyais qu'on avait définitivement récupéré nos résidences respectives.

– Oui.

Je retournai dans la kitchenette pour surveiller mon eau qui chauffait. Quelle nulle. J'espérais vraiment avoir fini de préparer le dîner à son retour de l'école.

– Comment ça se fait que tu sois rentré si tôt ? le questionnai-je.

– L'entraînement de basket a été annulé à cause de la neige. Dans les Carpates, on appellerait ça « une fine couche de neige ». Un « désagrément mineur ». Ici, on dirait que c'est la fin du monde. On s'attendrait presque à assister à des pillages et des émeutes pour avoir la dernière tranche de pain de mie à l'épicerie. Comme si on ne pouvait pas se faire livrer une pizza… Je répète : Qu'est-ce que tu fais là ? Et c'est quoi cette odeur ?

– Comme je sais que tu en as marre des plats végétariens, je t'ai préparé du lapin. Je l'avais vu dans ton congélateur lorsque je vivais ici.

– Tu as fait quoi ?

– J'ai cuisiné un lapin.

– En fait, il s'agit de lièvre, me corrigea Lucius en me rejoignant dans la kitchenette. Et si tu ne sais pas comment ça s'appelle, comment pourrais-tu savoir comment le cuisiner ?

– J'ai trouvé ce livre de recettes sur tes étagères.

Je lui montrai la page usée et tachée. Lucius lut en fronçant les sourcils.

– *Cuisiner à la mode roumaine*. J'avais oublié que j'avais ça. Notre cuisinier a envoyé ça pour tes parents, en pensant qu'ils adapteraient leurs menus à mes goûts... Ils ne pensaient certainement pas que je me retrouverais sous le toit de végétariens qui ne daigneraient jamais assouvir une passion pour la chair, même pour un prince roumain.

– Eh bien, il y a beaucoup de « chair » au menu de ce soir, affirmai-je. Je suis en train de préparer de la soupe d'agneau aussi. Cette recette-là.

Je lui pris le livre des mains et l'ouvris à la page que j'avais marquée. Lucius la passa en revue.

– Comment t'es-tu débrouillée pour te procurer du « levistan haché », ici, en Pennsylvanie ?

– J'ai regardé sur le site Recettes-de-transylvannie.com. On peut le remplacer par de l'estragon.

– Ce doit être l'agneau, cette odeur, estima Lucius en retroussant les narines. Et elle risque de persister. Si tes parents apprennent que tu as cuisiné de la viande, gare à toi.

– Hé, j'essaie d'être gentille, là.

Lucius éclata de rire.

– Oui. En me refilant une bonne trichinose. Les cuisiniers débutants ne devraient pas toucher aux lièvres.

Il souleva le couvercle de la marmite où mijotait le lièvre, puis me regarda en soulevant un sourcil.

– Tu as bien nettoyé cette petite bête, n'est-ce pas ? ajouta-t-il.

– Tu veux dire… la laver dans l'évier ?

– La vider ? Enlever les viscères ?

Lucius empoigna une écumoire et remua le contenu de la marmite.

– Bon, je pense qu'on a identifié la source de l'odeur. Je dirais que ça, c'est la vésicule, annonça-t-il en pêchant un truc dégoulinant. Dégoûtant petit organe. Ce n'est pas la partie la plus savoureuse. Même un chat qui meurt de faim ne la mangerait pas.

– Il vaut mieux tout jeter, bougonnai-je.

Le dîner ne se présentait pas aussi bien que prévu.

– En fait, Jessica, même si j'apprécie vraiment tes efforts…

Quelqu'un frappa à la porte.

– Excuse-moi, dit Lucius en allant ouvrir.

Je jetai un coup d'œil à la marmite. Il y avait d'autres trucs gluants qui flottaient alors que le lièvre se décomposait. Beurk. Mais comment aurais-je pu savoir ?

La porte grinça en s'ouvrant.

– Luc ! Hey !

J'eus l'impression de recevoir un grand coup de poing dans le ventre. Je recouvris brusquement la marmite. J'avais immédiatement reconnu cette voix faussement enthousiaste.

Faith Crosse.

Qu'est-ce qu'elle fichait ici ?

– Tu n'as pas eu trop de problèmes à cause de la neige ? s'enquit Lucius.

Je sentis une odeur de pizza en dépit de la puanteur ambiante.

207

Faith se mit à rire.

– Non, j'ai emprunté le Hummer de mon père. Si j'avais un accident, ce n'est pas moi qui serais la plus blessée.

Quel altruisme… Je me dirigeai vers l'entrée, m'appuyai contre l'encadrement de la porte, les bras croisés, et les regardai.

– Enfin un habitant du comté de Lebanon qui sait comment gérer une malheureuse précipitation d'eau gelée, lança Lucius. Puis-je me permettre d'ajouter que tu es très jolie, comme toujours. Bien que ce soit une évidence.

Beurk. J'avais envie de vomir, et pas à cause de l'odeur des viscères.

Faith tenait la boîte de pizza comme une serveuse, sa main libre tapotant le bras de Lucius.

– Oh, Lucius… Tu as toujours le mot qu'il faut.

– Et toi tu as apporté exactement ce qu'il fallait, dit-il en la débarrassant de la pizza. Voilà un mets local que j'ai appris à apprécier.

– En tout cas, ça sent bien meilleur que ce qui est en train de cuire ici.

Faith parcourut l'appartement du regard et finit par me remarquer.

– Oh, salut, lança-t-elle. Je disais justement qu'il y avait une drôle d'odeur.

– Évidemment, lâchai-je.

Lucius me frôla pour poser la pizza dans la kitchenette.

– Comme j'étais en train de te le dire, Jessica, le dîner risque d'être compromis ce soir, vu que j'ai invité Faith pour étudier.

– Étudier ?

J'avais l'impression de me décomposer encore plus que mon lapin.

– Oui, intervint Faith. Lucius m'a demandé d'être sa partenaire pour le cours de littérature anglaise.

208

Partenaire ? Pour quoi faire ? Et s'il avait besoin d'un partenaire, pourquoi ne me l'avait-il pas demandé à moi ? Je regardai Lucius, consciente que mes yeux révélaient mon sentiment d'avoir été trahie. Je voulais qu'il le voie. Mais il m'évitait.

— Oui, tu te souviens que j'ai proposé de faire mon « oral obligatoire » sur *Les Hauts de Hurlevent* ? reprit-il. Eh bien, après avoir subi les présentations abrutissantes — et rarement édifiantes — de nos camarades de classe, j'ai pensé qu'il serait intéressant de résumer le roman en une petite pièce de théâtre. En insistant sur les passages dramatiques.

— Je ferai Catherine, lança Faith.

— Donc je suppose que tu seras Heathcliff, dis-je à Lucius, en masquant à peine ma contrariété.

— Exactement.

J'éteignis le gaz. Avec un peu de chance, la puanteur que j'avais causée disparaîtrait d'ici d'un an ou deux.

— Je pense que je vais vous laisser alors. Je ne voudrais pas vous déranger.

— Tu peux rester pour la pizza, proposa Lucius. Tu n'as même pas mangé. Enfin, j'espère que tu n'as pas goûté au lièvre. Il ne doit pas avoir cuit assez longtemps pour tuer les parasites...

— Tu fais cuire tes lèvres ? s'exclama Faith. C'est pour ça qu'elles sont comme ça, Jenn ?

Je dévisageai Faith un long moment, en espérant trouver quelque chose à répliquer. Mais rien ne vint. Rien du tout.

— Je rentre à la maison, dis-je pour essayer de partir avec un brin de dignité, sans pleurer.

Cela avait vraiment mal tourné. C'était un désastre.

Lucius avait dû remarquer la déception et l'humiliation sur mon visage.

— Excuse-nous quelques minutes, Faith, dit-il.

– Bien sûr, Luc, répondit-elle en se dirigeant vers le fond de la petite pièce. Je vais jeter un œil à tes armes. J'adore cette décoration diabolique.

Lucius m'attrapa par le bras et m'amena vers la porte.

– Jessica, murmura-t-il, je suis désolé.

– Pourquoi ?

J'avais du mal à ne pas élever la voix. J'étais vraiment au bord des larmes. Des larmes de jalousie. Des larmes d'embarras. J'étais vraiment stupide. J'avais essayé de cuisiner un lapin pour lui, alors qu'il avait invité une fille. Et pas n'importe quelle fille. Faith Crosse.

– C'était gentil de ta part… d'essayer d'avoir un geste… agréable.

Il y avait de la pitié dans les yeux de Lucius tandis qu'il remettait une mèche de mes cheveux derrière mon oreille, comme si j'étais une petite fille blessée.

– Mais ce n'était peut-être pas une bonne idée, poursuivit-il. Pas maintenant.

– Oui, confirmai-je en écartant sa main de mon visage. C'était une erreur de ma part.

– Faith est une amie, expliqua-t-il calmement. J'ai besoin d'avoir une amie. Quelqu'un qui me comprenne.

Cela me fit vraiment mal. Qui mieux que moi pouvait le comprendre ?

– Mais moi je te comprends.

– Non. Pas de la même façon qu'elle…, justifia-t-il en lançant un coup d'œil à Faith qui avait décroché une épée du mur et en touchait la pointe. Je ne peux pas t'expliquer maintenant.

– Mais tu n'as pas à le faire.

Sa voix se durcit, comme sa main sur mon bras.

– Jessica, tu as Jake. Tu as *choisi* Jake. Et tu as Melinda aussi. Est-ce que moi, je dois rester seul ?

– Non. Bien sûr que non. Peu importe.

J'ôtai mon bras brusquement, ouvris la porte et sortis de l'appartement en courant, en oubliant de prendre ma veste.

Alors que je dévalais les marches, des larmes se mirent à couler, et j'entendis Lucius sortir sur le palier.

— Jessica, s'il te plaît...

Je l'ignorai et poursuivis mon chemin. Il ne m'appela pas une seconde fois. Avant même que j'aie atteint le bas de l'escalier, il avait refermé la porte de l'appartement.

32.

Je faisais ce rêve toutes les nuits depuis ma plus tendre enfance. À chaque fois, j'étais sous le choc et restais perdue dans mes pensées même après m'être réveillée. Je me retrouvais alors toujours prise de sueurs froides et recroquevillée sous mes draps. Je me débarrassais de ce rêve en pensant à des choses réelles. La racine carrée d'un nombre positif est un nombre réel qui peut être déterminé en appliquant la formule de Newton... Voilà comment je m'en sortais. En me cramponnant à la réalité. Au concret.

Mais cette nuit du mois de décembre, le rêve, plus net que jamais, ne serait pas délogé.

« Antanasia… Antanasia… »

Elle m'appelait. D'abord comme si elle chantait une berceuse, une douce comptine.

Il faisait sombre et j'étais entourée de montagnes enneigées, escarpées, dentelées et inconnues. Les pics rocheux noirs qui traversaient les congères étaient semblables à des dents aiguisées. Comme des crocs. La neige tombait encore plus fort, plus lourde, la rendant presque menaçante. Comme si la tempête était animée par l'envie de tuer.

« Antanasia ! »

Elle m'appelait toujours trois fois, et la dernière fois était toujours différente des deux autres. Comme un hurlement. Le son de quelque chose qui tombe d'une falaise.

Puis le silence.

Je n'entendais plus que le sifflement du vent et de la neige tourbillonnante, fouettant les pics rocheux, qui s'éloignaient de plus en plus...

Mes yeux s'ouvrirent tout à coup.

Je restai allongée dans mon lit quelques minutes, autorisant cette fois le rêve à envahir mon esprit. Pour qu'il s'y installe et devienne familier.

Petit à petit, je l'acceptais.

Puis je me débarrassai des couvertures, posai mes pieds sur le parquet froid, et avançai jusqu'à ma commode pour ouvrir le tiroir en évitant de le faire grincer. En cherchant à tâtons, je reconnus une pile de tee-shirts que je ne portais plus, et trouvai finalement ce que je cherchais. Le livre que Lucius m'avait offert. Je le sortis du tiroir et m'installai devant mon bureau où j'allumai la lampe.

Je lus le titre désormais familier. Je feuilletai les pages d'un geste étonnamment assuré, à la recherche de l'enveloppe cireuse qui devait toujours être glissée vers la fin, à une quarantaine de pages du signet en argent de Lucius.

Je la trouvai et la sortis soigneusement – elle paraissait trop délicate, ou peut-être trop précieuse, pour être manipulée. J'attrapai son contenu du bout des doigts. La photo.

Je retins mon souffle en dévisageant cette femme vêtue d'une robe en soie pourpre qui posait cérémonieusement, dans une posture majestueuse, bien droite, les épaules en arrière. Sa chevelure noire bouclée était remontée sur sa tête et encerclée d'un diadème en argent.

Son nez était un peu aplati, et sa bouche un brin trop large pour convenir aux critères de beauté. L'esquisse d'un sourire se devinait aux coins de ses lèvres, comme si quelqu'un lui avait raconté une blague à laquelle elle voulait rire, mais qu'on lui avait conseillé de rester sérieuse. Pour ressembler à une reine.

Une petite pierre sombre semblait flotter juste entre son sternum et son cou, la chaîne étant trop fine pour être visible sur la photo.

Ma mère.

J'observai de plus près. Ses yeux… ses yeux étaient définitivement les miens.

Tout comme son nez. Et cette bouche amusée.

Je reconnaissais chaque détail du visage de Mihaela Dragomir, comme si je les avais vus quelques minutes plus tôt… peut-être parce que c'était le cas. Je les avais vus dans le miroir.

Pourtant, la femme de la photo était différente de moi. Elle avait quelque chose qui la distinguait des beautés habituelles. Elle avait… une présence.

Les paroles de Lucius, remontant à plusieurs semaines, me revinrent à l'esprit : « Ah, les Américaines… Pourquoi voulez-vous toutes être quasiment invisibles ? Pourquoi ne pas avoir une vraie présence physique ? »

Même sur une vieille photo, ma mère avait cette qualité. De la présence. Du charisme. Mihaela Dragomir était captivante. Le genre de femme qui attire tous les regards lorsqu'elle entre dans une pièce.

Je retournai la photo pour voir s'il y avait une date, mais rien n'était écrit. Alors je regardai de nouveau ma mère, j'étudiai son visage pendant de longues minutes, sa voix résonnant dans ma tête. Je savourais la berceuse de ma mère biologique depuis longtemps silencieuse et me forçais à supporter le cri de sa perte. Encore et encore. Criait-elle parce qu'elle perdait sa propre vie ? Ou parce qu'elle me perdait, moi ? Parce que nous serions à jamais séparées ?

Lorsque je sentis le poids de notre passé commun devenir trop lourd pour le supporter, je glissai à nouveau la photo dans l'enveloppe. Quelque chose m'en empêcha. Je posai délicatement la photo sur mon bureau, mis l'enveloppe à l'envers et la secouai doucement. Un petit bout de papier presque transparent tomba dans ma main.

Je reconnus la même écriture que j'avais déchiffrée sur le tableau pendant le cours de Mme Wilhelm en septembre. La même écriture qu'il y avait sur la première page de mon manuel de vampire.

> *N'est-elle pas belle, Antanasia ?*
> *N'est-elle pas forte ?*
> *N'est-elle pas royale ?*
> *N'est-elle pas TOI ?*

J'éteignis soudain la lampe et retournai dans mon lit, ne sachant si j'avais envie de me réjouir, de pleurer, ou les deux.

> *N'est-elle pas TOI ?*

33.

Le jour de leur grande présentation, Lucius et Faith arrivèrent en retard au cours de littérature anglaise. Ils firent leur entrée cinq minutes après que la cloche eut sonné, afin de faire plus forte impression en apparaissant en costume. En tout cas, c'était le cas de Faith, qui portait une robe décolorée aux allures victoriennes qui serrait sa taille et remontait tellement ses seins que Frank Dormand, devant moi, faillit tomber de sa chaise lorsqu'elle entra dans la classe. Lucius, pour son rôle de Heathcliff, avait simplement ressorti la cape en velours et le pantalon noirs qu'il portait tous les jours jusqu'à environ un mois auparavant.

— Oh, bonté divine ! furent les seuls mots que Mme Wilhelm trouva à dire en les voyant.

Je la soupçonnais de s'inquiéter surtout des seins de Faith qui étaient exposés à la vue de tous, et qui risquaient d'enfreindre le code vestimentaire du lycée.

Lucius prit le commandement des opérations, se positionnant au milieu de l'estrade pour présenter leur petite pièce avec plus d'aplomb que Mme Wilhelm n'en avait jamais montré.

— Heathcliff est une créature sauvage, un homme condamné, nous rappela Lucius. Catherine est condamnée, elle aussi. Condamnée à aimer Heathcliff, qui doit la détruire, elle et sa progéniture. Il est dans sa nature d'obtenir ce qu'il veut. Et ce qu'il désire, c'est avant tout la vengeance. Catherine, elle, est une femme sauvage et admirable. Leur amour est un amour sans pitié, cruel, violent et funeste.

— Oh, bonté divine, répéta une Mme Wilhelm apparemment sous le choc, assise dans le coin au fond de la classe.

Cette fois, je crois qu'elle se pâmait d'admiration devant Lucius.

— J'aime tellement cette histoire, ajouta Lucius en aparté. Elle a une telle résonance.

J'étais si contrariée que je triturais mon stylo. Un amour sans pitié, cruel et funeste. Était-ce ce qu'il voulait ? Était-ce ce qu'il avait toujours attendu de moi ? S'attendait-il à ce genre « d'amour » de ma part ?

Je lançai un regard à Jake, qui haussa les épaules et leva les yeux au ciel comme si tout ce manège était un peu exagéré. Je lui adressai un faible sourire. Pourquoi, pourquoi n'avais-je pas plus de sentiments pour Jake ? Il était beau, populaire, et on ne trouvait pas une particule de danger ou de cruauté sous cette montagne de muscles. Pourquoi ne pouvais-je m'empêcher d'être attirée par Lucius ? Un type qui ne pouvait rien m'apporter de bon ? Un type arrogant, énigmatique, et surtout, un VAMPIRE potentiellement dangereux ?

Jake... Jake, lui, était un choix sensé.

Pourtant, je me retournai, impatiente de regarder Lucius.

Il était face à Faith et le spectacle avait commencé. Ils s'étaient débrouillés pour condenser la première moitié du livre en récupérant seulement quelques citations par-ci par-là, en rajoutant quelques trucs, et en les rassemblant pour former une pièce intense de vingt-cinq minutes qui emmenait Heathcliff et Catherine de leur enfance joyeuse et nonchalante dans les landes jusqu'au moment où Catherine se débarrassait négligemment de Heathcliff pour se jeter dans les bras du doux et fade M. Linton.

En tout cas, c'était ce que j'en avais retenu. Je ne parvenais pas à me concentrer sur autre chose que leurs gestes, à la fois tendres et brusques. La façon dont Lucius saisissait son poignet, pour attirer sa main jusqu'à son cœur. La façon dont Faith le regardait en se détachant de lui. La passion semblait… réelle.

Mon stylo-bille finit par se casser sous la pression de mes doigts. L'encre se répandit sur ma main et gicla sur ma joue. *Non, Lucius. Non…*

Personne ne me remarqua. Toute la classe était ensorcelée alors que Faith, ses yeux bleus mêlés aux yeux noirs de Lucius, murmurait d'une voix pleine d'ardeur – une ardeur que je craignais authentique – « De quoi que soient faites nos âmes, la tienne et la mienne sont pareilles ».

Ils restèrent ainsi, figés, face à face, jusqu'à ce que quelqu'un réalise qu'il était temps d'applaudir. Et ils applaudirent. Mindy se mit à genoux sur sa chaise et glissa deux doigts dans sa bouche pour siffler – je ne savais même pas qu'elle savait faire ça.

Comme si ce sifflement les avait ramenés à la réalité, Lucius et Faith sortirent de leurs rôles en souriant, se serrèrent la main et s'inclinèrent devant leur public. Je ne sais pas comment, mais les seins de Faith restèrent en place, même si, à voir la façon dont Frank Dormand fit craquer son cou, il avait dû avoir une très jolie vue.

Je devais l'admettre : c'était la meilleure représentation que j'avais eu l'occasion de voir. Probablement la meilleure représentation faite dans l'enceinte du lycée Woodrow Wilson.

Mais j'en méprisais chaque instant.

Lucius était *mon* fiancé. C'était moi qui aurais dû être à ses côtés sur l'estrade. On m'avait volé quelque chose. Et pas seulement quelques secondes de gloire devant toute la classe. À ce moment-là, je sus que j'avais gâché ma chance d'avoir la gloire de *toute une vie* au côté de l'homme le plus fascinant, exaspérant, charismatique et terrifiant que j'avais jamais rencontré. Une partie de moi savait que j'aurais dû me sentir soulagée. Être débarrassée de Lucius Vladescu était tout ce que je désirais depuis des mois. Et pourtant, je me sentais vide, vaincue, et je désespérais de trouver un moyen de le récupérer. Puis je me souvins du pacte. Lucius ne déshonorerait jamais le pacte. N'est-ce pas ?

Alors que les applaudissements cessaient, Faith sauta de l'estrade pour aller s'asseoir à sa place, suivie par Lucius qui ne sembla même pas me remarquer en passant à côté de moi.

J'eus alors comme un éclair de lucidité. Voulais-je vraiment de lui s'il m'était lié uniquement par obligation ? Quelle sorte de victoire cela représenterait-il ?

Je me retournai pour regarder Lucius, mais il était penché vers Faith et lui chuchotait quelque chose à l'oreille.

Un amour sans pitié, cruel, violent et funeste… Était-ce ce qu'il désirait ? Était-ce vraiment Faith qu'il voulait ? Si c'était le cas, avais-je ne serait-ce qu'une chance ? Étais-je même en position *d'espérer* avoir une chance ?

34.

— Je t'apporte ton linge ! criai-je en donnant un coup de pied dans la porte de l'appartement de Lucius.

— Ah, merci Jessica, dit-il d'un air surpris en me débarrassant du panier débordant de vêtements en boule. C'est quoi, ça ?

— Maman a dit que tu pouvais commencer à plier tes vêtements toi-même.

— Mais...

— La belle vie, c'est terminé, Lucius.

Je n'étais pas revenue ici depuis le soir de la tentative ratée de dîner roumain une semaine auparavant. D'ailleurs, il restait encore une légère odeur désagréable dans l'air.

Lucius vida le panier à linge sur son lit et fit un pas en arrière pour évaluer l'étendue du travail.

— Je suppose qu'il est trop tard pour engager une lavandière...

— Oh, je t'en prie. Arrête tes caprices. Je fais ça deux fois par semaine. Et puis je doute qu'il y ait beaucoup de « lavandières » dans le coin.

— Ça, c'est le problème de votre pays, pas le mien.

Il attrapa une chaussette comme s'il n'en avait jamais vu auparavant.

— Je ne sais même pas par où commencer.

Je lui arrachai la chaussette des mains.

— Tu dis être capable de diriger une nation de vampires, et tu ne sais même pas rassembler une paire de chaussettes ?

— À chacun ses talents. Par bonheur, mes talents correspondent à ceux requis pour être un dirigeant. Ils ne se limitent pas à de simples « tâches ménagères ».

Un sourire m'échappa. Comment pouvait-on être aussi arrogant ?

— Je vais t'aider… pour cette fois.

— Merci, Jessica, dit Lucius en s'asseyant dans son fauteuil en cuir.

— J'ai dit que j'allais « t'aider », pas que j'allais le faire à ta place.

Mais au lieu de se relever, Lucius s'affala dans son fauteuil et mit ses mains derrière la tête, avec un petit sourire en coin.

— Je pense qu'une démonstration me sera plus utile.

— Idiot, lançai-je en balançant la chaussette sur la pile et en tirant Lucius par le bras pour essayer de le mettre debout.

Évidemment, il était bien trop fort pour moi et, lorsqu'il m'attira vers lui, je me retrouvai sur ses genoux. Nous éclatâmes de rire.

Puis nos regards se croisèrent pour la première fois depuis cette horrible soirée où j'avais essayé de cuisiner un lièvre. Là, nous ne plaisantions plus du tout.

— Jessica, dit-il doucement en saisissant mon poignet.

— Oui, Lucius ?

Mon cœur commença à s'emballer lorsque je m'appuyai un peu plus contre lui.

Peut-être n'avais-je pas été doublée par Faith… Il y avait dans ses yeux le même éclat que celui que j'avais vu le soir d'Halloween, mais sans la colère ni la frustration. À la place, je décelais un désir bien plus doux. Un désir moins effrayant mais tout aussi intimidant. Pourtant, je ne m'éloignai pas de lui. Je savais cette fois que je ne voulais pas m'éloigner. Je pourrais supporter ce qui se passerait. Je *voulais* que cela se passe.

Relâchant mon poignet, Lucius tira délicatement une de mes boucles de cheveux et la relâcha.

— Tu as changé de coiffure. Tu as fini par accepter tes jolies boucles.

— Ça te plaît ?

— Tu le sais très bien…, susurra-t-il en enroulant une autre boucle autour de son doigt. Ça… c'est vraiment toi.

En bougeant légèrement, ma main se posa sur son biceps contracté. Je passai mes doigts sur la cicatrice qui barrait son bras. Ma confiance s'ébranla un instant. Honneur. Discipline. Force. Il a été élevé différemment de toi, Jessica… Les Vladescu sont impitoyables…

— Comment… comment t'es-tu fait ça ? demandai-je.

Son regard changea et la lueur dans ses yeux noirs s'assombrit.

— C'était un accident. Une histoire sans intérêt.

Il mentait.

Je continuai à caresser la cicatrice. Je n'arrivais pas à imaginer ce qui pouvait déchirer la chair de cette façon… jusqu'à ce que je pense aux armes accrochées au mur. Mais qui aurait pu lui faire ça ? À lui ? Ou à qui que ce soit d'ailleurs ?

— Tu peux me raconter ce qui s'est passé, l'encourageai-je.

Je te comprends… Ou je peux essayer de te comprendre… Pourquoi veux-tu faire ressortir cet aspect de sa personne, Jess ? Pourquoi ne peux-tu pas laisser ça de côté ? Parce que je voulais en savoir plus sur lui. Voilà pourquoi. Je voulais connaître la vérité à propos de Lucius. Son histoire. Son passé. Ses désirs.

– Jessica, grogna-t-il en m'attrapant par la taille. Si on pouvait éviter de parler, là maintenant. Si nous pouvions seulement *être*.

Non. Quoi qu'il arrive… cela doit se passer selon mes conditions. Je l'ai vu avec Faith. Je ne suis pas dupe. Je ne céderai pas à son charme ou à son expérience… Pas si ce qu'il veut vraiment est quelqu'un d'autre ou quelque chose que je ne pourrai jamais lui donner…

Je fis passer mon doigt sur l'autre cicatrice qu'il avait sur la joue. Mais il saisit ma main et la repoussa doucement.

– Jessica…

– Est-ce vraiment ce que tu veux ?

Il serra ma main et l'approcha de sa bouche. Ses lèvres effleurèrent ma paume.

– De quoi parles-tu, Jessica ?

– De ce que tu as dit en classe ?

Il semblait perplexe.

– En classe… ?

– Un amour « cruel, violent et funeste » ? Est-ce ce que tu veux vraiment ?

En disant cela, j'avais coupé le cordon qui nous liait l'un à l'autre. Lucius ne lâcha pas ma main mais se redressa, me mit sur mes pieds et me repoussa délicatement mais avec fermeté, avant de se lever lui aussi.

– Lucius ?

Il me sourit, amèrement, comme s'il n'avait pas ressenti ce que nous venions de partager.

Il se pencha sur le lit pour attraper un boxer.

– On s'égare, on perd notre temps, et le linge attend sur le lit, dit-il avec son ton moqueur habituel. À cette allure, les plis vont rester. Et un Vladescu peut peut-être plier le linge sous la contrainte, mais certainement pas faire du repassage.

Je n'en avais pas envie mais je devais savoir.

— Lucius ? Qu'est-ce qu'il y a exactement entre toi et Faith ?

Il secouait son caleçon en évitant soigneusement mon regard.

— Faith ?

Je m'assis sur le bord du lit.

— Oui. Faith.

— Elle m'attire.

— Pourquoi ? Qu'est-ce que tu aimes chez elle ?

Comme si je ne le savais pas. Lucius Vladescu pouvait dire ce qu'il voulait sur les formes généreuses, les boucles naturelles ou l'importance d'avoir du charisme, il était exactement comme tous les autres hommes – tous les autres *garçons*. Il craquait pour les pom-pom girls blondes qui font du 34, ont le ventre plat, des petits seins qui pointent, et des fesses osseuses qui jouent à cache-cache sous des jupes ultra-courtes.

— Oh, Jessica, répondit Lucius exaspéré. Je t'ai demandé pendant des mois comment tu pouvais préférer un paysan, et tu ne m'as jamais fourni de réponse satisfaisante. Peut-être que ces choses ne peuvent pas être expliquées avec des mots simples, finalement.

— Alors tu aimes vraiment Faith ?

— Je l'apprécie.

Cet aveu me fit l'effet d'un coup de poing dans l'estomac, même si je connaissais la réponse à l'avance.

— Cela fait-il une différence ?

Lucius soupira et s'assit à côté de moi sur le lit, les yeux rivés sur le mur.

— Peut-être bien, Jessica. Est-ce vraiment important dorénavant ?

— Qu'est-ce que ça veut dire ? Pourquoi n'arrêtes-tu pas d'utiliser des expressions comme « dorénavant » ? Comme si le pacte était rompu ? Et que fais-tu de la guerre ?

— Tu ne crois même pas en ce pacte ou en cette guerre.

— Maintenant, si, insistai-je.

Lucius ignora cette révélation, alors que je pensais que c'était tout ce qu'il voulait entendre sortir de ma bouche. Un léger sourire traversa son visage.

— Il y aura bientôt le bal de Noël. J'ai l'impression que c'est un événement que tout le monde attend avec impatience. Le Trapu revêtira sa plus belle « combinaison » et t'y accompagnera, non ?

— À propos de Jake…

Que vais-je faire avec Jake ? Depuis ce jour au gymnase où j'avais avoué mes doutes à propos de notre relation à Mindy, je m'éloignais de lui. Et lorsque je m'étais détournée de Jake sans aucune retenue pour regarder Lucius jouer sa pièce pendant le cours de littérature anglaise, j'avais compris que je tournais le dos à un type bien… un type qui m'aimait vraiment. Quelqu'un de doux qui ne buvait pas de sang et n'arborait pas d'effrayantes cicatrices. Et pourtant, je l'avais fait.

— Je ne sais pas si Jake et moi allons continuer, avouai-je. Disons que… nous sommes en train de nous éloigner.

Lucius haussa les épaules avant de se lever pour se remettre à plier son linge.

— Faites ce qui vous rend heureux tous les deux, Jessica. Fais ce qui te semble bien pour toi.

— Et je suppose que tu feras « ce qui te semble bien pour toi », c'est ça ? ronchonnai-je.

— C'est l'Amérique, comme on me le rappelle constamment en cours de sociologie. Nous avons le choix pour tout ici. Pepsi ou Coca ? McDonald ou Burger King ? L'ancien petit ami ou le nouveau ?

— Ouais, et Ethan, au fait ? Faith et lui sortent ensemble depuis des lustres.

— Je viens de te le dire, Jessica. Nous avons tous le choix. Faith aussi. Ethan n'a aucun droit sur elle. Je n'ai pas vu d'alliance à son doigt.

Évidemment que Faith avait le choix. Et elle avait déjà choisi Lucius. Je le savais depuis longtemps. Je l'avais remarqué au gymnase, puis pendant le cours de littérature. Mince, je l'avais même vu au concours de la foire, lorsqu'elle avait inconsciemment attrapé mon bras en regardant Lucius faire le parcours d'obstacles sur sa jument venue de l'enfer. Je n'avais tout simplement pas voulu l'admettre. Tout s'était déroulé sous mes yeux, et je m'étais efforcée de ne rien voir.

Lucius me souriait, même s'il y avait un peu de tristesse dans ses yeux.

– Tu as de la chance, Jessica. Tu n'es pas ligotée à la tradition, tu n'as pas à porter le poids de ton passé. Tu es libre ici. Non seulement de choisir ta marque de soda, mais aussi de choisir ton destin. C'est un sentiment plutôt enivrant, non ?

Je réalisai que j'étais tellement habituée à avoir le choix que je ne trouvais pas cela aussi « enivrant » que Lucius. En fait, à ce moment précis, j'aurais vraiment aimé être un peu plus ligotée à mon passé. Pourtant, en même temps, la colère montait en moi. La colère contre Lucius.

– Si tu craques vraiment pour Faith, alors c'était quoi ça ? m'écriai-je en désignant le fauteuil en cuir.

Ce fauteuil où nous nous étions retrouvés l'un contre l'autre quelques minutes plus tôt. J'aurais pu parier que Lucius était sur le point de m'embrasser.

– Tous les deux dans ce fauteuil ? Tes bras autour de moi ? C'était quoi ça, Lucius ? repris-je, énervée.

Lucius lâcha le tee-shirt qu'il était en train de plier, et resta les bras ballants.

– Ça, Jessica, dit-il d'un air triste, ça a failli être une erreur.

Une erreur ? Venait-il de dire « une erreur » ?

Je me levai comme une furie, et, du haut de mon mètre soixante-deux, je me sentis envahie par une force que je

226

n'avais jamais ressentie, emportée par une colère dont je ne me savais pas capable. Je levai alors ma main et giflai Lucius si fort que sa tête sembla se déporter sur le côté.

Il se frottait toujours la joue lorsque je claquai la porte en partant.

Imbécile de suceur de sang roumain. Il avait de la chance que je ne lui laisse pas une nouvelle cicatrice sur son visage princier. S'il se frottait de nouveau à Jessica Packwood – à Antanasia Dragomir –, il pouvait être certain de recevoir une punition royale.

35.

— CONCENTRE-TOI, JESS, CONCENTRE-TOI, m'intimai-je.

Mais plus j'essayais de me concentrer, plus ma concentration s'échappait. C'était comme si je tentais d'attraper des bulles de savon qui flottaient dans les airs. Des bulles pleines de nombres incompréhensibles et de formules mathématiques. Des signes plus et moins et des symboles de racines carrées tourbillonnaient autour de ma tête. Et éclataient tous au moment où je voulais les attraper. Puis ils disparaissaient.

Même en ayant raté de nombreuses sessions de préparation, je me retrouvais à la dernière épreuve de qualification régionale pour les Olympiades de Mathématiques, à laquelle participaient les meilleurs élèves du comté. Pas de stylo. Pas de papier. Même pas le droit de relire les questions. Juste un arbitre qui lisait les problèmes à voix haute devant dix concurrents qui se concentraient pour être les premiers à répondre.

J'avais tellement envie de gagner. C'était un terrain sur lequel je pouvais briller. Je n'avais pas à être belle, blonde ou riche, comme Faith…

Allez, Jess. Tu peux atteindre les rencontres nationales si tu te ressaisis.

En jetant un coup d'œil à la modeste foule alignée contre les murs de la cafétéria, je vis M. Jaegerman, qui transpirait

228

à grosses gouttes dans son costume en polyester du jour – d'une couleur taupe hideuse. Il me fit un signe d'encouragement. Mike Danneker était sur la touche, lui aussi. Il avait été mis K.O. au round précédent, quand il avait été inexplicablement pris de panique devant quelques simples polynômes.

Mike mit ses mains autour de sa bouche pour me souffler un « Évite de tout gâcher » qui n'avait rien pour m'inspirer confiance.

L'arbitre rassembla ses fiches.

– Question numéro deux. Une banquière distraite intervertit les dollars et les cents en convertissant en liquide le chèque de Mme Jones. Elle lui donne des dollars au lieu des cents et des cents au lieu des dollars. Après avoir payé un café à cinquante cents, Mme Jones réalise qu'elle possède exactement trois fois plus d'argent que la somme de départ indiquée par le chèque. Quel était le véritable montant du chèque ?

Je pouvais le faire. Une équation diophantienne. Voilà ce que c'était. Alors pourquoi mon cerveau refusait-il de fonctionner ?

J'avais beau réfléchir, plus je me concentrais, plus le langage des équations me semblait étranger. C'était comme si une partie de mon esprit se refermait sur lui-même. Se laissait mourir. Cela avait commencé quelques semaines plus tôt, lorsque je m'étais éloignée de Jake pour essayer de me rapprocher de Lucius. J'avais quitté l'humanité pour un monde où le sang avait un parfum délicieux. Je ne parvenais plus à me concentrer. L'algèbre avait peu à peu perdu de son attrait. Et alors que je me trouvais dans une pièce remplie de matheux surentraînés, où j'aurais pu être la meilleure, tout ce à quoi je pensais se limitait à : Dollars ? Cents ? Je boirais bien un café... Où est-ce qu'on pouvait prendre un café pour cinquante cents ? Mais je ne voulais pas de café. Je

voulais aller aux rencontres nationales. Réfléchis, Jessica...
Mais rien ne venait. Peut-être qu'un café m'aiderait...

– Non !

Je ne réalisai que j'avais hurlé que lorsque toutes les têtes
se tournèrent vers moi.

Je me mis à transpirer comme l'aurait fait M. Jaegerman
un jour du mois de juin, pris par l'excitation d'un problème
impliquant un mur et l'angle des rayons du soleil. Humiliée.
J'étais humiliée.

– Désolée, balbutiai-je.

Mes concurrents, mes coéquipiers, les spectateurs...
tous avaient encore leur regard braqué sur moi lorsque je
décidai de sortir de la cafétéria avec ce que j'espérais être
un brin de dignité.

Une fois dans le couloir, je m'appuyai contre le mur froid.
Qu'arrivait-il à l'hémisphère gauche de mon cerveau ?
Cette partie censée contrôler l'analyse et l'objectivité semblait engourdie. Comme si j'avais des fourmis. Comme s'il
s'était fait engloutir par l'hémisphère droit, celui du hasard,
de l'intuition et de l'irrationnel. Je me massai les tempes du
bout des doigts pour essayer de soulager un mal que je
savais ne pas vraiment être physique.

– Jessica, ça va ?

M. Jaegerman apparut à mes côtés, un peu essoufflé,
tapotant son front avec un mouchoir. Je savais ce qu'il pensait. Son cheval de course venait de se casser une patte
dans la dernière ligne droite. Il avait investi quatre années
en moi, et voilà que je finissais boiteuse.

– Les maths me semblent... difficiles depuis quelque
temps, expliquai-je comme pour me justifier, en fixant
M. Jaegerman avec un air désespéré. Je ne sais pas ce qui
m'arrive. Je n'arrive pas à me concentrer.

– Est-ce que... est-ce que tout va bien à la maison ? ris-
qua M. Jaegerman.

Il faisait visiblement de gros efforts pour créer un véritable lien entre nous – et pas seulement une chaîne de nombres. Des perles de sueur apparaissaient au-dessus de ses lèvres et coulaient aux coins de sa bouche. Il utilisa sa cravate pour s'essuyer le menton.

– Ce n'est pas... un problème avec un garçon ? finit-il par bafouiller.

Il semblait au bord d'une crise de spasmes. Comme s'il s'était aventuré trop profondément dans une grotte avant de réaliser qu'il n'y avait pas assez d'oxygène.

Si je m'étais effectivement confiée à lui, il serait très certainement tombé dans les pommes, là, au beau milieu du couloir. Je devais le sauver, lui permettre de respirer.

– Non, ce n'est pas un problème avec un garçon, mentis-je pour éviter une crise cardiaque à M. Jaegerman.

– Oh, merci mon Dieu ! s'écria-t-il, la main sur le cœur, avant de réaliser ce qu'il venait de dire. Enfin... bien sûr, si ça avait été le cas, tu aurais pu m'en parler...

– Ne vous inquiétez pas. Ce n'est rien de ce genre.

Mais c'était bien quelque chose « de ce genre ». En fait, c'était exactement cela. Sauf que Lucius n'était pas vraiment un garçon. C'était un homme. Et je voulais le récupérer. Je m'en étais rendu compte trop tard. Et je savais que c'était sans espoir. Lui, c'était Faith qu'il voulait.

– Je ferai mieux la prochaine fois, monsieur Jaegerman, promis-je. Je me replongerai dans les bouquins dès demain. Et je resterai concentrée.

– Tu es une gentille fille, Jess, dit M. Jaegerman en s'approchant pour poser sa main sur mon épaule, ce qu'il renonça à faire après un moment d'hésitation.

– Retournons-y, proposai-je courageusement. Je pourrai au moins écouter sur le banc de touche, et essayer de trouver les solutions aux problèmes pour le plaisir.

— Oui, confirma M. Jaegerman, clairement soulagé que notre moment « d'intimité » soit terminé. C'est une excellente idée.

Je suivis mon entraîneur vers la cafétéria. Mais pour être honnête, résoudre des problèmes ne me fit pas du tout plaisir. Cela me parut être l'activité la moins réjouissante que je pouvais imaginer.

36.

Cher Vasile,

Savais-tu qu'ici, aux États-Unis, on a tellement de « choix » à faire que les individus les plus faibles d'esprit se retrouvent débordés et doivent aller consulter un psychologue (je sais... c'est risible !), juste parce qu'ils sont incapables de trouver la bonne voie parmi ces options apparemment infinies pour chaque petit geste de la vie quotidienne ?

Ici, même commander une pizza (j'ai enfin trouvé quelque chose de comestible) requiert que l'on prenne plusieurs décisions. Grande ? Très grande ? Boulettes de viande ou pepperoni ? Légumes ? Supplément de fromage ? Moins de fromage ? Fromage caché comme une surprise filamenteuse dans la croûte ? À moins que l'on change d'avis et se rabatte sur une « pizza à l'américaine » ? Ou une « Sicilienne » peut-être ?

Je t'assure, Vasile, téléphoner pour se faire « livrer » (j'ai d'ailleurs découvert que je dirigeais toute une armée virtuelle de serviteurs, qui quadrillent la ville à bord de « Ford Escort » cabossées) demande qu'on fasse preuve d'autant de stratégie qu'un général qui s'apprête à mener une bataille où du vrai sang (et pas juste de la sauce tomate) sera versé.

D'ailleurs, je suis désolé d'apprendre que les Dragomir sont las d'attendre le retour de leur princesse ainsi que l'application du pacte.

Ils ont toujours été impulsifs et impatients, ne trouves-tu pas ? M'accuser de ne pas « faire de mon mieux » pour accomplir mon devoir — et essayer ainsi de mettre la tête d'un Vladescu à prix... Ce genre de comportement pourrait précipiter un vilain accrochage, Vasile. Et je trouve cette perspective très ennuyeuse.

Devons-nous, nous, vampires, avoir toujours recours aussi vite à la violence ? Ne pouvons-nous pas nous asseoir autour d'une « bonne mousse » pour se rafraîchir, comme ma télévision et mes camarades de classe me le conseillent si vivement ? (Tu serais stupéfait de voir les efforts que déploient les jeunes Américains pour avaler une quantité effarante de bière, consommation qui est pourtant prohibée jusqu'à l'âge de vingt et un ans. C'est étonnant, Vasile. Et tout cela pour un peu de houblon fermenté. C'est à croire qu'il s'agit de sang.)

Mais revenons à la petite montée des tensions entre les Dragomir et les Vladescu. Je t'en prie, demande aux deux camps de se montrer patients, en leur rappelant que nous sommes des vampires. Pourquoi être pressé lorsque l'on a toute l'éternité devant nous ?

Et puisque l'on parle de ces impétueux Dragomir et de violence... Notre future princesse m'a donné une gifle impressionnante l'autre jour. Je dois avouer que j'ai été épaté par la force de cette claque. Quelle puissance. Quelle sévérité. Et l'éclat dans ses yeux était tout à fait royal.

Quant à la cause de ce soufflet de la part d'Antanasia... Peut-être vaut-il mieux la réserver à une prochaine missive.

En attendant, puis-je te demander de m'envoyer, en toute hâte, quelques-unes de mes tenues habillées ? Disons, par exemple, le costume Brioni que j'ai acheté à Milan. Et ajoute aussi un jeu de boutons de manchette discrets. Je te fais confiance. Garde à l'esprit que la plupart des autres participants à cette fête porteront très certainement un smoking « de location ». (Savais-tu qu'on pouvait « louer » des vêtements,

Vasile ? Cela ne te paraît-il pas un peu... dégoûtant ? Enfiler un pantalon qui a déjà été porté par une multitude de prédécesseurs de pedigree douteux et d'hygiène incertaine ? Mais c'est pourtant le cas.) Le fait est que je désire, évidemment, me présenter de manière à honorer ma position – sans pour autant éclipser les autres outre mesure. Faire de la surenchère vestimentaire de façon délibérée est tellement grossier, tu ne trouves pas ?

Je te remercie à l'avance pour ton aide,

Ton neveu,

Lucius

P.S. Et après tout, peu importe ! Pourquoi ne pas adopter la tradition américaine des vœux ? « Joyeux Noël », oncle Vasile. Et « Bonne année ».

P.P.S. Tu te rends compte : « consulter un psychologue » !

37.

— Jessica, téléphone pour toi, lança papa en passant la tête par la porte de ma chambre. C'est Jake.

— Je ne l'ai même pas entendu sonner, m'étonnai-je avant d'attraper le téléphone sans fil et de m'asseoir.

Avant qu'on vienne me déranger, je fixais le plafond, allongée sur mon lit, réfléchissant comme souvent aux vampires infidèles et au fait que mon cerveau semblait se désintégrer. J'espérais sans trop y croire que ma vie redeviendrait normale.

— Salut, Jake, lançai-je dans le combiné avec moins d'enthousiasme que j'aurais dû en avoir. Quoi de neuf ?

Je devrais rompre avec Jake. Je le savais, et pourtant je ne l'avais pas encore fait. *Pourquoi ? Qu'est-ce que j'attends ?*

— Salut, Jess. Je t'appelais juste… en fait, je me demandais si c'était toujours bon pour le bal de Noël. Je ne t'ai pas beaucoup vue ces derniers temps au lycée…

— Oui, je sais. J'ai été assez occupée. Je me disais qu'on pourrait peut-être se retrouver tous les deux pour discuter…

À l'extérieur, j'entendis un cri aigu, suivi d'un éclat de rire. J'écartai le rideau. Lucius et Faith étaient dans la cour, et faisaient une bataille de boules de neige. Lucius entraîna Faith sur un gros tas de neige et lui en balança sur son bonnet de laine rose.

– Oh, Lucius ! cria-t-elle en le repoussant. Tu n'es qu'un imbécile !

Oui, Lucius... tu es vraiment un imbécile.

– Jess... Tu es toujours là ?

– Oh, pardon, Jake, m'excusai-je en refermant le rideau. Je suis là.

– Je te demandais pour le bal parce que je dois louer un smoking...

À l'extérieur, des petits cris encore plus jubilatoires, plus énervants.

– J'espère vraiment que tu as toujours envie d'y aller avec moi, Jess, ajouta Jake, pas très sûr de lui.

Quel garçon gentil. Vraiment gentil...

Sous ma fenêtre, Faith hurla :

– Ne me touche pas !

Mais cela sonnait faux : elle semblait désirer le contraire.

Je m'efforçai de rester concentrée. Étais-je vraiment certaine de vouloir rompre avec lui ? Allais-je m'arrêter de vivre juste parce que je m'étais faite jeter par un étudiant étranger despote qui avait essayé de me séduire dans son appartement pour finalement admettre que cela aurait été une « erreur » ? Allais-je gâcher toute mon année de terminale en restant dans mon lit et en me morfondant sur le fait que j'étais un vampire ? Mince alors !

Non. Je ne gâcherais pas ma vie.

– Bien sûr que je veux y aller avec toi, Jake, finis-je par dire en m'efforçant de paraître plus joyeuse que je ne l'étais. Je suis impatiente d'y être.

Le soulagement transperça dans sa voix.

– Super, Jess. Alors j'irai chercher mon smoking demain. Si tu es sûre...

Faith Crosse ne s'arrêtera-t-elle donc jamais de brailler dans la cour ?

— Évidemment que je suis sûre, Jake, Ça va être génial, affirmai-je avant de raccrocher.

Je me rallongeai sur mon lit et enfouis ma tête dans mon oreiller pour ne plus entendre mon ex-fiancé et Faith s'amuser dehors.

Ainsi étendue, à pester contre eux, mes dents me firent soudainement souffrir. D'abord, ce ne fut qu'une petite douleur sans importance, mais à chaque fois que les bruits de la fausse bataille de Faith et Lucius parvenaient à mes oreilles, la douleur s'intensifiait. J'avais comme l'impression que mes dents n'avaient plus assez de place dans ma bouche et appuyaient trop fort contre ma gencive. J'avais envie de les arracher, de trouver un moyen de les libérer et de leur permettre de devenir ce qu'elles désiraient être à tout prix.

Je me levai et me dirigeai vers mon armoire pour trouver mon manuel de vampire. Je passai mon doigt sur le sommaire. Voilà. Chapitre 9 : « La voie des crocs ! »

Je me rendis à la page mentionnée.

« Les filles commenceront à ressentir une douleur au niveau des incisives à l'approche de leurs dix-huit ans, bien que certaines filles précoces puissent remarquer des changements dès l'âge de seize ans. Cette sensation apparaît généralement, quoique pas exclusivement, lors de périodes de stress émotionnel, tout comme votre première soif de sang. Essayez d'être patiente et d'accepter cette « gêne dentaire » comme étant un signe de votre passage à l'état de vampire, de la même façon que vous avez appris à accepter les maux de ventre menstruels comme un signe de votre féminité. Souvenez-vous : lorsqu'on vous mordra pour la première fois, vos crocs pourront sortir et s'épanouir, et vous oublierez vite les élancements de douleur occasionnels qui vous auront permis de devenir un vampire. »

Mes crocs seraient libérés par la morsure d'un vampire. Bien sûr. Lucius m'avait parlé de ça lors de notre séance de shopping. Les crocs des femmes ne sortaient pas avant qu'elles aient été mordues. Je planquai de nouveau mon manuel.

La bonne nouvelle, c'était que j'avais un vampire sous la main, dans ma cour. La mauvaise, c'était que j'avais envie d'enfoncer un pieu dans son cœur avant qu'il ait l'occasion de s'approcher de moi – sans mentionner le fait qu'il semblait ne plus me porter aucune attention. Qu'était censée faire une jeune vampire « en devenir » ?

38.

— Tu as de la chance que l'une d'entre nous lise *Cosmo* et *Vogue*, me fit remarquer ma meilleure amie. Mindy et sa collection de chaussures, à la rescousse !

Elle avait dans les bras une pile de boîtes à chaussures tellement haute qu'elle avait du mal à voir où elle posait les pieds. Elle laissa tomber les boîtes, qui s'écroulèrent par terre, et ses yeux s'écarquillèrent lorsqu'ils se posèrent sur moi.

— La vache, Jessica !

— Quoi ? Ça ne va pas ?

Mindy se jeta sur moi, attrapa mes bras nus, et tourna autour de moi pour me détailler de la tête aux pieds.

— Tu es... tu es magnifique.

— Super, fis-je d'un ton neutre pour la calmer tout en me défaisant de ses doigts un à un. Ne t'excite pas. Cette robe m'a coûté quasiment tout l'argent que j'avais gagné en pourboires cet été.

— Elle en vaut bien chaque dollar, affirma Mindy en hochant la tête. Chaque fichu dollar.

Je jetai un coup d'œil dans le miroir derrière la porte.

— Elle est belle, hein ?

— Tu es belle, me corrigea Mindy. La robe ne fait que le révéler. Où l'as-tu trouvée ? Ce n'est pas un de ces trucs en synthétique qu'on achète au centre commercial.

– Je suis retournée dans ce magasin de luxe où j'avais acheté ma robe pour Halloween.

Cette fois-ci, cela avait été mon tour de dompter Leigh Ann. Mais j'avais beaucoup appris de Lucius. Qui aurait cru, seulement quelques mois plus tôt, tout ce qu'on pouvait accomplir simplement en se tenant droite, la tête haute et en prenant un ton condescendant ?

– Je rêve ! C'est du vrai velours ! s'exclama Mindy, pleine d'admiration, en touchant le tissu.

– Oui, le haut – le corset, comme dirait Lucius – est en velours, et la jupe est en soie japonaise tissée à la main.

Je caressai ma robe noir ébène. Elle était aussi sombre et douce que le ciel d'une nuit d'été avant une tempête. Elle n'avait pas de bretelles, mais était tellement bien coupée qu'elle moulait parfaitement mon 40 comme le plus beau et le plus ajusté des gants au monde. Pas trop serrée, mais juste assez pour mettre en valeur mes formes. En me regardant dans le miroir, je me félicitai de ne pas être trop maigre. Ce n'était pas une robe pour androgyne.

– J'ai les chaussures idéales ! s'écria Mindy en fouillant dans ses boîtes.

Elle en sortit une paire de sandales à talons, bien trop sobres pour Mindy, mais qui s'accordaient parfaitement avec ma robe.

– Tu vas être magnifique.

– Tu es sûre que je peux te les emprunter ?

– Oui, dit Mindy avec une très légère marque de regret ou de jalousie dans la voix. Autant qu'elles servent à quelqu'un.

J'attrapai les chaussures avant de l'étreindre.

– Merci, Mindy. Tu es la meilleure.

– Oh, ne sois pas si nunuche. Il faut encore qu'on s'occupe de tes cheveux, et il est déjà presque sept heures.

241

— Tu crois que tu pourrais m'aider à faire un chignon ? demandai-je. J'aimerais qu'il soit parfait. Encore mieux qu'à Halloween.

— Je ne t'ai pas dit que je lisais *Cosmo*, *Vogue*, et *Coiffures de Star* ? fit remarquer Mindy en attrapant ma brosse à cheveux. Vous êtes entre de bonnes mains, mademoiselle Jessica Packwood.

Après un moment d'hésitation, je lui tendis la photo de ma mère biologique que j'avais mise dans un cadre argenté sur mon bureau.

— Tu crois que tu pourrais faire en sorte que je ressemble un peu à... cette femme ?

Je donnai la photo à Mindy qui la fixa bêtement, bouche bée.

— Jess... c'est... ça ne peut qu'être..., bégaya-t-elle en me fixant avec un air éberlué. C'était une princesse, ou quelque chose comme ça ?

— C'est une longue histoire, répondis-je en reprenant la photo. Mais elle était spéciale, oui.

— Qu'est-ce que tu me caches ? demanda Mindy, curieuse et un peu vexée. C'est quoi cette histoire ?

— C'est juste un souvenir qu'on m'a donné, expliquai-je en restant vague tandis que je reposais la photo sur mon bureau. Je n'arrivais pas à y faire face avant...

— Jess, vous vous ressemblez tellement. C'en est presque effrayant.

Je rougis de plaisir. *N'était-elle pas belle... puissante... royale... comme moi ?*

— Merci, Mindy, mais on ne pourrait pas parler de ça plus tard ? Là, il faut absolument faire quelque chose pour mes cheveux.

Alors Mindy retrouva ses esprits et souleva une grosse poignée de mes boucles brillantes.

— Je me mets au travail, Jessica. Quand j'en aurai fini avec toi, toutes les filles du lycée voudront te ressembler.

Environ un quart d'heure et un flacon de gel plus tard, Mindy me tendit un miroir. Mes boucles étaient artistiquement mais chaotiquement arrangées sur ma tête, comme une magnifique couronne brillante. Elle avait pris une épaisse mèche qu'elle avait entourée autour du chignon, un peu comme le diadème en argent sur la photo de ma mère biologique. Mindy avait fait un travail fabuleux.

— Je ne me moquerai plus jamais de *Coiffures de Star*, promis-je.

En bas, on sonna à la porte.

— Jess ? dit Mindy en me mettant un dernier coup de laque.

— Quoi ? fis-je tout en continuant de m'admirer dans le miroir.

— Est-ce que tu fais tout ça pour Jake... ou est-ce que ça a quelque chose à voir avec le fait que Lucius sorte avec Faith ? Je sais que tu as toujours dit que tu ne l'aimais pas. Mais c'est fou comme ce genre de chose peut arriver quand quelqu'un qui s'intéressait à toi change soudainement d'avis...

— Ce n'est que pour moi, l'interrompis-je en me redressant.

La robe, les cheveux, les chaussures... tout cela c'était pour que je sois fière de moi. Pour croire que j'étais belle, que j'en valais la peine.

Je devais oublier Lucius et Faith Crosse. J'avais la ferme intention d'être remarquée, d'avoir du charisme.

— Alors mets-leur-en plein la vue, m'encouragea Mindy en me serrant délicatement dans ses bras pour ne pas me décoiffer. Tu es magnifique.

Je lançai un dernier regard à mon reflet avant de descendre pour accueillir Jake. Magnifique. C'était le meilleur mot pour définir ma transformation. J'aurais peut-être ajouté royale, aussi.

Malgré la tristesse qui l'envahissait, la douleur qu'elle éprouvait et la confusion qui régnait dans sa vie, la jeune femme dans le miroir esquissa un sourire.

39.

— Tu es vraiment jolie, Jess, dit Jake en m'apportant un verre de punch.

— Tu n'es pas mal non plus, Jake. Et merci pour le verre. C'est gentil.

Gentil…

— C'est dommage que tu aies été si occupée ces derniers temps, ajouta-t-il. Ça m'a manqué de ne pas être avec toi.

— Tu sais ce que c'est… La terminale, tout ça.

— Tu l'as dit, approuva Jake. Je me casse le cul pour y arriver.

Je sourcillai en entendant cette expression grossière. Cela ressemblait à… une expression de paysan.

— Si je n'obtiens pas une bourse de sport-études, je vais me retrouver dans une université bidon pendant deux ans, poursuivit-il. Ça craint. Je suppose que, toi, tu as déjà envoyé toutes tes candidatures, non ?

— J'irai à Grantley. Tu sais, là où ma mère est prof. Comme ça, je n'aurai pas à payer l'inscription.

— Cool. Gratos.

Je retournai à mon punch, en regrettant que Jake et moi n'ayons pas plus de points communs. Peut-être avais-je fait une erreur en venant avec lui. Peut-être aurais-je mieux fait de rester à la maison…

– Waouh ! Regarde ça !

Les yeux de Jake s'étaient écarquillés en remarquant quelque chose derrière moi.

– Quoi ?

Je me retournai et mon cœur s'arrêta de battre un instant.

Lucius était arrivé avec Faith pendue à son bras. Elle brillait de mille feux dans une robe argentée, avec des bretelles qui glissaient sur ses épaules, et des gants qui remontaient jusqu'aux coudes. Ses cheveux blonds étaient attachés avec une tiare, telle une princesse des glaces. Une reine des neiges scintillante.

Quant à Lucius… Lucius était son homologue ténébreux, vêtu d'un smoking parfaitement coupé. Même depuis l'autre bout du gymnase, on pouvait voir qu'il ne s'agissait pas d'un smoking de location comme celui de Jake. Le costume de Lucius était parfaitement taillé et confectionné à la main selon ses mensurations, pour convenir exactement à son grand corps mince. Le bas du pantalon tombait juste au-dessus de ses chaussures impeccablement cirées (évidemment).

Je lançai un regard à Jake. Son smoking était tout à fait approprié pour l'occasion. D'un noir traditionnel. Rien de particulier ni d'embarrassant. Mais il le serrait au niveau de ses épaules musclées, et son nœud de cravate était légèrement de travers.

C'était totalement injuste de les comparer – Jake ne pouvait pas se permettre d'acheter ce genre de smoking – mais pourtant, c'est ce que je faisais. L'homme à qui j'étais lié par un pacte de sang n'avait jamais été aussi séduisant. Et Faith chatoyait à ses côtés comme une stalactite pendue à son bras. Elle s'appuya contre lui pour qu'il se mette à sa hauteur et lui chuchota quelque chose à l'oreille. Il éclata de rire, révélant des dents éclatantes et aussi blanches que sa chemise amidonnée.

— Ethan ne va pas apprécier, murmura Jake, le sourire aux lèvres.

En jetant un coup d'œil rapide au gymnase, je localisai rapidement Ethan Strausser, à côté de son grassouillet et idiot d'acolyte Frank Dormand. Ethan, visiblement bouillonnant de rage, aurait tué Lucius et Faith s'il avait eu des mitraillettes à la place des yeux. Lorsqu'il serra son gobelet dans sa main, du punch gicla sur sa chemise, ce qui l'énerva encore plus. Il frotta la tache, et je lus un flot d'insultes sur ses lèvres.

— Ah ouais, il est furax, fit remarquer Jake. Lucius a intérêt de faire gaffe en sortant sur le parking. J'ai entendu dire qu'Ethan voulait le démolir. Il a bien l'intention de lui botter les fesses pour lui avoir piqué Faith.

Je reportai mon attention sur Lucius, qui accompagnait Faith sur la piste de danse. Elle enroula ses bras autour de son cou et attrapa ses mains pour qu'il les glisse dans le creux de son dos.

J'en avais assez vu.

— Viens, ordonnai-je à Jake en attrapant sa main. On va danser.

— Pas de problème, si tu n'as pas peur que je marche sur tes jolies chaussures, plaisanta Jake. Je ne suis pas très doué.

— Ce n'est pas grave.

Pourtant, je ressentis comme une pointe dans le cœur alors que je traversais le gymnase avec ce garçon. Ma main se serra sur ses doigts trapus et abîmés par le travail. Évidemment que Jake ne savait pas danser, et il n'avait pas les moyens de s'acheter un smoking. Il ne savait pas non plus faire d'élégants compliments. C'était un garçon de la ferme, pas un prince roumain. Je me glissai entre ses bras, et nous dessinâmes des cercles lents sur la piste de danse.

— C'est cool, dit Jake.

Alors qu'il me serrait contre lui, j'essayai de me concentrer sur cette agréable sensation de tendresse.

– Oui.

Il est gentil, Jess. Essaie de ressentir quelque chose pour lui. Essaie juste d'apprécier d'être avec un type sympa et normal... Essaie d'oublier Lucius, les vampires et les pactes...

Jake posa son front contre le mien. Nous faisions presque la même taille. Il me serra encore plus fort.

– Jess... Ça fait longtemps que je ne t'ai pas embrassée.

– Oui, c'est vrai, répondis-je sans trop savoir ce que j'aurais pu dire d'autre.

Essaie, Jess. Essaie...

Jake se blottit contre moi. Ses lèvres étaient sur le point de toucher les miennes, lorsqu'on le tira en arrière.

– Eh ! Qu'est-ce que... ?

– Puis-je vous interrompre ?

Lucius avait surgi à nos côtés, souriant mais visiblement mécontent.

Jake enroula son bras autour de ma taille.

– Lucius, on était en train de danser, là.

– Et je vous interromps. C'est ainsi que ça se passe d'où je viens.

– Nous ne sommes pas en... dans ton pays, rétorqua Jake.

– Lucius ! marmonnai-je, les dents serrées, en le fixant droit dans les yeux.

Non ! Il n'avait pas le droit.

Lucius posa une main sur l'épaule de Jake.

– Toutes mes excuses si je n'ai pas bien compris vos coutumes. Mais s'il te plaît, sois indulgent. Je ne te l'enlèverai pas très longtemps.

Jake me regarda, perplexe.

– Laisse-nous juste une seconde, Jake. Je vais m'occuper de ça.

Jake lança un regard noir à Lucius.

– Juste une danse, dit-il en s'éloignant vers la foule d'un pas lourd.

– Qu'est-ce que tu veux ? lui demandai-je. On était sur le point de...

– Oui, j'ai vu ce que vous étiez « sur le point de faire ».

– Ça ne te regarde pas.

La chanson se termina, et je croisai mes bras sur ma poitrine, comme pour me protéger. Parce que même lorsque je haïssais Lucius, j'étais vulnérable face à lui.

– La chanson est finie, Lucius. Retourne avec Faith.

– Il va y avoir une autre chanson. C'est bien ainsi que ça se passe, non ?

Et, bien sûr, une autre chanson commença.

– Tu veux bien ? demanda Lucius en glissant son bras derrière mon dos pour m'attirer vers lui.

– Tu ne renonceras pas avant d'avoir eu ce que tu veux, n'est-ce pas ?

– Non.

– Juste une chanson, alors, concédai-je en râlant mais me laissant faire.

Je détestais ces battements traîtres que je sentais dans mon cœur.

– Tu sais danser, Jessica ? La valse ? Le quadrille ?

– Tu sais très bien que non.

– Ah, pourtant, avec ta grâce, tu devrais. Je pourrais...

Lucius sembla se surprendre lui-même mais poursuivit.

– Tout d'abord, comme ça, m'expliqua-t-il en guidant ma main gauche sur son épaule et en prenant ma main droite dans la sienne, près de son torse.

Je sentis sa main glacée se glisser dans le creux de mon dos. Cette sensation de froid désormais familière et qui lui était si caractéristique. *Non, Jess...Ne te laisse pas avoir... Il est avec Faith... Tu n'es qu'une potentielle « erreur ».*

– Je te guide. Tu n'as qu'à suivre mes pas. Fais-moi confiance.

Ouais. Te faire confiance... Pourtant je me laissai guider, mon corps se faisant l'écho du sien.

– Très bien, Jessica, dit Lucius en me regardant avec admiration. Tu as ça dans le sang, comme je m'y attendais.

À peine avait-il prononcé ces mots que je trébuchai sur ses chaussures impeccables.

– Désolée, m'excusai-je alors qu'il m'aidait à retrouver mon équilibre en me tenant plus près de lui.

– Tout va bien.

Je me rendis compte qu'il avait ralenti la cadence, de façon presque imperceptible, mais suffisamment pour que nous ne soyons plus synchronisés avec la musique, nous déplaçant à notre propre rythme.

– Tout le monde trébuche de temps en temps. Comme tu le sais, ajouta-t-il en menant ma main à sa joue et en posant le bout de mes doigts à l'emplacement que j'avais giflé. Ça pique encore lorsque je me rase. Mais je l'ai mérité.

– Si tu essaies de t'excuser...

– J'essaie de te faire un compliment. Tu es une des rares personnes qui puisse me frapper en repartant indemne.

La chanson était longue, et nous nous balancions ensemble, toujours légèrement décalés, mais mon cœur avait commencé à battre à son propre rythme, rapide, et j'espérais que ce moment dure le plus longtemps possible. Mon Dieu, je ne voulais pas ressentir tout ça ! Je voulais haïr Lucius d'autant plus fort qu'il avait interrompu mon rendez-vous en s'immisçant dans ma petite soirée *sympa*. J'essayai de garder Faith à l'esprit. *Faith, Faith, Faith. Jake, Jake, Jake. Erreur, erreur, erreur.*

Lucius prit mon menton entre ses doigts et inclina mon visage pour me regarder dans les yeux.

– Je n'ai certainement pas le droit de faire irruption ainsi... mais je suppose que les vieilles habitudes ne s'oublient pas.

En entendant ces paroles, et sans savoir pourquoi, j'eus envie de pleurer. Je voulais que la chanson s'arrête maintenant, ou qu'elle dure éternellement. Et j'avais envie de pleurer.

– Tu es si belle ce soir. Lorsque je t'ai vue dans cette robe... Mon Dieu, Jessica. Je savais déjà que tu étais magnifique... et pourtant, tu t'es encore surpassée ce soir, murmura-t-il en caressant l'arrière de ma robe pour sentir le tissu soyeux. Le velours noir et la soie te vont à merveille. Tu es l'incarnation d'un nocturne de Chopin. Une harmonie à la fois douce et entraînante que l'on apprécie la nuit...

– Non, Lucius... Ne fais pas ça...

– Je ne peux tout simplement pas supporter que ce garçon...

– Tu es avec Faith, lui rappelai-je de façon un peu rude. Pas avec moi.

Une douleur fugace traversa son regard, comme si je l'avais giflé à nouveau.

– Oui, bien sûr. Tu as raison. Je n'interférerai plus, Antanasia. Je te le promets.

Au son de mon ancien nom, mes doigts se contractèrent sur son épaule. J'avais remarqué qu'il avait cessé de l'utiliser.

– Tu m'as appelée par mon nom. Mon ancien nom.

Lucius serra ma main et pressa son pouce contre ma paume.

– D'anciennes habitudes. D'anciens noms. D'anciennes âmes.

– Est-ce ce que nous sommes ? demandai-je en cherchant son regard.

Un lien nous unissait… Les montagnes sombres, les pactes de sang… Il ne pouvait pas le nier…

Mais c'était bien ce qu'il faisait.

– Les temps ont changé.

Lentement, Lucius lâcha ma main pour m'enlacer plus pleinement, m'attirer encore plus près de lui, jusqu'à ce que j'aie l'impression que nous ne faisions plus qu'un. Nous ne dansions presque plus, nous nous tenions juste debout ensemble, au milieu de la salle.

– Te rends-tu compte à quel point tu me perturbes ? me chuchota-t-il à l'oreille. À quel point tu mets mes résolutions à rude épreuve ?

Et avant même que j'essaie de comprendre ce qu'il avait voulu dire – moi, le perturber ? –, il posa son front sur le mien, comme Jake l'avait fait quelques minutes plus tôt. Sauf que Lucius n'avançait pas sa bouche vers la mienne. Il approcha juste ses lèvres de ma joue, et descendit le long de ma mâchoire… jusqu'à mon cou.

Une sensation férocement merveilleuse et pourtant tout à fait terrifiante s'empara de moi, et pendant le court instant où ses lèvres frôlèrent ma jugulaire, tout le gymnase disparut. J'aurais pu jurer que nous étions seuls, dans une pièce aux murs de pierre, éclairée aux bougies, pieds nus sur un épais tapis persan, un feu de cheminée flambant dans mon dos. J'avais été là-bas ; je le savais.

Lucius entrouvrit la bouche, et je sentis légèrement ses crocs caresser ma peau, juste à l'endroit où mon sang battait le plus fort.

Ses crocs…

Que ce soit irrationnel ou même impossible m'importait peu. Je voulais juste les sentir. J'en avais besoin comme jamais je n'avais eu besoin de quelque chose. Dans ma bouche, mes propres crocs commençaient à me faire mal. Je ressentais la délicieuse et délirante agonie de quelque chose qui lutte pour émerger.

– Lucius… je t'en supplie…

Je penchai ma tête en arrière, lui exposant ma gorge. Je mourais d'envie d'enrouler mes bras autour de son cou, de passer mes doigts dans sa longue chevelure noire, pour qu'il enfonce ses crocs dans mes veines. L'envie était si intense qu'elle s'apparentait à de la souffrance. La souffrance et le plaisir s'entremêlaient de la plus merveilleuse et inconcevable des façons…

– Oh, Antanasia, murmura-t-il de sa voix suave tandis qu'il me pressait contre lui et frôlait ma chair avec ses incisives acérées…

Maintenant… maintenant… fais-le maintenant, je t'en supplie…

– Hé ho ! Excusez-moi !

L'image s'évapora. J'ouvris brusquement les yeux, et j'étais de retour dans le gymnase du lycée Woodrow Wilson, sous les banderoles rouges et vertes, bombardée par des lumières bien trop vives. Nous nous écartâmes brusquement, et Lucius passa sa main dans ses cheveux et sa langue sur ses lèvres. Ses crocs avaient disparu. Il avait l'air vraiment bouleversé.

– Tu ne m'aurais pas complètement oubliée, par hasard, idiot ? aboya Faith Crosse qui était apparue juste à côté de nous, les mains sur les hanches. En vous voyant comme ça, j'aurais pu croire que tu étais un peu trop proche de ta colocataire, là.

Son ton était léger mais elle pointa un doigt sur moi, et je vis la colère et l'incrédulité dans ses yeux. Son expression disait très clairement : « Il est hors de question que tu m'abandonnes pour *ça*. »

– Lucius et moi ne faisions que danser, justifiai-je d'un ton neutre, ayant immédiatement repris le contrôle de moi-même.

Je ne paniquerais pas. Je ne m'énerverais pas. Et je ne réagirais pas comme si elle était supérieure, ou si elle méritait Lucius plus que moi. Je tournai le dos à Faith.

— Je dois retrouver Jake, dis-je à Lucius.

— Attends, insista Lucius en tendant la main vers moi. Mais Faith lui attrapa le bras.

— Je suis persuadée que Jenn a très envie de retrouver son amoureux. Et je suis sûre que toi aussi, d'ailleurs.

— Jess…

D'autres couples commençaient à nous regarder.

— Merci pour la danse, lui dis-je en souriant alors que je m'éloignais. Il est tout à toi, Faith.

— Oh, je sais bien, affirma-t-elle avec un sourire aussi brillamment glacial que sa robe.

Elle se jeta dans les bras de Lucius. Mais il me regardait. Je percevais comme de la pitié dans ses yeux. Ou des excuses. Peut-être ne pouvait-il tout simplement pas s'en empêcher. Peut-être était-il vraiment comme tous les autres garçons. N'importe quel cou ferait l'affaire en cas de besoin. Une fois encore, j'avais failli me faire avoir — être une erreur —, comme l'autre jour dans son appartement. Pourquoi étais-je incapable de voir en lui ? Quel pouvoir exerçait-il sur moi pour que je craque encore et encore ?

Mon Dieu, il avait failli mordre mon cou…

Je le fixai tout en traversant la piste de danse, puis je tournai doucement le dos à Lucius Vladescu alors que je m'enfonçais, la tête haute, dans la foule. Les gens s'écartaient devant moi. Je refusais de regarder en arrière. Mais j'espérais qu'il continuait à me regarder. Et qu'il comprenait qu'il avait commis une terrible erreur en m'abandonnant pour Faith Crosse.

Avoir pitié de moi ? Je ne pense pas. C'est moi *qui ai pitié de toi, Lucius.*

Évidemment, impossible de retrouver Jake. Cela ne me surprenait pas vraiment. Je l'avais complètement humilié. N'importe qui aurait pensé que Lucius et moi étions bien trop proches. Nous pouvions juste nous estimer heureux que personne n'ait vu ses crocs.

Je finis par appeler ma mère pour qu'elle vienne me chercher et restai silencieuse pendant tout le chemin du retour, ruminant ma haine des vampires. Ces vampires sans-gêne, briseurs de cœurs, agitateurs d'hormones et mordeurs de cous.

40.

Vasile,

Était-ce donc ton plan depuis le début ?

Évidemment.

J'ai été si naïf de ne pas déceler la véritable portée de tes ambitions. Ou – pour être honnête avec moi-même – peut-être savais-je la vérité. Mais j'étais si assoiffé de pouvoir, moi aussi...

Ce soir, cependant, alors que je posais mes crocs sur le cou d'Antanasia, l'avenir m'est apparu très clairement. Le parfum de son sang se révéla être comme un sérum injecté dans mes veines, un miroir fêlé reflétant mon moi diabolique.

Tu as toujours su que si une jeune Américaine qui n'a pas été élevée comme un vampire montait sur le trône, elle serait vouée à la destruction. La lettre que je t'ai envoyée pour te prévenir que Jessica n'était pas prête, qu'elle serait vulnérable aux attaques de femelles assoiffées de pouvoir... tout cela, tu le savais déjà. Tu as toujours été conscient de sa faiblesse. Tu comptais sur cette faiblesse. Bon sang, Vasile, comptions-nous vraiment là-dessus ?

Je l'aurais épousée, respectant ainsi le pacte, puis je l'aurais amenée dans notre monde, en Roumanie, où elle se serait retrouvée totalement sans défense. Là, je l'aurais abandonnée à sa sombre destinée. Quand ? Combien de temps cela aurait-il pris ? Un an ? Moins ? Mais ainsi, les clans auraient été légitimement unis, et le pouvoir entièrement entre nos mains. Entre tes mains.

Aurais-tu forcé le destin, Vasile ? Aurais-tu précipité sa fin ? Secrètement, évidemment, en utilisant un de tes sous-fifres... Ou aurais-tu essayé de me forcer la main ?

Une fois Antanasia recluse dans une haute tour de notre château, qui aurait été mieux placé pour provoquer sa « malheureuse » destruction que l'homme qui partage son lit ?

Avais-tu l'intention de me porter ce coup cruel ? Me faire ressentir ce que je ressens... puis l'éliminer ? Était-ce censé être la plus grande épreuve que tu m'infligeais pour m'endurcir encore ? Même venant de toi, cela me semble trop vicieux. Trop vil. À moins que, même après toutes ces années, je te sous-estime – ce qui serait une dangereuse erreur de ma part.

Et si je n'avais pas agi comme tu me l'avais demandé – si je ne l'avais pas détruite –, m'aurais-tu éliminé sous prétexte d'insubordination ? Aurais-tu fait disparaître l'héritier gênant ? Qui parmi les Aïeux Vladescu – et je suppose qu'ils connaissent et approuvent tous tes intentions envers Jessica –, qui t'en aurait voulu ?

Quel pouvoir aurais-tu alors pu exercer ? Le contrôle absolu sur les deux plus grands clans vampires, et aucun successeur pour te barrer la route ?

Savais-tu depuis le début que j'aurais des sentiments si forts pour elle ?

Ne trouves-tu pas ironique et cruel, Vasile, qu'au moment où je pourrais et voudrais l'avoir, je n'en aie plus le droit ?

Libère-nous, Vasile. Tous les deux. Libère Antanasia de mon emprise, et libère-moi aussi, même pour une courte période. Juste quelques mois. C'est tout ce que je demande. Laisse-moi juste vivre. Je veux ne pas avoir à penser aux pactes, au pouvoir, à tout ce dont, comme toi, je suis capable...

Parce que ce qu'il y a de plus écœurant et palpitant à la fois, c'est que je ne peux m'empêcher d'admirer ta stratégie. Découvrir ton plan dans son intégralité me procure un plaisir pervers. Savoir qu'à ta place j'aurais certainement été capable des mêmes méfaits : sacrifier une jeune Américaine insignifiante afin de régner sur des légions entières de vampires. Je sens presque le pouvoir entre mes mains.

Mais bien sûr, je suis qui je suis : ton produit.

Je reste, cependant,

Toujours irrévocablement et irrémédiablement,

Ton dévoué,

Lucius

P.S. Antanasia nous aurait tous surpris, Vasile. Elle nous aurait vraiment surpris. Elle aurait été capable de sortir vainqueur d'un combat infernal. Mais je ne serai pas l'instrument de son inévitable destruction.

P.P.S. Au cas où tu n'aies pas bien lu entre les lignes précédentes, je préfère être parfaitement clair : j'ai décidé de te défier et de rompre le pacte.

Le choix, Vasile… n'est-ce pas un concept merveilleux ? Pas étonnant que les Américains l'estiment autant.

41.

– Jessica ?

J'ouvris les yeux tout à coup. J'étais dans ma chambre, allongée sur mon lit, dans le noir, mais il y avait quelqu'un. Je me redressai d'un bond pour chercher l'interrupteur.

Lorsque l'intrus alluma la lumière, je me mis à crier mais une main puissante m'en empêcha et me repoussa sur mon oreiller.

– Ne crie pas, s'il te plaît, murmura Lucius alors que je me tortillais sous lui.

Lorsque je me calmai enfin, il enleva sa main.

– Excuse-moi de t'avoir fait peur et de t'avoir un peu bousculée, reprit-il. Mais il fallait que je te parle.

Pendant un instant, je fus transportée de joie en le voyant dans ma chambre. Il était là pour moi... Puis je repensai à la soirée.

Me redressant une nouvelle fois, je serrai mes draps sur ma poitrine.

– Qu'est-ce que tu veux ? lançai-je en regardant mon réveil. Il est trois heures du mat' !

– Je n'arrivais pas à dormir après ce qui s'est passé ce soir.

Il s'assit sur le bord de mon lit sans que je le lui propose. Il portait toujours son smoking, mais sans la cravate ni la veste, et sa chemise était froissée.

— Je ne trouverai pas le repos tant qu'on n'aura pas parlé.

Je jetai un coup d'œil sous les draps pour me souvenir de ce que je portais pour dormir. Était-ce une tenue décente, au moins ?

— Tout est bien couvert, me rassura Lucius avec un très léger sourire. Ta tenue de nuit ne révèle rien de plus que ton amour débordant pour les chevaux arabes.

— Je n'arrive pas à croire que tu essaies de faire de l'humour dans une telle situation !

Son visage s'assombrit.

— C'est vrai. Je plaisantais pour voir si nos rapports s'étaient améliorés après les événements de ce soir.

— Tu as failli me mordre, Lucius. Puis tu es retourné vers Faith. J'aurais pourtant cru que les choses avaient changé.

— Ce que j'ai fait ce soir – ce que j'ai failli faire ce soir – était impardonnable, m'accorda-t-il, visiblement ému. Répréhensible même. Non seulement parce que je me suis approché tout contre toi pour te mordre, mais aussi parce que c'était en public. Avec Faith – la femme que j'accompagnais – qui nous observait. Je ne sais pas ce qui m'a pris. Je ne sais même pas par où commencer pour te demander pardon.

Tout dans ses excuses me faisait mal. Être tout contre moi était « répréhensible » ? C'était « impardonnable » ? Il ne savait pas « ce qui lui avait pris », pour se sentir attiré par une créature aussi dégoûtante que moi. Surtout alors qu'il n'aurait pas dû détacher son attention de sa précieuse Faith Crosse.

Lucius soupira en interprétant correctement mon silence.

— Tu me méprises plus que jamais, n'est-ce pas ?

— Oui.

— Tu es partie. Je suppose que Jake était contrarié.

– Ce n'est pas la fin du monde.

Ma froideur sembla le déconcerter.

– Oui, je suppose qu'on y survivra. Je pensais que tu aurais plus à me dire.

– Que veux-tu que je dise, Lucius ?

J'avais l'intention de ne pas aborder le sujet, mais soudain, je ne pus m'empêcher de parler.

– Tu apparais dans ma vie, tu me cours après pendant des mois, et lorsque finalement tu me convaincs que je suis spéciale – lorsque je finis par ressentir quelque chose pour toi –, tu chamboules tout et te retournes vers la blonde fadasse qui plaît à tous les mecs. Tu te comportes comme tous les autres...

– C'est vrai, m'interrompit-il. Tu ressens quelque chose pour moi ?

Sa voix se fit douce-amère. Plus amère que douce.

– *J'ai* ressenti, Lucius. Au passé. Ça n'a duré qu'un instant, dis-je alors que la colère s'échappait pour faire place à une soudaine tristesse. Ça ressemble à un mauvais rêve maintenant. Une « erreur », pour utiliser ton expression. Une terrible erreur.

– Oh, Jessica, ne va pas croire que tu sais toute la vérité sur ce que je fais ou dis, affirma-t-il de façon très énigmatique. Parfois... parfois même moi je ne sais pas. Si je te semble incohérent, c'est parce que je me bats avec moi-même.

Éprouvé, il se pencha en avant.

– Mince, j'ai tout gâché.

– Ouais. Je suis bien d'accord.

Il me regarda avec un air malheureux.

– Tu ne comprendras jamais ce que c'est que d'avoir envie d'être normal.

Je faillis exploser de rire.

– Toi ? Normal ?

— Oui, moi. Normal.

— S'il y a bien une chose qui t'importe peu, c'est d'être normal.

— Non, Jessica. Ce n'est pas vrai. Surtout dernièrement, avoua Lucius avant de se lever et d'arpenter ma petite chambre. Tu n'as pas idée de ce que ça peut être d'avoir grandi dans la solitude, continua-t-il à voix basse, presque comme s'il se parlait à lui-même. D'avoir été élevé dans un but précis. Tes parents, Jessica, ils n'ont jamais programmé ta vie. Tu n'es pas leur instrument. Tu n'existes que pour recevoir leur amour. Te rends-tu compte à quel point cela m'est étrange ?

Je l'observais faire les cent pas, sans trop savoir que dire, ne voulant pas l'interrompre.

Il s'arrêta et m'adressa un sourire empreint de tristesse.

— Je suis arrivé ici, et soudain, un nouveau monde m'est apparu. Nos camarades de classe. Ils peuvent se permettre d'être si… si frivoles.

— Tu détestes la frivolité.

— Mais la frivolité est si facile, affirma-t-il alors que son sourire s'évanouissait. Avant, je trouvais ridicule le côté nombriliste des adolescents américains. Mais finalement, cette attitude est « addictive ». Je me suis retrouvé happé par ton monde, même si ce n'est que pour une courte durée. Vivre parmi vous, c'est comme passer des vacances trop courtes. Si l'on oublie la pression inhérente à mon devoir, ici, on n'attend rien de moi, si ce n'est marquer un panier à trois points avant la fin du match.

— Lucius, qu'essaies-tu de me dire ?

— Je crois que je n'ai pas envie d'abandonner tout ça.

— Abandonner quoi ?

— Les bals avec les guirlandes en papier minables. Les jeans. Le basket. Être avec une jeune femme sans ressentir le poids des générations sur mes épaules, sans me sentir surveillé…

— Faith. Tu ne veux pas abandonner Faith.

– Pour une fille qui a repoussé toutes mes tentatives de séduction, je te trouve très possessive tout à coup.

– C'est pourtant toi qui n'arrêtais pas de répéter à quel point il était important qu'on se marie.

Lucius passa ses doigts dans ses cheveux d'ébène.

– Si je t'avais mordue ce soir... il n'y aurait plus eu aucun moyen de faire marche arrière. Tu t'en rends bien compte, n'est-ce pas ? L'éternité. Voilà l'enjeu. L'éternité. Es-tu prête pour ça ? Jessica, tu ne devrais pas désirer m'être liée. L'éternité pourrait arriver plus vite que tu ne le crois si tu me rejoignais.

– Je ne comprends pas.

Il prit ma main et nos doigts s'entrelacèrent.

– Et ça, Jessica Packwood, c'est précisément la raison pour laquelle je t'ai libérée.

– Quoi ?

– J'ai rompu le pacte.

– Pour Faith, répétai-je en retirant ma main. Tu veux mordre Faith. C'est pour ça.

Je détestais la jalousie qui me déchirait, aussi bien mentalement que physiquement.

Lucius secoua la tête.

– Non. Je n'ai pas l'intention de mordre Faith. Bien que je ne sache pas bien si ce qui me gênerait le plus serait d'imposer le monde des vampires à Faith ou le contraire.

Je n'arrivais pas à le croire. J'étais pourtant sûre qu'il voulait Faith.

– Lucius, d'après le pacte, tu dois me mordre. Un engagement nous lie l'un à l'autre. Si tu ne le fais pas, tu violeras le traité, et la guerre éclatera...

– Jessica, je suis en train d'essayer de t'expliquer que le pacte n'existe plus.

La détermination dans sa voix m'effraya, et ma jalousie laissa place à une appréhension encore plus forte et insupportable.

– Qu'as-tu fait, exactement, Lucius ?

– J'ai écrit aux Aïeux. Je leur ai annoncé que je ne participais plus à leur jeu ridicule.

– Qu'est-ce que tu as fait ? criai-je. Qu'est-ce que tu as fait ? répétai-je plus doucement.

La peur et la détermination se mêlaient dans les yeux de Lucius.

– J'ai écrit à mon oncle Vasile. J'ai tout annulé.

– Je ne te croyais pas capable de faire ça.

– Et pourtant, je l'ai fait.

Mon appréhension se transforma en une terreur qui me fit frissonner. La dernière chose que je m'attendais à voir dans les yeux de Lucius était bien la peur, même infime. Je compris alors qu'il allait avoir de très gros problèmes.

– Que va-t-il se passer ?

Il reprit ma main, et je laissai de nouveau ses doigts se mêler aux miens.

– Je n'en sais rien, admit Lucius. Mais il ne t'arrivera rien. Tu n'as pas à t'inquiéter. C'est moi qui ai pris cette décision. Ils ne te feront aucun mal. Je mettrai ma vie en jeu pour qu'il ne t'arrive rien, Antanasia. Je te le dois, pour des raisons que tu n'as pas besoin de connaître ni de comprendre.

Littéralement terrorisée, je serrai sa main.

– Que va-t-il se passer, Lucius ?

– Cela ne te concerne pas.

– Lucius…

Je repensai à cette atroce cicatrice sur son bras. Et à ses paroles : « Bien sûr qu'ils me frappaient. Encore et encore. Ils faisaient de moi un guerrier… »

– Vont-ils te punir ?

– Oh, Antanasia. Punition n'est qu'un piètre mot pour définir ce que m'infligent les Aïeux, dit-il avec un rire amer.

263

– On pourrait essayer de les raisonner…, proposai-je en sachant pertinemment que je me raccrochais à une chimère.

Lucius m'adressa un sourire plein de tendresse.

– Tu as le cœur tendre et une naïveté qui peut se révéler dangereuse. Mais le monde est peuplé de créatures comme ma pauvre Belle d'Enfer. Ou comme moi. Des créatures qui ont vu des choses monstrueuses et qui deviennent des monstres à leur tour. Des créatures qui feraient peut-être mieux d'être abattues.

– Arrête, Lucius. Ne dis pas ce genre de chose !

– C'est pourtant la vérité, Antanasia. Tu ne peux même pas imaginer les choses qui apparaissent dans mes rêves, mes projets d'avenir, mes fantasmes…

– Est-ce ce dont tu voulais parler le soir d'Halloween quand tu as dit que tu pouvais me montrer des choses « pas sympas » ?

Les doigts de Lucius se resserrèrent sur les miens.

– Oh, non, Antanasia. Je n'aurais jamais été violent avec toi. Quelle que soit l'image que tu as de moi – et le souvenir que tu en auras dans l'avenir –, je t'en prie, sache que je ne pourrais jamais te faire de mal. Peut-être qu'avant de te connaître, si tu t'étais retrouvée en travers de mon chemin vers le pouvoir… Mais pas aujourd'hui, assura-t-il avant de détourner le regard. Mon Dieu, j'espère bien que non…, murmura-t-il.

– Ne t'inquiète pas, Lucius. Je sais que tu ne m'aurais jamais blessée.

Pourtant, son aveu m'avait déstabilisée. Y avait-il vraiment eu une époque où il aurait été capable de me faire du mal ? Qu'est-ce qui l'en empêchait, finalement… ?

Mais Lucius ne m'écoutait pas. Il fixait les murs roses qu'il détestait tant.

– Cela aurait pu être si différent pour ma famille – pour mes enfants. J'ai vraiment entrevu une nouvelle façon de vivre, ici, malgré toutes les fois où je me suis moqué de cet endroit et de vos habitudes.

– Et si tu restais ici ? suggérai-je dans un regain d'espoir. Tu pourrais vivre ici comme une personne normale…

Au moment même où je prononçai ces mots, je me rendis compte à quel point ils étaient fous. Pourtant, Lucius me surprit.

– Peut-être pour quelques semaines encore, si j'ai de la chance.

– Pas plus longtemps ?

– Non. Pas plus longtemps. Je sais à quel monde j'appartiens, et il me récupérera, dit Lucius sur un ton sévère en lâchant ma main pour se lever. Le plus important, c'est que tu saches que tu es libérée du pacte. Tout est annulé. Tu es libre de… eh bien… Libre de faire ce que bon te semble, affirma-t-il avec l'esquisse de son habituel sourire moqueur. Finir le lycée. Avoir une jolie maison de banlieue. Avec des têtes blondes qui s'intéressent à l'agriculture et qui courent dans ton jardin. Tu es maîtresse de ton destin. Je t'en fais la promesse.

– Et si je ne veux plus de toutes ces choses ?

– Crois-moi, Antanasia – *Jessica* – un jour, tu te souviendras de ces quelques mois comme d'un rêve étrange. Peut-être même d'un cauchemar. Et tu seras vraiment très heureuse qu'il ne soit pas devenu réalité.

Lucius déposa un baiser sur mon front, et je sus qu'il ne serait jamais délivré du poids de notre destin commun. Il pouvait jouer à être un adolescent normal, mais ce n'était qu'un sursis de courte durée. Le destin de Lucius Vladescu était inscrit sur des parchemins, lié à sa famille et imprégné à coups de poing, ou pire encore. Et cela me faisait froid dans le dos.

J'entendis ses pas s'éloigner dans l'obscurité, mais il s'arrêta.

— Tu étais vraiment la plus jolie créature que j'avais jamais vue, ce soir, murmura-t-il avec douceur. Lorsque j'ai dansé avec toi… et lorsque je t'ai vue partir, la tête haute, sans te retourner pour me regarder, disparaissant dans la foule… Peu importe où tu vivras ou qui tu choisiras d'épouser, Antanasia, tu seras toujours une princesse. Et je garderai toujours en mémoire cette image de toi, tout comme je n'oublierai jamais comme tu as pleuré pour moi lorsque j'étais à l'agonie, étendu sur la table de la salle à manger. Ce sont deux cadeaux que tu m'as faits, et je les garderai toujours avec moi, aussi longtemps que je le pourrai.

Lucius referma la porte derrière lui, et, malgré la douceur de ses dernières paroles, je tremblai dans le noir.

42.

Il fallut moins d'une semaine pour que l'enfer commence. C'est le temps qu'il fallut à la lettre de Lucius pour se frayer un chemin jusqu'à Sighişoara, en Roumanie.

Pendant ce temps, Lucius mordit la vie à pleines dents, comme s'il s'agissait d'une veine riche et bien rouge. Il jouait pendant des heures au basket, séchait les cours et organisa même une fête dans son appartement. Une fête qui prit fin lorsque la police intervint et que mes parents le menacèrent de le renvoyer chez ses oncles par le premier vol pour Bucarest. Faith était constamment accrochée à lui comme s'ils avaient été collés avec de la super-glu au niveau des hanches.

Puis Lucius, papa, maman et moi fûmes convoqués à une rencontre avec les Aïeux, ici, dans le comté de Lebanon. S'ils daignaient venir jusqu'ici, la crise devait être plus que sérieuse. Nous n'avions d'autre choix que d'y aller. Ou en tout cas, nous avions le sentiment de ne pas avoir le choix.

— Je n'arrive pas à croire qu'ils veulent qu'on se rencontre dans un restaurant-grill, se plaignit ma mère qui rechignait à pousser la porte de notre lieu de rendez-vous la veille du Nouvel An. Quel affront ! C'est comme s'ils nous mettaient une gifle. Ils savent très bien que nous sommes végétariens.

— Ils attaquent en force, renchérit papa.

— S'il vous plaît, calmez-vous, les priai-je, en sentant que les choses seraient déjà assez désagréables sans que mes parents s'inquiètent du menu. Ils ont un buffet de salades.

— Des sulfates, affirma mon père en reniflant. Et des conservateurs.

Parfois, papa était vraiment à côté de la plaque.

— Nous avons rendez-vous, précisa maman à l'hôtesse.

— Avec un groupe de... personnes d'un certain âge, ajoutai-je. Ils nous ont dit avoir réservé la salle.

Une peur proche de l'effroi s'afficha sur le visage de l'hôtesse, mais elle nous indiqua tout de même la direction avec un petit sourire.

— Par ici, je vous prie.

— Merde, ne pus-je m'empêcher de lâcher en entrant dans la salle.

Ma mère serra ma main.

— Tout va bien, Jessica.

Mais rien n'avait l'air « d'aller bien ».

Au milieu d'une grande pièce décorée de façon festive, avec des petits Pères Noël en carton et des rennes au nez clignotant, se trouvaient les Aïeux. Treize vieux à l'air lugubre étaient installés autour d'une table ronde et plantaient leurs couteaux dans d'épais steaks sanguinolents à peine saisis. Ils battaient la viande de bœuf rouge dans leurs assiettes, mais ne la mangeaient pas. Ils... aspiraient bruyamment le jus. Le sang qui suintait. Bien qu'il fasse très chaud dans ce restaurant, leur seule présence emplissait l'air d'un froid glacial. Et l'odeur du sang... me piquait les narines, pénétrait par mes pores, chatouillait mon estomac.

Dégoûtés, mes parents se tenaient le ventre. Mon père dut même porter sa main à la bouche pour se retenir de vomir.

Le plus âgé des Aïeux, le plus effrayant aussi, leva les yeux de son festin à contrecœur pour nous indiquer trois chaises.

– Je vous en prie, asseyez-vous. Et veuillez nous excuser d'avoir commencé sans vous. Notre voyage nous a donné faim.

Ce devait être l'oncle de Lucius, Vasile. Il y avait une légère ressemblance dans les traits de leur visage, et la même impression de puissance maîtrisée. Mais il manquait à ce vieux vampire de la famille Vladescu le charme et la grâce de Lucius, et cet éclat espiègle dans le regard. Alors qu'il était fascinant d'observer la puissance de Lucius, cette puissance tempérée par l'humour et même la joie, celle de Vasile était amère et ignoble. Cela me rendait malade d'imaginer Lucius – le fantastique Lucius – sous le contrôle – et les poings – de cet homme...

– Assis, nous ordonna Vasile.

Même son arrogance – qui faisait finalement l'un des charmes de Lucius – n'allait pas à son oncle bossu.

Pourtant, nous nous exécutâmes. L'hôtesse nous tendit des menus. Elle nous regardait avec pitié, comme si nous étions des otages.

– Vous prendrez... ? demanda-t-elle en indiquant le tas de viande sans trop savoir comment l'appeler. Ou dois-je vous appeler une serveuse ?

– Nous prendrons juste trois salades, répondit maman en lui rendant son menu.

Je me rendais bien compte qu'elle luttait pour garder son calme devant un tel carnage.

Je jetai un coup d'œil autour de la table. Une chaise était encore vide. Alors que je me demandais si Lucius viendrait, la porte s'ouvrit. Je m'étais attendu à le voir arriver avec ses anciens vêtements – la cape de velours et le pantalon noir – mais il portait un jean et son sweat-shirt de Grantley. Ces derniers temps, c'était comme s'il avait entrepris de tirer un trait sur son passé. Mais il fit tout de même le tour de la table et serra la main de chacun d'entre eux.

— Oncle Vasile. Oncle Téodor.

Chacun à leur tour, ils interrompirent brièvement leur dégustation de sang pour serrer la main de Lucius, avant de retourner à leur festin. Puis il s'assit et nous adressa un clin d'œil. Mais je sentais qu'il était nerveux.

— Il a peur d'eux, murmura maman à mon oreille.

— Moi aussi. As-tu rencontré certains d'entre eux en Roumanie ?

— Je crois en reconnaître un ou deux... mais c'était il y a si longtemps.

— Mangez, nous exhorta Vasile en pointant sa fourchette vers nous. Nous parlerons après.

Mes parents se ruèrent sur le buffet de salades et je les suivis. Mais je gardai un œil sur les steaks, en proie à une envie irrésistible. L'odeur du sang... c'était si entêtant. Au lieu d'avoir peur pour Lucius – et pour nous tous, d'ailleurs –, cette odeur me transportait. Je me sentais coupable de ressentir un tel désir à un moment si effroyable.

Lorsque nous retournâmes à table, il fut clair que nous interrompions une importante discussion. Le plat central dans lequel se trouvait la pile de steaks ne contenait plus que de la viande desséchée, et les assiettes avaient été mises de côté. Toutes les têtes étaient tournées vers Lucius, qui se tenait bien droit à sa place. Il nous fusilla du regard.

— Est-il nécessaire que les Packwood soient présents ?

Nous fixâmes nos assiettes en attendant le verdict. Je ne sais pas ce que nous aurions fait si Vasile nous avait demandé de partir. Mais ce ne fut pas le cas.

— Oui. Ils doivent rester.

Nous posâmes nos assiettes à nos places respectives, et le bruit qu'elles firent en touchant la table résonna dans la pièce soudainement silencieuse. Nous nous assîmes.

– Mangez, nous ordonna Vasile une nouvelle fois.

Rien que l'assaisonnement de ma salade avait du mal à passer, alors j'avalai quelques petites bouchées et repoussai mon assiette.

Le vampire à ma droite se pencha vers moi. À présent qu'il n'était plus penché sur un steak sanguinolent, on aurait pu le prendre pour un homme d'affaires. Et pourtant, il avait quelque chose de différent. Quelque chose de menaçant dans les yeux. *Alors voilà les Aïeux...*

– Tu n'as pas faim ? me demanda-t-il avec un accent très prononcé.

– Non, répondis-je en m'efforçant de le regarder dans les yeux.

Je ne comptais ni flancher ni montrer ma peur. Faisaient-ils vraiment partie de mon peuple ? De ma race ?

– Ils ont terminé, annonça Vasile en se levant après que mes parents eurent posé leurs couverts. Je vais faire les présentations.

Il fit le tour de la table, mais j'oubliai immédiatement tous les noms. J'étais trop occupée à observer Lucius. Il ressemblait à un condamné à mort attendant son tour pour passer sur la chaise électrique, encerclé par ses tortionnaires. Nos regards ne se croisèrent pas.

Vasile s'assit, pliant son grand corps dans le fauteuil tel un accordéon humain. Il joignit ses mains, qui se touchèrent à l'extrémité de ses doigts squelettiques et noueux.

– Qu'allons-nous faire de ces jeunes gens ?

– Pas ces jeunes gens, interrompit Lucius. Juste moi. C'est de moi qu'il s'agit.

– Silence ! aboya Vasile en tournant la tête vers Lucius.

– Oui, monsieur, murmura Lucius.

– Vous savez que Lucius a décidé, par un excès d'indépendance, dit-il à mes parents en semblant cracher ce dernier mot, de ne pas honorer le pacte.

– Lucius nous a informés de sa décision, déclara mon père. Et nous soutenons son choix. Par ailleurs, il est invité à rester chez nous aussi longtemps qu'il le voudra.

– Vous « soutenez son choix » ? tonna Vasile, incrédule. Vous soutenez son insubordination ?

La voix de mon père tremblait et il avait un peu d'épinards sur les dents, mais j'étais très fière de lui.

– Voyons, Vasile. Ce ne sont que des gamins.

– Je ne connais pas ce terme.

– Des gamins. Des enfants. Des jeunes gens. Pourquoi ne pas les laisser vivre…

Vasile frappa du poing sur la table et la pile de steaks desséchés s'écroula.

– Les laisser vivre ?

– Oui, renchérit maman avec courage. Si Lucius a décidé de rompre le pacte… Tout s'est passé il y a bien longtemps, et ce n'est qu'un jeune homme. Vous devez vous rendre compte qu'il était ridicule de s'attendre à ce que ces deux adolescents tombent amoureux et se marient juste parce que cela avait été décrété.

Je lançai un coup d'œil à Lucius. Son regard était rivé sur son oncle.

– Amoureux ? aboya Vasile. Qui a parlé d'amour ? Nous parlons de pouvoir !

– Nous parlons d'enfants, objecta mon père. Lucius voit une autre jeune fille, et Jess s'apprête à entrer à l'université…

Visiblement, mon père venait de mettre les pieds dans le plat. Aux mots « voit une autre jeune fille », Vasile bondit de son fauteuil et se jeta sur Lucius à la vitesse de l'éclair. Lucius tressaillit, comme si la foudre l'avait frappé.

– Tu fais la cour à une autre femme ? rugit Vasile. En dehors du pacte ?

– C'est mon choix, dit Lucius calmement, en utilisant son nouveau mot favori. Jessica avait beau être sensible au pacte, j'en ai décidé autrement.

J'avais beau savoir qu'il disait cela pour me protéger, ses mots me blessèrent. Et il continuait d'éviter mon regard.

Obéissant à quelque signe silencieux que je ne remarquai pas, quatre vampires se levèrent et escortèrent Lucius. L'un d'entre eux passa son bras derrière l'épaule de son jeune parent, mais je savais que Lucius n'allait pas recevoir une gentille leçon d'un oncle bien intentionné.

– Où l'amenez-vous ? demanda maman.

– Tout va bien, madame Packwood, la rassura Lucius tout en se débarrassant du bras qui le maintenait, comme s'il préférait affronter la sentence avec dignité. Je vous en prie. Ne vous mêlez pas de cette affaire familiale.

– Lucius, attends ! criai-je en me levant.

Il se tourna vers moi juste une seconde.

– Non, Jessica.

Un sanglot resta coincé dans ma gorge alors que je les voyais l'entraîner dehors. *Quatre contre un… les lâches.*

Je voulus les suivre, mais maman me rattrapa.

– Je ne crois pas que ce soit une bonne idée, Jessica. Pas maintenant.

– Asseyez-vous, s'il vous plaît, reprit Vasile d'une voix mielleuse. Même si tu le suivais… tu ne pourrais pas le récupérer. Il est en parfaite sécurité dans sa famille.

– On ferait mieux de partir, dit papa en se levant.

Ma mère et moi l'imitâmes.

– Ce n'est pas fini, menaça Vasile en nous pointant de son doigt squelettique. Lucius finira par retrouver ses esprits. Et vous ne reviendrez pas sur votre promesse.

– Ma fille ne fera rien contre sa volonté.

– Son souhait est de l'épouser. Son destin lui est lié. Elle le sait. Pour utiliser votre expression, elle l'aime.

Papa me regarda.

— De quoi parle-t-il, Jessica ?

— Je ne sais pas.

— Je l'ai vu, lorsqu'on a emmené Lucius ! s'exclama Vasile. Avoir été élevée parmi des humains l'a rendue tellement transparente...

— On y va, lança papa en m'attrapant par le bras.

— Bonne soirée, dit Vasile en s'inclinant légèrement devant moi.

En nous frayant un chemin entre les vampires, je sentis quelque chose se presser contre la paume de ma main. Le geste fut si rapide que cela ressemblait à de la magie. Sans savoir pourquoi, j'eus le bon sens de ne pas crier. En jetant un coup d'œil discret derrière moi, j'aperçus un vampire que je n'avais pas remarqué auparavant. Il était un peu plus gros et un peu plus petit que les autres, et sa peau était un peu plus rose. Il y avait comme de l'amusement dans ses yeux, et lorsque nos regards se croisèrent, il posa un doigt sur ses lèvres en me faisant un clin d'œil, me signifiant clairement que nous partagions à présent un secret. Je ne le lui retournai pas.

Je gardai le morceau de papier dans le creux de ma main jusqu'à ce que j'arrive dans ma chambre. Alors, je le dépliai avec impatience.

Ne t'en fais pas. Tout n'est pas perdu. Tu as l'air d'être une gentille fille. Vasile est juste autoritaire. Toujours imbu de sa personne. Rendez-vous demain dans ce joli parc avec le ruisseau. Disons vers dix heures ? Je serai sur le belvédère. Et gardons cela pour nous, hein ?
Cordialement,
Dorian

43.

– Il n'y a toujours pas de lumière dans son appartement, affirma ma mère en faisant irruption dans ma chambre vers minuit.

– Tu surveilles, toi aussi ?

J'étais postée devant la fenêtre depuis notre retour.

– Bien sûr.

– Tu crois que tout ira bien pour lui ?

– Sincèrement, je n'en sais rien.

– Tu savais qu'ils le battaient, n'est-ce pas ?

Maman ouvrit un peu plus le rideau pour s'associer à ma surveillance.

– Je n'en étais pas sûre, mais je m'en doutais…

– Lucius m'a avoué qu'ils le frappaient très souvent.

À cette pensée, ma peur déjà intense se transforma en véritable panique.

– Je t'avais dit que les Vladescu avaient la réputation d'être impitoyables, et Lucius a été élevé dans l'objectif de devenir leur prince. Je ne suis pas surprise d'apprendre que son enfance a été malheureuse.

Elle s'assit à côté de moi sur mon lit et déposa un baiser sur mon front, comme lorsque j'avais peur de l'orage étant petite.

– Mais Lucius est fort, me rappela-t-elle. Essaie de ne pas te laisser submergée par la peur.

J'avais tout de même l'impression qu'elle tirait des conclusions hâtives. Tout comme j'étais en train de le faire.

— Et s'il ne revient pas ?

— Il reviendra. Jess... Tu l'aimes vraiment ? finit-elle par me demander.

Je n'eus pas à répondre, car une lumière s'alluma dans l'appartement. Ma respiration s'accéléra, et j'eus soudain l'impression d'avoir arrêté de respirer pendant plusieurs heures. Je sortis de ma chambre à toute vitesse, sans attendre maman, et traversai le sol froid de la cour pieds nus.

Je trouvai Lucius dans la petite salle de bains du garage. Penché au-dessus du lavabo, torse nu, il se nettoyait le visage. Bien qu'il m'ait entendue arriver, il ne se retourna pas.

— Va-t'en.

— Lucius, que s'est-il passé ?

— Laisse-moi tranquille.

Je m'approchai de lui.

— Non. Retourne-toi, insistai-je.

— Non.

Des bruits de pas résonnèrent dans l'escalier. Maman entra, me caressa le bras et s'avança vers Lucius aussi calmement que j'avais approché Belle d'Enfer ce terrible jour.

— Lucius, murmura-t-elle d'un ton rassurant en posant sa main sur son dos.

Je connaissais ce geste. C'était celui qu'elle faisait avec moi lorsque j'étais malade. Les muscles de Lucius se contractèrent. Il frissonnait.

Soudain, je me dis qu'il était peut-être – je dis bien peut-être – en train de pleurer. Ou bien de se retenir de pleurer. De toutes ses forces.

Ma mère se pencha sur Lucius et tira ses cheveux noirs en arrière.

– Jess, va chercher la trousse de premiers secours, sous l'évier de la cuisine.

– Maman... il va bien ?

– Vas-y, Jess, répéta-t-elle calmement.

Je ne voulais pas y aller. J'aurais préféré rester avec Lucius.

– Tout de suite, insista-t-elle.

– Oui, maman.

Je m'arrêtai à la porte pour regarder derrière moi. Ma mère tenait Lucius dans ses bras. Il tremblait, était pris de convulsions. Elle lui parlait doucement en caressant ses cheveux. C'était pour cela que maman m'avait demandé de partir. Elle savait que Lucius ne voudrait pas que je le voie craquer ainsi, ému par ce qui devait être le premier geste maternel qu'on avait pour lui. Je fermai doucement la porte et courus jusqu'à la maison.

Je revins avec la trousse à pharmacie, suivie par mon père groggy, qui se débattait toujours avec la ceinture de sa robe de chambre lorsqu'il monta les marches de l'appartement.

Lucius était étendu sur le lit, ma mère à ses côtés. Lorsque je lui tendis la trousse, elle alluma la lampe de chevet. Lucius eut beau tourner la tête vers le mur, je vis qu'il était salement amoché. Il avait la lèvre fendue, et des bleus étaient en train d'apparaître sous ses yeux et sur sa joue. Son nez avait l'air un peu tordu.

– Je vais chercher une serviette, proposa papa pour se rendre utile.

– Je vais bien, déclara Lucius.

Pourtant, il tressaillit lorsque maman passa de l'alcool sur sa lèvre.

– Non, tu ne vas pas bien.

– Ce n'est pas une très bonne année pour moi, hein ? plaisanta Lucius. Au moins, pour la jument, ce n'était pas volontaire de sa part.

Papa s'assit lui aussi, au bout du lit. Il serrait la serviette dans sa main, comme s'il ne savait pas trop quoi en faire maintenant qu'il était allé la chercher.

— Lucius, que s'est-il passé ?

Il ne répondit pas.

— Lucius. Raconte-nous ce qui s'est passé.

— Jessica ferait mieux d'aller se coucher, dit Lucius, toujours tourné vers le mur. Il est tard.

— Je veux rester.

— Tu n'es qu'une enfant, lâcha Lucius d'une voix dure et distante. Tu n'as pas à être au courant de ce genre de chose.

Mes parents se regardèrent et je compris qu'ils étaient en train d'évaluer si j'étais en effet encore une enfant.

— Jess peut rester si elle le veut, finit par dire papa. Cela la concerne elle aussi.

— Je pars demain matin, annonça Lucius. Cela ne vous concernera plus très longtemps.

— Tu n'iras nulle part, dit maman en prenant la serviette des mains de papa pour essuyer le sang sur la joue de Lucius.

Lorsqu'elle lui tourna délicatement la tête, je pus voir pour la première fois l'étendue des dommages. Bien que la pièce fût peu éclairée, je constatai que, visiblement, ses oncles bottaient plus fort que sa jument.

La colère et la tristesse me rongeaient de l'intérieur.

— C'est une affaire entre ma famille et moi, dit Lucius en se redressant un peu. Je dois rentrer chez moi pour m'occuper de cela.

Il ne me regardait toujours pas.

Nous savions très bien ce que cela impliquait. Encore plus de souffrance. Encore plus de cicatrices.

— C'est ici chez toi maintenant, dit papa d'un ton ferme. C'est ta maison. Tu resteras ici.

En observant mon père lancer son invitation et ma mère panser les blessures de Lucius, je vis les personnes qui avaient kidnappé une petite fille en Roumanie pour lui sauver la vie. Soudain, je me rendis compte qu'ils avaient certainement risqué leurs vies pour moi. Cela me semblait étrange et égoïste de ne pas m'en être rendu compte plus tôt. Évidemment, ils minimisaient toujours les risques qu'ils prenaient.

– Ma maison.

Lucius cracha ce mot avec mépris.

– Oui. Ta maison, répéta maman.

– Je comprends, reprit papa en posant une main sur l'épaule de Lucius. Tu es resté dans ce garage trop longtemps. Je n'avais jamais remarqué à quel point il faisait froid ici. Dès ce soir, tu emménages avec nous. Définitivement. On te fera de la place.

– Je ne peux pas m'imposer plus que je ne l'ai déjà fait. Et vous ne devez pas vous inquiéter pour moi. Les Aïeux n'ont pas l'intention de rester. Croyez-moi. Ils sont persuadés que leur message est bien passé. Que je leur obéirai.

– Je tiens quand même à ce que tu t'installes dans la maison, dit papa, ignorant les paroles de Lucius. Tu peux te lever ?

Lucius semblait trop abattu, trop fatigué pour continuer à protester. Il mit ses jambes sur le côté, doucement, et s'arrêta sur le bord du lit.

– Mince, fit-il en se tenant les côtes. Ils se sont souvenus de toutes les parties qui avaient déjà été cassées auparavant… pour me briser encore mieux. Pour que ce soit plus efficace.

Lorsque maman mit son bras sur les épaules nues de Lucius pour le réconforter, je regrettai de ne pas être à sa place. Lucius se pencha vers elle, cédant à la faiblesse, et elle l'étreignit un moment, en regardant mon père derrière lui. Ses yeux étaient emplis d'une profonde tristesse.

— Essaie de te mettre debout, dit papa en attrapant Lucius par le bras.

— Merci, répondit Lucius qui, même affaibli, gardait un air royal. Merci pour tout. Je suis désolé pour tous les problèmes que je vous cause.

Papa essaya de stabiliser Lucius en le tenant par la taille.

— Ce n'est pas grave, fiston. Pas grave du tout.

Lucius eut un nouveau mouvement de recul lorsque maman glissa elle aussi son bras autour de sa taille. Ils commençaient à peine à avancer lorsque Lucius s'arrêta.

— Madame Packwood… Monsieur Packwood… Je n'ai pas toujours été très gentil dans le passé. Je crains même de vous avoir traités de personnes… faibles. Vous êtes si différents de ma famille, vous savez.

— Ça va, Lucius, affirma maman en le poussant en avant. Tu n'as pas besoin d'en dire plus.

— Si, objecta-t-il. Si, il le faut. J'ai eu tort de vous insulter, et pas seulement parce que vous m'hébergez. J'ai bien peur d'avoir confondu la gentillesse avec la faiblesse. Toutes mes excuses. Je reviens – et ce, grâce à vous – sur mon erreur.

— Allez, Lucius, dit papa en lui tapotant le dos. Excuses acceptées. Maintenant, allons te mettre au lit.

Nous formions un lent et pathétique cortège qui traversait la cour. Papa, maman et Lucius avançaient péniblement dans la neige, et moi je les suivais. Maman prépara un lit pour Lucius dans son bureau, un tout petit espace entre nos deux chambres, et alla se coucher elle aussi. Mais je savais que mes parents resteraient éveillés toute la nuit. Je savais qu'ils n'avaient pas cru Lucius lorsqu'il avait affirmé que ses brutes d'oncles étaient rentrés chez eux. Et ils craignaient que Lucius disparaisse pendant la nuit. Moi aussi je le craignais. Mais bientôt, j'entendis la respiration profonde et régulière de Lucius, de l'autre côté du mur. Il devait être épuisé et avait cédé à la fatigue. Alors que je tirais les couvertures, de retour dans mon lit, je me souvins que c'était le Nouvel An et que l'année venait de commencer. J'aurais bientôt dix-huit ans. Techniquement, l'âge pour me marier.

Dans la pièce voisine, l'homme auquel j'étais fiancée depuis ma naissance se retourna en poussant un grognement de douleur. Je me demandai combien de fois il avait subi ce genre de chose « pour la bonne cause », jusqu'à souffrir même pendant son sommeil. Gardait-il d'autres blessures plus profondes ? Une souffrance plus intense que celle provoquée par des os brisés et des hématomes ?

44.

J'arrivai au belvédère « vers dix heures », comme le précisait le message. Le vampire qui attendait là me fit signe tout en serrant son manteau autour de son cou avec son autre main. Le froid était vif et la neige menaçait de tomber.

— J'avais peur que tu ne viennes pas.

Malgré son sourire, j'approchai prudemment.

— Lucius a dit que vous étiez tous rentrés en Roumanie.

— C'est vrai. Les autres sont rentrés, mais je suis resté ici dans l'espoir d'améliorer la situation.

Je me décontractai un peu, soulagée d'entendre que la plupart des oncles de Lucius étaient partis. Plus ils étaient loin, mieux je me portais.

— Je m'appelle Dorian, annonça-t-il en me tendant une main gantée.

En fait, c'était une main « mitainée » et il remarqua que j'observais ses couleurs vives. Des rayures jaunes et orange.

— Elles sont chouettes, hein ? dit-il en agitant ses mains. Je les ai achetées au centre commercial.

— Vous faites vos courses au centre commercial ?

— Oui ! Bien sûr ! J'adore la culture américaine. Qu'est-ce qu'on s'amuse ici. J'étais tellement jaloux lorsque j'ai appris que Lucius allait être envoyé ici pour plusieurs mois.

282

Même si, évidemment, c'était une bonne chose de l'éloigner du vieux Vasile, dit-il en creusant les joues pour essayer de ressembler à l'oncle de Lucius. Le séjour lui a fait du bien apparemment.

J'étudiai le visage de Dorian avec attention. Ses pommettes étaient rosies par le froid, et même si ses yeux étaient noirs, comme on pouvait s'y attendre pour un vampire, il y avait un éclat joyeux autour de l'iris.

— Assieds-toi, assieds-toi, me proposa-t-il en me montrant un banc sur lequel il enlevait la neige.

Malgré tout, le siège ne me paraissait pas très accueillant.

— On pourrait peut-être aller discuter dans un café ? suggérai-je.

Je soufflai sur mes mains pour essayer de les réchauffer et regardai ses mitaines avec convoitise.

— Oui. Pourquoi pas ? Je crois que je me prends pour un membre des services secrets avec ce rendez-vous dans un parc désert. J'adore les romans d'espionnage, tu sais.

— Moi aussi.

— Ça ne m'étonne pas. Vu qu'on est parents... Nous devons avoir plein de points communs.

— Nous sommes parents ?

— Oui, oui. J'aurais dû le préciser dans le message. Tu aurais peut-être été moins effrayée.

— Comment ?

— Je suis ton oncle. Le frère de ta mère.

Je m'arrêtai net et le dévisageai, à la recherche de quelque chose de familier dans son visage. Une ressemblance avec ma mère biologique ou moi.

— Vous ne ressemblez ni à elle... ni à moi.

Les joues roses de Dorian pâlirent.

— Eh bien, en fait, je suis plutôt son demi-frère. Ton grand-père a eu une relation extraconjugale... Et j'en suis le résultat ! ajouta-t-il avec un grand sourire.

– Vous allez quand même pouvoir m'apprendre des choses sur mes parents biologiques, n'est-ce pas ?

– Bien sûr. Mais allons d'abord nous mettre au chaud. Tu trembles.

C'était vrai. Je tremblais de froid mais aussi d'excitation. Le vampire avec lequel je me trouvais était mon oncle. Il avait connu mes parents biologiques... Finalement, après presque dix-huit ans, j'allais apprendre qui ils étaient vraiment. Et je me sentais prête.

Dorian m'offrit son bras.

– Allons-y, Antanasia. Nous avons tant de choses à nous raconter.

Côte à côte, nous traversâmes le parc dans le froid, et nous rendîmes au Baratin, le bar le plus proche. Avant de pousser la porte, Dorian fit une pause pour lire l'enseigne. Un sourire illumina son visage.

– J'ai compris ! Que c'est drôle ! Ah les Américains et leurs jeux de mots ! À Bucarest, il se serait appelé « Café ». Les communistes ont vraiment tout gâché.

Nous passâmes commande – un déca pour moi et un double *latte* avec crème fouettée et chocolat pour Dorian – puis nous choisîmes une table dans un coin de la salle. Dorian aspira la crème comme s'il s'agissait du sang d'un steak.

– Avant qu'on en arrive aux histoires de famille... C'est moche ce qui s'est passé hier soir, hein ? commença-t-il en essuyant sa moustache de lait avec une serviette. Mais tu as vu le vrai Vasile. Il adore tout ce qui est théâtral. Pour lui, tout tourne autour de la mise en scène.

Malgré la chaleur, cette remarque me refroidit tout à coup.

– Alors ce qui est arrivé à Lucius, c'était juste pour le spectacle ? Pourtant ça ne ressemblait pas à de la comédie. Son nez cassé semble affreusement réel.

Dorian était en train de boire. En entendant cela, il s'arrêta net et posa sa tasse.

– Non ? Vraiment ?

– Oui.

– Oh, mon Dieu. Je pensais qu'ils avaient dépassé ce stade. Ce n'est pas bien. Pas bien du tout. Je ne pensais vraiment pas qu'ils lèveraient de nouveau la main sur lui. Je ne pensais pas qu'ils avaient le cran de se battre contre lui. Moi, je n'aurais jamais osé.

– Ils étaient quatre contre un, lui rappelai-je.

– Même, assura Dorian. Je ne prendrais pas le risque. Comment va-t-il ? Comment cela s'est-il passé ?

Comment mettre des mots là-dessus ?

– Si mal que ça ? demanda Dorian, visiblement peiné. Vasile n'a jamais montré de réel intérêt pour les enfants. Mais Lucius s'en est plutôt bien sorti, non ? C'est un jeune homme très bien. Un vampire remarquable. Tout le clan Vladescu peut être fier de lui. Mais il n'est pas surprenant que Lucius se rebelle, étant donné l'éducation stricte que lui a donnée Vasile.

Je passai le doigt sur le bord de ma tasse.

– Que va-t-il arriver à Lucius ?

– Eh bien, sa lettre a vraiment surpris les Aïeux. Nous pensions tous que ce serait avec toi que nous aurions des problèmes, par rapport au pacte. Les Américains ne semblent pas habitués aux pactes de sang. C'est plutôt un truc d'Européens. J'ai essayé de le leur faire remarquer. Mais personne ne m'a écouté. Ils étaient absolument sûrs que tu finirais par changer d'avis.

– Changer d'avis ?

– Il suffit de regarder Lucius. Il faut bien se rendre à l'évidence qu'il fait tourner la tête de toutes les jeunes filles. À Bucarest, il est très populaire auprès des débutantes qui sont attirées par les forces obscures…

285

Je n'avais aucune envie d'en savoir plus sur les anciennes conquêtes de Lucius.

— Donc vous pensiez que je finirais par tomber amoureuse de lui et qu'il supporterait tout ce qu'on lui infligerait ?

Dorian, la tête légèrement penchée, sembla considérer la question.

— Oui. Je crois que c'est ça. Et tu es bien tombée amoureuse, non ? Tu l'aimes vraiment ?

Je rougis.

— Je ne sais pas si c'est de l'amour...

— Nous avons tous vu comment tu regardais Lucius. Et Vasile, malgré tous ses défauts, est très doué pour lire dans les pensées des autres vampires. Meilleur que la plupart d'entre nous. Il a tellement d'expérience avec son grand âge. Il a eu le temps de perfectionner tous ses talents...

— Je ne suis pas encore un vampire, corrigeai-je.

— Mais tu ressens la soif, non ? me demanda Dorian, plein d'espoir. Tu dois déjà...

Je regardai autour de moi pour m'assurer que le café était vide.

— Oui, avouai-je à voix basse pour que le serveur, derrière le comptoir, n'entende pas. Parfois.

— Tu peux t'attendre à bien d'autres découvertes, Antanasia. Ton premier Rouge Sibérien – particulièrement le groupe O, année 1972..., dit-il en levant les yeux au ciel et en se léchant les babines. Oh, ça c'est quelque chose. Vraiment.

— Pas si je ne deviens jamais un vampire accompli. Pas si l'on ne me mord pas.

— Ah oui, le pacte. Et notre garçon rebelle, Lucius. Il faut que nous... ou plutôt que tu le ramènes à la raison et t'assures que le pacte soit respecté.

— Comment, moi, je pourrais faire ça ?

– Tu l'aimes. Tu peux lui faire entendre raison. C'est assez simple.

– Ce n'est pas simple du tout. Lucius ne veut plus du pacte. Et puis il a une petite amie.

– Lucius est en pleine rébellion. Il fait sa crise d'adolescent. Mais il en reviendra. Il reviendra vers toi.

Je finis de boire mon café.

– Vous vous trompez totalement.

Dorian n'avait pas vu le récent comportement de Lucius à mon égard. Au petit déjeuner, il s'était montré très distant. Refermé sur lui-même. Quelque chose avait changé en lui depuis qu'ils l'avaient battu. Le rire, le sarcasme, la légèreté... tout cela avait disparu. Volatilisé. Lucius était différent à présent. Sérieux. Effrayant.

– Il faut qu'on essaie, dit Dorian tandis que je me demandais s'il était capable de sonder mon esprit comme Vasile. Tu peux le faire. Tu es la fille de Mihaela Dragomir. Et ma foi, cette femme pouvait accomplir tout ce qu'elle avait décidé.

De l'autre côté de la table, mon oncle me fixait intensément.

– Qu'est-ce qu'il y a ? demandai-je un peu sèchement.

– Quand je te regarde, j'ai l'impression de la voir. Tu lui ressembles tellement. Tu es son portrait craché, pour utiliser votre expression dégoûtante. Une femme vraiment très belle. Quel gâchis, soupira-t-il.

– Dorian, pourquoi ne prenez-vous pas le pouvoir à la tête de notre clan ? Vous êtes un Aïeul. Ne pourriez-vous pas arranger la situation ? Et modifier le pacte ?

– Je te l'ai dit. Mon sang n'est pas pur. Tu es la dernière héritière de sang pur des Dragomir. Tu es la seule à pouvoir accéder au trône. Nous comptons tous sur toi. Nous comptons sur le sang qui coule dans tes veines. Ta mère, Mihaela... Elle avait tout d'une reine. Il en était de même pour ton père. Tu as des origines pures. Vraiment.

— Si le pacte n'est pas respecté, y aura-t-il vraiment la guerre ?

— Les Dragomir et les Vladescu commencent déjà à s'impatienter. On entend des grondements de méfiance des deux côtés. Votre mariage est censé fournir la stabilité — pour assurer un partage équitable des pouvoirs entre ces deux clans qui s'affrontent pour la suprématie depuis plusieurs générations. Mais dès que la rumeur sur le non-accomplissement du pacte s'est répandue, l'instabilité est réapparue, plus forte que jamais. La situation est explosive.

— Des vampires sont-ils en danger de mort ?

— Les vampires ne meurent pas, fit remarquer Dorian. Mais ils peuvent être détruits — et ça c'est bien pire que la mort. Mais pour répondre à ta question : oui. Il y a des vampires en danger de destruction. La trêve permise par tes fiançailles avec Lucius est terminée. La guerre a recommencé.

Une vraie guerre. À cause de moi.

— Cette première trêve avait été imposée grâce à tes parents. C'est toi qui permettras l'ultime trêve.

— Parlez-moi d'eux. Je veux tout savoir.

Un sourire chaleureux illumina son visage et il s'adressa au serveur derrière le comptoir.

— S'il vous plaît. Je pense que nous allons avoir besoin de toute une cafetière.

Puis il se retourna vers moi.

— Il y a tellement de choses à dire, ma future princesse.

45.

— Qu'est-ce que tu fais là ? demanda Jake, visiblement mécontent de me voir l'attendre à côté de son casier.

Je fis un pas de côté pour qu'il puisse l'ouvrir. J'avais l'impression que le jour où il s'était débattu avec son cadenas remontait à des années. Tant de choses étaient arrivées depuis la rentrée.

— Je voulais te voir. Pour qu'on parle de ce qui s'est passé au bal.

— Tu m'as fait passer pour un idiot, lâcha Jake en ouvrant brusquement la porte qui claqua contre le casier d'à côté.

— C'est moi qui suis passée pour un monstre. C'est moi qui...

— Tu n'as pas besoin de décrire ce qui s'est passé, dit Jake en balançant ses livres dans le casier. Je vous ai vus, Lucius et toi. J'étais là... au cas où tu l'aurais oublié.

— Je mérite cette réaction. Mais je voulais juste te dire que j'étais désolée.

— Pourquoi as-tu voulu y aller avec moi ? J'étais le lot de consolation, parce que Lucius sortait avec Faith ? Même s'il a laissé traîner ses mains un peu partout sur toi au bal, il me semble quand même qu'il a une petite amie.

Jake voulait me blesser, et il avait réussi. Mais c'était légitime après ce que je lui avais fait.

– Non, Jake, tu n'es le lot de consolation de personne, assurai-je. Tu es l'un des garçons les plus gentils que je connaisse, et je regrette de t'avoir traité comme ça.

– Ouais, moi aussi. Mais ne sois pas désolée pour moi, Jess. C'est moi qui suis désolé pour toi. Ce mec est peut-être bien un tombeur venu d'Europe, mais il ne sera jamais aussi gentil que j'aurais pu l'être avec toi.

C'était triste, mais je savais que Jake avait raison. La « gentillesse » ne correspondait pas au caractère de Lucius. Le sérieux. La galanterie. L'humour. L'arrogance. Le danger. L'honneur. La passion. Telles étaient les notions qui définissaient Lucius. Mais la gentillesse ? Jamais.

– J'ai vu comment tu le regardais, reprit Jake. Putain, j'ai su qu'on allait rompre le jour même où tu es venu à mon entraînement de lutte. Tu ne me regardais pas. Tu le regardais, lui.

Je n'avais rien à dire. Aucun moyen de me défendre.

– Il va te briser le cœur, Jessica. Ce mec va te détruire.

Après ces mots, mon premier petit copain se retourna et sortit de ma vie… avec une dignité qui n'avait rien de celle d'un paysan.

Je restai là, à regarder Jake s'éloigner, songeant qu'il était vraiment curieux qu'il utilise ce mot très courant chez les vampires pour définir ce que Lucius finirait par m'infliger.

Me détruire.

C'était vraiment bizarre… Parmi tous les verbes que Jake aurait pu utiliser – blesser, écraser, dévaster, humilier –, il avait choisi ce terme-là. Cela me troubla, comme s'il s'agissait d'une prémonition.

Mais pourquoi ?

Tu le sais très bien, Jess… Au fond de toi, tu sais que tu as de bonnes raisons de craindre Lucius…

J'étais la seule héritière de sang pur pouvant être à la tête d'un clan qui avait affronté celui de Lucius pendant des générations. J'étais censée hériter du pouvoir que sa famille avait toujours voulu prendre. Si je ne me trouvais pas sur son chemin… Je me souvins de l'étrange remarque de Lucius, au bal de Noël.

« *Je t'en prie, sache que je ne pourrai jamais te faire de mal. Peut-être qu'avant de te connaître, si tu t'étais retrouvée en travers de mon chemin vers le pouvoir… Mais pas aujour-d'hui… Mon Dieu, j'espère bien que non…* »

Non. Lucius ne me ferait jamais aucun mal, même pour faciliter son accession au pouvoir. Je me raccrochai à la première partie de sa déclaration. « *Je ne pourrai jamais te faire de mal.* »

Puis je pensai au nouveau Lucius. Le jeune homme distant, en colère, meurtri qui ne croisait même plus mon regard. Ce Lucius-là pourrait-il me blesser ?

Je refusais d'y croire. S'il y avait une certitude à laquelle je voulais me rattacher dans ma nouvelle vie chamboulée, c'était la promesse que Lucius m'avait faite de me protéger, même si cela devait lui coûter la vie.

Pourtant, la mise en garde sinistre de Jake continuait de me mettre mal à l'aise – à me rendre presque malade.

46.

— Lucius, je t'ai apporté un chocolat chaud, dis-je en passant ma tête par la porte de sa nouvelle chambre, un plateau dans les mains. C'est au lait de soja, mais ce n'est pas trop mauvais.

Les yeux fermés et les écouteurs sur les oreilles, il était étendu sur son lit improvisé, un matelas gonflable posé à même le sol. La lampe de bureau fournissait la seule lumière de la pièce et projetait des ombres tout autour de lui. J'eus le temps de l'observer une seconde avant qu'il ne s'aperçoive que j'étais là et se détourne de moi, comme à son habitude. Ses hématomes avaient presque disparu et son œil avait désenflé. Je posai le plateau et mis une main sur son épaule.

Il sursauta et enleva ses écouteurs avant de se redresser.

— Évite de me surprendre comme ça. Cela ne se fait pas. Ne le sais-tu pas encore ?

Je reculai d'un pas en voyant l'expression sévère sur son visage.

— Désolée. J'ai juste préparé du chocolat chaud, et j'ai pensé que…

— Je n'aime pas le chocolat.

— Tu viens de finir un autre pot de crème glacée au tofu de papa. Alors ne me dis pas que tu n'aimes pas le chocolat. Allez, tiens…

Lucius repoussa ma main, et je renversai du chocolat par terre.

– Jessica, il est tard. Va te coucher.

Je l'ignorai et m'assis en tailleur à côté de lui pour boire mon chocolat.

– Qu'est-ce que tu écoutes ?

– Du métal allemand. Richthofen.

Après avoir posé ma tasse, je tendis le bras vers les écouteurs.

– Je peux écouter ?

Il accepta en serrant les dents.

– Si tu veux.

Au moment où je posais les écouteurs sur mes oreilles, mon cœur se serra. Cela ressemblait à de la musique destinée à des esprits tourmentés qui se dirigeaient droit vers l'enfer. Des paroles gutturales en allemand, des synthétiseurs grondants, et aucune mélodie. Juste des hurlements et des grognements. C'était effrayant.

– Qu'est-il arrivé aux Black Eyed Peas ? demandai-je en m'efforçant de plaisanter.

– Je trouve que ça correspond bien mieux à mon état d'esprit.

– Lucius…

– Jess, va-t'en.

– Arrête de me repousser.

– Arrête d'essayer de te rapprocher !

Je serrai mes genoux contre ma poitrine.

– Je m'inquiète pour toi.

– Il est trop tard pour s'inquiéter.

– Non, c'est faux. On peut arranger les choses.

– Jessica, dans quelques semaines, je rentrerai en Roumanie et j'affronterai la punition que je mérite pour les avoir défiés. Laisse-moi tranquille jusqu'à mon départ. C'est tout ce que je te demande.

– Mais Lucius, je veux t'aider.

Il eut un rire bref et amer.

— Toi ? Tu veux m'aider ?

— Ce n'est pas drôle. Je peux t'aider. Je suis certainement la seule personne qui puisse le faire.

— Comment ?

— En me mariant avec toi, voilà comment.

L'espace d'un instant, son regard s'adoucit. Puis il se frotta les yeux, écrasant ses bleus comme s'il voulait s'infliger une nouvelle punition.

— Jessica...

Je profitai de l'occasion pour me pencher vers lui et attraper sa main.

— Nous pourrions le faire. Je veux le faire.

Lucius retira sa main.

— Tu ne te rends même pas compte de ce que tu dis, Jessica. Tu as simplement pitié de moi. Je ne me marierai pas juste pour qu'on me sauve comme un chien errant et mal en point, qu'on adopte pour lui éviter l'euthanasie. Je préfère encore être détruit avec dignité.

— Je n'ai pas pitié de toi.

— Non ?

— Non, murmurai-je, des larmes dans les yeux. Je t'aime, Lucius.

Je n'arrivais pas à croire que ces mots étaient sortis de ma bouche. J'avais toujours pensé que la première fois que je les prononcerais, ce serait dans un moment parfait. Pas un moment désespéré comme celui-là.

Il y eut un long silence, et le regard de Lucius s'assombrit de nouveau.

— C'est tout aussi pitoyable, Jess.

Puis il se rallongea sur le côté, comme s'il voulait dormir.

Je sortis de la chambre en courant et me précipitai dans les bras de ma mère. Elle m'amena jusqu'à sa chambre et referma la porte derrière nous.

– Que faisais-tu avec Lucius ? me demanda-t-elle en sortant un mouchoir d'une boîte avant de me le tendre.

– On discutait, répondis-je en essuyant mes larmes qui ne voulaient pas s'arrêter de couler.

– Et qu'est-ce qu'il t'a dit ? Pourquoi pleures-tu ?

– J'ai dit à Lucius que je l'aimais, avouai-je en serrant le mouchoir très fort. Que je voulais qu'on se marie.

Les yeux de ma mère s'écarquillèrent. Son calme légendaire sembla s'évanouir.

– Et qu'est-ce qu'il t'a répondu ? s'enquit-elle d'une voix basse et régulière, mais qui ne parvenait pas à dissimuler son inquiétude.

– Il m'a dit non. Qu'il préférait être détruit plutôt que m'épouser pour ce qu'il croit être de la pitié.

Ma mère sembla visiblement soulagée. Elle ferma les yeux et posa ses doigts sur sa bouche. Je l'entendis murmurer :

– Quel brave garçon, ce Lucius. Quel brave garçon...

47.

— Jess, on va être en retard au cours de maths, lança Mindy en me tirant par le bras dans le couloir.

Je résistai.

— Je n'ai pas envie d'y aller. Je pense que je vais sécher les cours.

— Encore ? s'étonna Mindy, inquiète. Jess, tu ne séchais jamais les cours avant. Maintenant, tu n'y vas presque plus. Et puis c'est le cours de maths, Jess. Ton préféré !

— Ça ne me dit plus rien.

— Qu'est-ce qui t'arrive, Jessica ? C'est à cause de Lucius ? J'ai remarqué que vous aviez changé, tous les deux. Et il a des bleus... Qu'est-ce qui se passe ?

— C'est rien, Mindy.

— Tu sèches les cours, Jake c'est de l'histoire ancienne, on dirait que Lucius est sur le point de commettre un meurtre, et il n'y a rien de spécial ?

Je me dirigeai vers les toilettes.

— Contente-toi d'aller en cours, OK ? Je vais attendre ici le temps que les couloirs soient vides pour pouvoir sortir.

— Je m'inquiète pour toi, Jess, dit Mindy en serrant ses livres contre sa poitrine. Vraiment.

— Il n'y a rien de grave, promis-je.

Rien d'autre qu'un cœur brisé, un pacte annulé et une guerre qui menace d'éclater, songeai-je. Comment pourrais-je me concentrer sur des livres ennuyeux, des devoirs inutiles et des cours fastidieux alors que tout était en train de s'écrouler autour de moi ? Et que des vies étaient en danger ?

— Je t'appelle plus tard, OK ? ajoutai-je pour la rassurer.

Mindy resta là, comme tétanisée, et me regarda me glisser dans les toilettes où j'allais me cacher. Mais même là, le malheur ne me laissait pas tranquille.

Alors que je me tenais dans une cabine, à attendre que la cloche sonne, Faith Crosse entra avec son amie Lisa Clay. Près de la porte, il y avait un espace par lequel je pus les observer se poster devant le miroir pour une séance d'auto-vénération.

— Alors, t'en es où avec le Délicieux Lucius ? demanda Lisa en cherchant un gloss dans sa trousse. D'abord, qui lui a fait cet œil au beurre noir ?

— Il ne veut pas me le dire, répondit Faith en se brossant les cheveux. Tu connais Lucius. Il est plutôt mystérieux. Mais depuis que c'est arrivé, on dirait qu'il est devenu fou.

Lisa étalait du blush sur ses joues.

— Fou dans le bon ou le mauvais sens du terme ?

— Fou de moi, gémit Faith en levant ses yeux bleus au ciel. Il ne veut plus me laisser seule. Il me suit partout. C'est si… intense.

Lisa tourna la tête à droite puis à gauche pour vérifier son maquillage.

— Ah, les mecs. Tous des obsédés.

— Ouais, mais là, c'est plus qu'une obsession. Comme s'il n'en avait jamais assez. Lorsqu'on va dans son appartement derrière la maison des Packwood, il me pousse sur son lit et se jette sur moi.

Il couche avec Faith.

297

Mes dents me firent soudain tellement mal que j'eus l'impression que mes crocs allaient percer ma gencive. J'étouffai alors un cri en mettant ma main sur ma bouche, ce qui fit redoubler ma douleur. Et ma soif... J'avais tellement besoin de sang... Il fallait que j'en boive. Lucius couchait avec Faith Crosse chez moi. Mon fiancé me trompait, moi, sa princesse...

— Mais je lui répète toujours la même chose, poursuivit Faith, inconsciente de mon tourment silencieux dans les toilettes juste à côté. Je ne veux pas gâcher mon avenir, juste pour prendre du plaisir – surtout tant que ma mère ne veut pas que je prenne la pilule. Je ne veux pas me retrouver en cloque avant d'entrer à Stanford.

Alors il ne s'agissait pas de sexe. J'essayai de réprimer ma jalousie et ma rage. Mais mes dents continuaient à me faire mal, rien qu'en imaginant Lucius sur la couverture en velours avec Faith. Tremblante, je posai une main sur le mur carrelé et froid. J'avais mal mais je m'efforçai de me calmer.

— Ouais, fit Lisa. Je me demande pourquoi les mecs ne peuvent pas se contenter d'une...

Elle mit ses mains en cornet près de l'oreille de Faith pour lui murmurer quelque chose que je n'entendis pas. Mais en entendant leurs ricanements, je devinai de quoi il s'agissait.

— C'est vrai, dit Faith en riant. Enfin, c'est pratiquement la même chose que d'aller jusqu'au bout. Et puis il y a cette chose que Lucius fait tout le temps et qui est presque mieux que...

Elle s'interrompit, comme si elle réalisait qu'elle en avait trop dit.

Mon cœur s'arrêta de battre, et j'oubliai jusqu'aux élancements dans ma bouche et ma terrible soif.

Quoi ? QUELLE CHOSE ?

— Allez, ne me laisse pas sur ma faim, supplia Lisa en tenant son amie par le bras. Qu'est-ce qu'il fait ?

Faith hésita une seconde de plus, mais ne put se retenir plus longtemps.

— C'est juste... Ce truc avec sa bouche. Dans mon cou.

En plus de s'être arrêté, mon cœur se serra, comme si une immense main écrasait le muscle dans ma poitrine pour essayer de l'arracher. *Non, Lucius. Ne fais pas ça. Ne nous trahis pas plus que tu ne l'as déjà fait. Et ne risque pas une punition encore plus grave en rompant le pacte de façon irréparable. Pas maintenant. J'ai besoin de temps pour arranger les choses.*

— Comment ? demanda Lisa d'une voix aiguë. Comme un suçon ? Les suçons, c'est un truc de collégiens. C'est nul.

— Non, dit-elle en secouant la tête, songeuse. Ce n'est pas un suçon. C'est... Je ne peux pas le décrire. C'est génial en tout cas. Comme quelque chose de dangereux. Comme si on faisait quelque chose de vraiment mal.

Elle s'arrêta pour attraper un élastique et attacher sa cascade de cheveux blonds en une queue-de-cheval haute.

— Comme si j'aimais ça mais que je ne devrais pas.

— C'est dommage que Lucius ne donne pas des cours à mon mec. Allen n'est pas très doué.

— Je ne sais pas si c'est quelque chose qui s'apprend. C'est juste quelque chose que Lucky fait.

Lisa désigna le cou de sa copine.

— En tout cas, ça laisse des traces. Tu veux du maquillage pour camoufler ça ?

Faith se contorsionna pour voir la partie de son cou, près de son oreille. Elle passa ses doigts sur une longue marque rouge en souriant. Elle se souvenait.

— Ah Lisa..., soupira-t-elle. Si tu pouvais ressentir ça.

— Tu as vraiment de la chance d'avoir un copain comme lui, dit-elle en faisant la moue. Vraiment beaucoup de chance.

Lorsqu'elles partirent, je m'effondrai contre la paroi, le souffle court, et attendis que la douleur et la soif resurgissent. J'attendis que le vampire qui était en moi et désespérait de s'épanouir pleinement émerge, pour finalement se calmer et disparaître à nouveau.

Lucius… Qu'est-ce que tu fais ?

48.

– Il va mordre Faith Crosse, informai-je Dorian.

– Non, non, non, objecta-t-il en saupoudrant son cappuccino de cannelle. Ce n'est pas possible. Je ne peux tout simplement pas y croire.

– Dorian, j'ai vu sa petite amie, Faith, dans les toilettes du lycée. Elle a raconté que Lucius lui faisait des trucs bizarres dans le cou. Avec sa bouche. Et elle avait des égratignures.

Dorian posa sa tasse et son regard s'assombrit.

– De grosses égratignures ?

– Je ne sais pas. J'étais trop loin pour bien les voir. C'est important ?

– Pas vraiment. Tant qu'il ne plante pas ses crocs…

Dorian mima des crocs avec deux doigts.

– Ça, ce serait une mauvaise nouvelle, reprit-il.

– Pour Lucius ou pour Faith ?

– C'est difficile de savoir pour elle. Je veux dire, bien sûr, s'il ne suce pas tout le sang de cette Faith – ce qui la tuerait sur le coup –, eh bien, elle deviendrait une non-morte. Et ça, c'est quelque chose que certaines filles regrettent lorsqu'elles le font sur l'impulsion du moment. Ce n'est pas quelque chose que l'on doit entreprendre sans y être préparé. Et les filles qui n'ont pas d'origines vampiriques comme toi… ces filles deviennent de vraies saletés au bout d'à peine un siècle. Elles n'aiment pas boire du sang. Elles n'acceptent pas leur nouveau mode de vie. Elles regrettent de ne pas avoir épousé un humain normal, avec une voiture familiale et des enfants. Ce sont des pleurnichardes. Des fauteuses de trouble. Il suffit de rester quelques minutes avec elles pour n'espérer qu'une chose : qu'on nous enfonce un pieu dans le cœur au plus vite. Lucius pourrait bien regretter cette faiblesse passagère après seulement un millénaire.

– Ce que vous voulez dire, c'est que, s'il la mord, ils se marieront ?

Je détestais le sentiment de jalousie – ce péché biblique de convoitise – qui me consumait alors. La douleur me picota les gencives. Je frottai ma mâchoire.

– Ça fait mal, hein ? me demanda Dorian.

– Ça se voit tant que ça ?

– Lorsqu'on en connaît les signes, oui. Mais fais-moi confiance, c'est une bonne chose. C'est lorsque les crocs ne font pas mal qu'il faut s'inquiéter.

– Je sais. J'ai lu le livre.

– Lucius t'a donné un exemplaire du *Guide* ? s'exclama Dorian avec un grand sourire. C'est un classique !

– Oui, il m'est très utile. Mais à propos de Lucius et Faith…

– Ah oui. Si Lucius se pliait aux conventions – et je pense qu'il le ferait –, alors ils se marieraient. Tu ne peux pas mordre une jeune vierge innocente et faire comme si de rien n'était. Ça ne marche pas comme ça.

La douleur redoubla d'intensité.

– Je n'arrive pas à croire que Lucius serait lié à elle pour l'éternité.

Dorian secoua la tête, et évita mon regard en reversant de la cannelle dans sa tasse.

– Non. Il ne le sera pas.

– Mais tu viens de dire que Lucius se plierait aux conventions…

– Dans cette situation, les conventions et l'honneur sont envoyés aux oubliettes. Si finalement Lucius rompt le pacte, l'identité de celle qu'il mordra aura peu d'importance. Vasile ne supportera pas une telle insubordination. La raison pour laquelle les vampires ont survécu jusqu'à aujourd'hui est bien leur sens de la justice très stricte. Rompre un traité entre deux clans… mériterait la destruction immédiate.

Ma jalousie fut tout de suite remplacée par une peur incommensurable.

– Quoi ?

– La Destruction. Avec un D majuscule.

Je m'attendais à ce qu'ils le punissent, même sévèrement. Même Lucius avait peur de ce qu'ils étaient capables de faire. Mais je n'avais jamais pensé qu'ils iraient jusqu'à le détruire.

– Mais c'est leur prince…

– Et les princes peuvent être sacrifiés. Ce n'est pas comme s'ils étaient déjà des rois.

Ma gorge était tellement serrée que j'avais du mal à parler.

– Combien de temps Vasile lui laissera-t-il pour obéir ?

– Il est déjà menacé, admit Dorian. Vasile est déterminé à faire plier Lucius, mais il n'attendra pas éternellement.

Mon oncle imita quelqu'un lui enfonçant ce que je devinai être un pieu dans le cœur.

– Et puis… pouf.

L'air chaud et empli d'effluves de café devint soudain glacial.

– Est-ce vraiment ainsi que ça se passe ? Avec un pieu ?

– En fait, c'est la méthode la plus sûre, expliqua Dorian, confirmant ainsi la déclaration de Lucius. Testée et approuvée à travers les âges.

L'image de Lucius frappé en plein cœur – ou plutôt de Vasile donnant un coup fatal juste au-dessus de ses côtes tant de fois brisées – était insupportable. C'était comme si je pouvais ressentir ce pic de bois brut transpercer ma chair, à tel point que je posai ma main sur ma poitrine. Mes parents avaient-ils fait de même, dans leurs derniers instants ?

– Qu'arrivera-t-il à Lucius après ça ? dis-je en m'efforçant de faire disparaître cette image de ma tête.

– Que veux-tu dire par là ?

– Euh… son âme.

– Ah, ça. Son âme appartient au clan. Il n'y a pas d'histoire d'enfer et de paradis comme chez vous. L'âme d'un vampire est différente. Le clan donne, et le clan reprend. Bon, parfois, ce sont des foules enragées qui reprennent notre âme. De toute façon, on va en enfer. Alors autant disparaître.

Je ne pouvais pas supporter l'idée d'un monde sans Lucius. Mais je me sentais impuissante.

– Il refuse toujours d'honorer le pacte, même après que je lui ai dit que je l'aimais. Que je voulais me marier avec lui.

Le visage de Dorian s'illumina.

– Tu l'aimes vraiment, n'est-ce pas ? Tu peux me le dire à moi.

– Oui.

– Alors ne le laisse pas mordre cette Faith Crosse, même si cela signifie devoir le suivre vingt-quatre heures sur vingt-quatre, me conseilla Dorian en sirotant son cappuccino. Parce qu'à la seconde où il la mordra, les douze coups de minuit sonneront pour Lucius Vladescu. Je peux te le garantir.

Lucius détruit. Un monde sans lui. Je ne pouvais pas l'imaginer. Mais j'ignorais comment éviter cela.

Je passai toute la nuit à me tourner et me retourner dans mon lit, me remémorant comment je m'étais sentie lorsque j'avais cru Lucius mort. Cet air froid soufflant dans ma poitrine vide… me déchirant tel un pieu.

S'il n'honorait pas le pacte, j'avais bien peur qu'il ne soit pas le seul à être détruit. Cela me détruirait aussi.

49.

— Mince, les voilà, soupirai-je.

De ma fenêtre, j'apercevais Lucius et Faith qui traversaient la cour dans l'obscurité.

Je détestais espionner Lucius, mais je ne savais pas quoi faire d'autre. Je devais l'empêcher de mordre Faith. Alors j'attendis quelques minutes avant de les rejoindre.

— Salut vous deux, lançai-je en faisant irruption sans frapper à la porte. Qu'est-ce que vous faites de beau ?

Comme si je ne l'avais pas deviné…

Faith fit un bond en arrière pour se décoller de Lucius et arrangea ses cheveux et sa jupe qui était relevée.

— Bon sang, Jenn. Tu ne sais pas frapper aux portes ? Certaines personnes ont une vie sexuelle.

Lucius ne fit aucun effort pour paraître plus présentable. Il se contenta de s'asseoir sur le lit, le bras toujours autour de la taille de Faith, caressant lentement sa hanche.

— Que fais-tu là, Jess ?

— Peut-être qu'elle veut ses casseroles, se moqua Faith. Tu sais, pour faire cuire ses lèvres.

— On ne sent même plus l'odeur du lièvre, rétorquai-je. L'odeur de l'eau oxygénée est tellement forte. Tu devrais faire attention avec les décolorants, Faith, ou tu vas finir chauve.

– Ça pourrait être pire, lança-t-elle en désignant ma coiffure. Il vaut mieux être chauve qu'avoir une tête de caniche.

– Je préfère avoir une tête de caniche qu'être une vraie chienne.

Je pense que personne n'avait jamais parlé ainsi à Faith Crosse. J'avais du mal à croire que je l'avais fait. Mais la vache, quelle satisfaction !

Assommée, Faith s'assit et se recroquevilla contre Lucius. Puis elle s'écarta et pointa un doigt vers lui.

– Tu as entendu ce qu'elle vient de dire, Lucky ? Tu vas la laisser me traiter de chienne ?

Lucius émit un rire forcé, et l'attira vers lui.

– Oh, Faith, prends-le comme un compliment.

Elle le repoussa.

– Fais gaffe, Lucky.

Lucius fit comme s'il n'avait rien entendu et s'adressa à moi :

– Pour la seconde fois : que veux-tu, Jessica ?

– J'ai besoin d'aide avec Belle dans l'écurie, mentis-je. Je crois qu'elle boite, mais j'aurais besoin de ton avis. Tu connais mieux les chevaux que moi.

– Appelle un vétérinaire. Ce n'est pas mon métier.

– Allez, Lucius. Ça ne prendra qu'une minute.

Juste pour t'éloigner de Faith…

– Il est presque dix heures, fit-il remarquer. Ta jument survivra bien jusqu'à demain matin. Et on est plutôt occupés, là.

Malgré la faible lumière qui éclairait son visage, j'eus l'impression de voir ses crocs.

– Lucius, sois raisonnable, dis-je en abandonnant mon mensonge sur Belle.

– J'en ai marre de ces histoires absurdes, dit Faith en se détachant de l'étreinte de Lucius. À plus, Lucky.

– Ne pars pas, la pria Lucius en la retenant par le bras.

– De toute façon, il se fait tard, Lucius. Et mes parents vont me tuer si je dépasse encore le couvre-feu.

Elle attrapa son sac à main en cuir rouge et déposa un baiser sur les lèvres de Lucius.

– Salut.

Tandis qu'elle passait près de moi, je saisis son bras.

– Au fait, mon nom c'est Jess. Souviens-t'en la prochaine fois.

– Oh, je m'en souviendrai. Et tu le regretteras, me menaça-t-elle avec un sourire méprisant.

Elle avait laissé la porte ouverte en sortant. À peine était-elle dans les escaliers que je m'empressai de la fermer.

– Qu'est-ce que tu lui trouves ? demandai-je à Lucius d'une voix tremblotante à cause de la colère que je n'arrivais pas à contrôler. C'est la personne la plus vile que je connaisse.

– Tu connais pire, Jessica. Je te le garantis, assura Lucius en se levant, les bras croisés. Alors, pourquoi es-tu là ?

– Pour te sauver, idiot. Tu comptes mordre Faith ! Tu as perdu les pédales !

Lucius grogna. Un grognement qui se rapprochait même d'un grondement. Il serra ses poings et se frappa le front.

– Jessica… Ne te mêle pas de ce qui ne te regarde pas.

– Même si tu n'en as rien à faire de moi, ou même du pacte, as-tu pensé à ce qui arriverait à Faith si tu allais jusqu'au bout ? Tu joues avec son âme. J'ai beau la détester, ce que tu fais… c'est mal.

Lucius éclata de rire.

– Faith. Son âme est encore plus corrompue que ce que tu imagines. Ne t'inquiète pas pour elle. Elle ment, triche, vole, et serait certainement capable de tuer pour avoir ce qu'elle veut. J'ai vu à travers l'âme de Faith, et elle est aussi sombre que la mienne. Voilà pourquoi on s'entend si bien. Nous ne faisons qu'un.

Mais c'était faux. Je le savais.

– Tu ne peux pas calquer ta vie sur un roman.

– De quoi tu parles ?

– Elle n'est pas Catherine, et tu n'es pas Heathcliff. Vous n'avez pas à vous détruire l'un l'autre.

– Tu as lu trop de romans. Ce n'est qu'un divertissement, dit Lucius.

– Tu te trompes. Je te connais, Lucius.

– Non ! Tu ne me connais pas !

Les murs tremblèrent lorsque Lucius éleva la voix. Pour autant que je m'en souvienne, c'était la première fois. Et c'était effrayant.

Mais je n'avais pas l'intention de céder.

– Si, je te connais. Tu es un vampire qui a le sens de l'honneur. Tu es noble. Et Faith n'est pas ton égale. Ce n'est même pas un vampire.

– Ah, mais toi non plus, objecta-t-il en s'approchant de moi pour attraper une poignée de mes cheveux bouclés. Tu as changé de coiffure, tu as changé de vêtements, tu as lu le guide, mais tu n'as aucune idée de ce que c'est qu'être un vampire. Tu as bien vu mes oncles. Es-tu vraiment prête à entrer dans ce monde ?

– Je suis née pour régner sur ce monde. Et tu le sais très bien ! C'est toi qui me l'as dit.

Mais Lucius se mit à rire. Il se moquait de moi.

– Vraiment ? Comment peux-tu prétendre accéder au trône alors que tu as déjà du mal à prononcer ces mots ?

– Tu es juste blessé, Lucius. Ne gâche pas ta… – vie ? non-mort ? – ton existence à cause d'une dispute avec ton oncle.

– Sors d'ici.

Il montrait les dents, comme un animal, et respirait très fort. Je voyais ses crocs. Mais je n'avais pas peur. Mes propres dents me faisaient mal. Et j'avais la gorge sèche.

— Non.

— Ne me pousse pas à bout, grogna Lucius dans un grondement menaçant en m'attrapant par les épaules. Tu n'as aucune idée de ce dont je suis capable. N'as-tu donc pas vu ce qu'ils m'ont fait ? Le même sang coule dans mes veines.

— Tu ne me feras pas de mal.

Je reculai et ratissai la pièce du regard. Il me fallait quelque chose pour lui prouver que j'étais la seule à pouvoir le sauver, mais aussi à pouvoir sceller notre destin. Je trouvai ce que je cherchais. Le gobelet. Le gobelet d'Orange Julius qui, je le savais, contenait ce liquide rouge et chaud. Il était sur sa table de chevet. Alors je me jetai dessus, tout en sachant qu'il était plus rapide que moi. Mais l'effet de surprise joua en ma faveur, et je réussis à l'atteindre la première. D'un geste brusque, j'ôtai le couvercle, partagée entre le dégoût et une soif intense.

— Jessica, ne fais pas ça ! hurla Lucius à pleins poumons.

Je fis un pas en arrière et approchai le verre de mes lèvres. Le liquide sirupeux se déversa dans ma bouche. Le sang glissait sur ma langue, descendait dans ma gorge. Je le bus si vite qu'il coula le long de mon menton et de mon cou, et tacha mon chemisier. C'était à la fois collant, salé et doux. Cela avait le goût de la vie… aux portes de la mort. Je bus tout le verre, emportée par le goût, l'odeur… cette odeur forte, qui m'emplissait, qui me satisfaisait enfin.

Lucius me regardait, paralysé, alors que je m'essuyais la bouche avec ma manche. Il demeura silencieux lorsque je lui tendis le gobelet.

— Voilà, déclarai-je, me sentant plus forte que jamais ; forte, et rassasiée, presque à en être malade. Ne me répète plus jamais que je ne suis pas prête pour régner.

Lucius ne disait toujours rien. Il restait là, debout et raide comme un cadavre, serrant le gobelet ensanglanté contre sa poitrine. Je passai près de lui et descendis l'escalier. Ce n'est qu'en bas que je me mis à trembler. Sous la lumière du spot du garage, je m'arrêtai pour que le vent frais me calme. Ma chemise était trempée, mais le sang, avec l'air glacial, coagulait déjà, se transformant en plaques écarlates. J'essuyai de nouveau mon menton. Je n'avais qu'une envie : remonter… et en boire davantage. Alors je restai là un moment pour essayer de me ressaisir et remettre de l'ordre dans mes idées. Et si mes parents me voyaient ainsi couverte de sang ?

Je jetai un œil vers la maison. C'est là que je vis Faith Crosse, qui se tenait à quelques mètres de moi et me fixait.

– J'étais juste revenue pour… J'ai oublié mon portable, bégaya-t-elle en serrant son sac rouge contre sa poitrine.

Ainsi face à face, nous étions comme des images dans un miroir, à part que son torse était couvert de cuir rouge alors que le mien était recouvert de sang. Ses yeux bleus étaient écarquillés.

– Que… qu'est-ce qui t'est arrivé ?

J'allais dire quelque chose – n'importe quoi – mais aucun mensonge ne me vint. Comme si je pouvais expliquer pourquoi mon visage, mon cou et ma poitrine étaient couverts de sang.

Cela n'avait pas d'importance. Faith fit demi-tour et courut vers sa voiture. Je restai là, tremblante de froid et d'émotion, lorsque le crissement de ses pneus s'éloigna dans la nuit.

Je savais qu'après ce que je venais de faire, je ne pourrais plus revenir en arrière. Non seulement cela altérerait ma personne, mais aussi l'avenir. Quelque chose s'était mis en route à l'instant même où j'avais posé mes lèvres sur ce gobelet, et j'étais pleinement consciente que Lucius et moi avions désormais autre chose à craindre que les Aïeux. J'avais déversé un scandale sanguinolent dans le moulin à rumeurs d'un lycée américain – peut-être la seule chose qui pouvait être plus dangereuse que des légions entières de vampires belliqueux et assoiffés de pouvoir.

50.

– Jess, qu'est-ce qui t'est arrivé dans cet appartement ? me demanda Mindy.

Elle me tenait par le bras pour m'empêcher de monter l'escalier qui menait à la salle de chimie. Ses yeux pleins d'inquiétude m'imploraient de la rassurer en lui affirmant que tout allait bien.

– Tu peux tout me dire. Je suis ta meilleure amie.

– Il ne s'est rien passé, mentis-je.

Je mourais d'envie de tout raconter à Mindy. Toute cette histoire complètement folle. J'étais si lasse de porter ce lourd fardeau sur mes seules épaules. Mais je ne pouvais pas. Elle ne m'aurait jamais crue. Et si elle l'avait fait, qu'aurait-elle pensé de moi en apprenant que je buvais du sang ? Que j'avais envie de boire *encore plus* de sang ?

– On va être en retard en cours.

– Je m'en fiche des cours. J'ai juste besoin de savoir ce qui t'arrive. Il y a une rumeur qui circule et qui dit que tu avais du sang sur la bouche, Jess. Que tu es sortie de l'appartement de Lucius couverte de sang.

– C'est la chose la plus stupide que j'ai jamais entendue.

Et encore un mensonge…

313

Mindy laissa glisser sa main jusqu'à la mienne et la serra très fort.

— C'est Lucius, Jess ? Il abuse de toi ? Tu peux me le dire. On pourrait trouver de l'aide !

Oh, mon Dieu… c'est donc ce qu'elle croyait…

— Non, Mindy. Je te le jure. Si c'était ça, je te le dirais. Promis. Lucius n'a jamais posé la main sur moi.

Pas sans que je le veuille… Pas sans que j'en meure d'envie…, songeai-je.

— Ce n'est pas ce que tu crois.

À la façon dont elle me fixait, je réalisai que j'en avais trop dit.

— Mais il y a bien quelque chose, Jess. Tu viens de l'admettre.

Mindy relâcha brusquement ma main, comme si je l'avais trahie. Et c'était bien ce que j'avais fait. J'avais menti à ma meilleure amie, et elle le savait.

— Je ne te crois pas, Jess. Je ne peux pas croire que tu ne me fasses pas confiance, dit-elle d'une voix émue avant de s'éloigner de moi en courant.

Je m'effondrai dans la cage d'escalier déserte, plus seule que je ne l'avais jamais été. J'avais perdu Lucius, puis Jake, et maintenant Mindy. Même mes parents m'apparaissaient comme des étrangers qui vivaient dans ce monde si simple que j'avais quitté. À présent, mon seul ami était un vieux vampire qui adorait le cappuccino.

Et, bien sûr, je me faisais de plus en plus d'ennemis.

— Tiens, tiens. Jessicaca.

Cette voix ignoble venait d'au-dessus. Je levai les yeux et aperçus Frank Dormand et Ethan Strausser sur le palier.

— Fichez le camp.

Ils descendirent les marches d'un pas lourd pour me rejoindre.

314

– Qu'est-ce que tu fous, la cinglée ? me demanda Frank avec un sourire méprisant en me donnant un coup de pied dans le tibia.

Je me levai, prête, presque pressée de les affronter.

– Qu'est-ce que vous voulez ?

– On veut savoir ce qui se passe dans le garage de tes cinglés de parents, dit Ethan.

Je n'avais jamais remarqué à quel point son crâne était gros sous ses cheveux blonds et crépus.

– Vous utilisez beaucoup le mot « cinglé » tous les deux, fis-je remarquer. Vous n'en connaissez pas d'autres ? Vous devriez aller faire un tour à la bibliothèque et ouvrir un dictionnaire. Vous savez où se trouve la bibliothèque, n'est-ce pas ?

– Oh, Jessicaca fait de l'esprit aujourd'hui.

J'essayai de passer mais ils me bloquèrent le passage.

– Pas si vite, dit Frank.

– Ouais, grogna Ethan. On veut savoir ce que ce cinglé...

– Sérieusement, trouve un synonyme.

– Ce que le cinglé qui vit sous ton toit a fait à ma copine.

Sa copine ? Il plaisantait ?

– Je crois que Faith a un nouveau copain. Au cas où tu ne l'aies pas encore remarqué.

Ethan se renfrogna. Son visage rose devenait carrément laid lorsqu'il était en colère.

– Ce mec... il a fait quelque chose à Faith. Il n'est pas normal. C'est comme si... s'il l'avait hypnotisée.

– Je ne vois pas de quoi tu parles. Et ne sois pas mauvais perdant. Jouer au football ne t'apprend donc pas à être fair-play ?

Frank me donna un petit coup sur l'oreille.

– Ne parle pas à Ethan comme ça.

– Je lui parle comme je veux. Et ne t'avise pas de reposer la main sur moi.

– Ou quoi ? Tu vas lâcher ton chien de garde sur moi ? Parce que là, je dis : vas-y !

– On sait tout sur lui, ajouta Ethan d'un ton menaçant.

– Vous ne savez rien du tout.

– On est au courant pour le sang, dit Frank. Et on sait pour Vladescu. On a fait des recherches sur Internet. Ce taré se prend pour un vampire.

C'était la première fois que j'entendais quelqu'un d'autre que Lucius et ma famille utiliser le mot en V. Mon sang ne fit qu'un tour.

– Quoi ?

– Un vampire, répéta Ethan.

– Et tu le sais très bien.

– Vous êtes complètement fous, tous les deux. Vous vous rendez compte de ce que vous êtes en train de dire, au moins ?

– Il y a tout un site sur la famille de Lucius – les Roumains, dit Ethan.

Frank affichait un petit sourire satisfait.

– Et tu sais ce qu'ils leur font, en Roumanie, aux vampires ?

Je déglutis. *Oui, je sais.*

Frank fit un geste pour mimer un pieu que l'on plantait dans son cœur.

– Ils le font. En vrai. Ils l'ont fait à la famille de Lucius. À ses parents. Et nous non plus, on n'aime pas les gens bizarres dans le coin.

Cette dernière phrase était clairement une menace. Je me forçai à rire. Mais mon rire sonna faux et trahit ma peur.

– Vous êtes timbrés.

– Je ne crois pas, non…

Une porte claqua à l'étage au-dessus, puis on entendit des bruits de pas rapides dans les escaliers.

— Ah tu es là ! cria Faith Crosse en se jetant sur Ethan.

Elle se mit à sangloter dans ses bras. Perplexe, il la tenait sans vraiment la serrer.

— Qu'est-ce qui ne va pas, bébé ?

— Ce cinglé m'a quittée...

OK, il fallait vraiment que je leur offre une encyclopédie.

— Il m'a larguée. Moi ! Faith Crosse !

Elle réalisa soudain que j'étais là, et reporta toute sa colère contre moi.

— Toi... vous deux... vous êtes...

— Cinglés ? suggérai-je.

— Oui ! Je vous déteste, lança-t-elle en se retournant vers Ethan pour l'étreindre. Je ne sais pas pourquoi j'ai rompu avec toi. C'était comme s'il m'avait ensorcelée. Mais maintenant, ça me paraît tellement bizarre.

Elle se remit à pleurer, cramponnée à Ethan. Tout cela me semblait un peu exagéré mais Ethan entra dans son jeu. Il lui caressait le dos avec sa grosse main.

— Tu m'as tellement manqué, articula Faith entre deux sanglots. Pourquoi est-ce que je suis sortie avec ce mec ?

Une partie de moi était soulagée. Lucius avait retrouvé ses esprits. Il avait laissé tomber Faith. Peut-être, je dis bien peut-être, comptait-il honorer le pacte...

Mon exultation fut de courte durée. Relâchant son emprise sur Ethan, Faith se tourna vers moi, les yeux plissés et la bouche tordue par la rage. Elle s'adressa à moi, les dents serrées et un doigt pointé sur mon torse :

— Tu diras à ton précieux Lucius Vladescu que personne – personne ne largue Faith Crosse. Il va s'en mordre les doigts.

Faith me fusillait toujours de regard lorsque j'atteignis enfin le haut des escaliers.

— Il me le paiera ! cria-t-elle.

Et je voulais bien la croire.

J'avais provoqué une série de catastrophes en buvant ce verre de sang… Et tout devenait incontrôlable encore plus vite que j'aurais pu l'imaginer.

Je n'aurais jamais cru Frank Dormand capable de faire le lien entre Lucius et le mot « vampire ». Mais il l'avait fait. Et maintenant, Faith était furieuse contre Lucius.

Frank, aussi stupide qu'il soit, était tombé par hasard sur cette vérité délicate. Et Faith était bien le genre de personne à l'utiliser sans aucune pitié.

J'avais sous-estimé mes ennemis.

Lucius aurait appelé cela une erreur de débutant. L'erreur d'une fille qui n'était pas encore prête à diriger une armée de vampires. J'avais tant à apprendre, mais pas assez de temps.

51.

– Lucius ?

Ma voix pourtant basse résonna dans le gymnase désert.

La grande salle était pratiquement plongée dans l'obscurité. Seule une rangée de spots était allumée. À l'autre bout du terrain, Lucius faisait des paniers seul, de façon répétitive et rituelle comme à son habitude : dribble, saut, panier... encore et encore, sans jamais rater un tir. Sans jamais faiblir. Il ne se retourna pas au son de ma voix, et, n'étant pas sûre qu'il m'ait entendue, je traversai le vaste terrain dans sa direction.

– Lucius, répétai-je une fois au niveau de la ligne des lancers francs.

Il marqua un panier et laissa rebondir le ballon avant de se tourner vers moi, perplexe. Et visiblement mécontent.

– Jessica... comment m'as-tu trouvé ?

– Je t'ai vu partir avec le ballon, et il fait trop froid pour jouer dehors. Alors je me suis dit que j'allais venir voir si tu étais ici.

– Comment as-tu fait pour entrer ? L'école est fermée.

– De la même façon que toi. J'ai tapé à la fenêtre du gardien.

– D'habitude, il laisse juste la porte près du gymnase ouverte pour moi. Bien sûr, j'ai fait en sorte qu'il ne regrette pas d'enfreindre les règles.

Une partie de la colère de Lucius semblait avoir disparu, comme ses hématomes. Pourtant, ce n'était toujours pas l'ancien Lucius qui se tenait devant moi. Ce vampire semblait être une nouvelle incarnation.

– Ça va ? J'ai appris pour Faith. Je sais que tu l'as quittée.

– Oui. Notre relation a fait son temps, comme tout le reste.

Je réalisai que Lucius et moi nous trouvions très près de l'endroit où nous avions dansé. La soirée du bal me paraissait si lointaine, alors que seulement quelques semaines avaient passé. À ce moment-là, nous avions été aussi proches que nous étions éloignés à présent dans ce gymnase vide. J'aurais pu me trouver à l'autre bout de cette immense salle, cela aurait été pareil. J'aurais même pu être sur une autre planète.

– J'ai commis une erreur, Lucius. En buvant ce sang. En laissant Faith me voir.

– J'ai fait des erreurs bien pires que celle-là, Jessica. Ne t'inquiète pas inutilement.

– Mais maintenant Frank dit à tout le monde que tu es un vampire, Faith est furieuse, et tout le lycée fait circuler des rumeurs. Même Mindy s'éloigne de moi, effrayée par tout ce tapage.

– Oui, quelle coïncidence.

Lucius n'afficha pas le sourire que j'attendais. Il était étrangement calme. Presque surnaturellement calme.

– Que vas-tu faire, Lucius ?

Il me tourna le dos et ramassa le ballon avec sa grande main.

– Jouer au basket, Jessica. Et attendre.

— Lucius…

— Bonne soirée, Jessica.

Il se remit à jouer pour m'empêcher de dire autre chose, le bruit du ballon rebondissant sur le parquet, le grincement de ses chaussures sur le terrain et le sifflement des tirs dans le panier recouvrant ma voix. Encore et encore.

52.

– Coucou.

M'appuyant contre le mur carrelé du gymnase, je m'affalai près de Mindy, qui avait été éliminée juste avant moi.

– Ça doit faire mal, ajoutai-je.

Mindy évitait de croiser mon regard. Elle observait la partie de balle au prisonnier comme si elle avait parié un million de dollars.

– Ce n'est qu'un ballon.

– Mais cette imbécile de Dane te l'a envoyé en pleine face…

Mindy se décala un peu sur la ligne de touche, toujours sans me regarder.

– Ça ne fait pas si mal que ça.

– Tu es toujours en rogne contre moi ? Ou juste effrayée ?

Mindy haussa les épaules.

– Un peu des deux.

– Ah. Parce que d'abord, c'était comme si tu avais toujours une excuse pour ne pas déjeuner avec moi, et maintenant tu ne réponds presque plus à mes coups de téléphone… Ça fait deux semaines que tu m'évites, Mindy.

Mindy tripotait ses lacets et les renouait avec la même concentration qu'un enfant de cinq ans.

– C'est juste que je suis occupée, c'est tout.

– Ne me dis pas que tu es si occupée que ça.

Finalement, Mindy posa ses yeux sur moi.

– Je suis désolée, Jess, mais...

– Mais quoi ?

– Ça devient trop bizarre pour moi.

– Alors tu crois les rumeurs.

Elle fixait de nouveau la partie sur le terrain.

– Je ne sais pas ce que je dois croire. Et ce n'est pas toi qui vas m'aider à le savoir.

– C'est compliqué. Si seulement tu pouvais me faire confiance le temps que je démêle tout ça...

Mindy se tourna vers moi, et cette fois, je vis de la peur dans ses yeux.

– Jess, ce n'est pas seulement par rapport à toi.

– C'est par rapport à quoi alors ?

– C'est... lui. C'est lui qui t'a transformée. Il t'a fait quelque chose. Et il a fait quelque chose à Faith aussi. Elle nous a montré ses égratignures...

Mindy n'avait pas besoin de dire qui était ce « lui ». C'était Lucius.

– Tout était normal avant qu'il arrive, et il t'a transformée.

Mindy paraissait vraiment malheureuse, comme si Lucius lui avait volé quelque chose ; et je devinai que, pour elle, c'était bien ce qu'il avait fait.

– Ce n'est pas la faute de Lucius, affirmai-je. Ce que je veux dire, c'est que ce n'est la faute de personne, puisque tout va bien.

– Tout ne va pas bien, Jess ! s'emporta-t-elle. Tu sais que j'aime bien Lucius – que je l'aimais bien. Mais les gens disent qu'il n'est pas normal. Les gens ont peur.

– Il n'y a rien à craindre.

Mindy essaya de sourire mais elle n'y parvint pas.

— Si tu le dis, Jess.

— Tu viens toujours à mon anniversaire, hein ?

Dans quelques semaines, j'aurais dix-huit ans. Mindy et moi avions toujours célébré nos anniversaires ensemble. Chaque année depuis nos quatre ans, nous avions toujours échangé des cadeaux, mangé un gâteau et fait des vœux côte à côte.

— Tu seras là, n'est-ce pas ? répétai-je en attrapant sa main.

Mais Mindy la repoussa brusquement et scruta les alentours pour s'assurer que personne ne m'avait vue la toucher. Je compris alors que la tradition ne perdurerait pas.

— Je suis désolée, Jess, dit-elle avec la gorge serrée. Je ne peux pas. Pas s'il est là.

— S'il te plaît, Mindy...

Mais je n'eus pas l'occasion d'essayer de la convaincre car une balle s'écrasa contre le mur juste au-dessus de ma tête. Mon cri de surprise rappela à l'entraîneur Larson que Mindy et moi étions assises là.

— Levez vos fesses de ce banc et ramenez-les ici, ou je vous fais faire des tours de terrain ! brailla-t-elle en frappant férocement des mains. Ne restez pas là à vous empâter !

Je me relevai lentement, dans le but de passer le moins de temps possible sur le terrain (comme je le faisais toujours), mais Mindy, elle, s'était redressée d'un bond et avait rejoint la partie, attrapant la balle et la balançant sur nos camarades de classe comme si elle voulait se venger. Cela me surprit. Je n'avais jamais vu Mindy Stankowicz participer activement au cours de sport. Elle faisait toujours en sorte d'être la première personne éliminée, que ce soit en commettant une faute, ou en étant blessée. Et c'était la meilleure comédienne que je connaissais pour feindre une crampe. Une fois, elle avait même réussi à faire croire qu'elle avait eu ses règles pendant trois semaines d'affilée. Mais là... là, Mindy courait comme une fusée sur le terrain, récupérait toutes les balles qu'elle pouvait, et les renvoyait comme des boulets de canon. Peut-être m'imaginait-elle en face...

— Amène-toi, toi aussi ! cria notre professeur après un coup de sifflet. Tout de suite !

Mais je l'ignorai. J'observai Mindy encore quelques secondes et m'avançai vers les vestiaires, en m'excusant auprès de ma prof de sport avec une telle dignité qu'elle sembla incapable de s'opposer à moi. Elle n'essaya même pas de me rattraper.

53.

– Madame Wilhelm ?

Je levai les yeux d'un gribouillage élaboré que j'étais en train de griffonner sur mon cahier. Frank Dormand agitait sa main potelée pour attirer l'attention de notre professeur. Je n'avais jamais vu Frank lever la main pour quoi que ce soit, alors j'imaginai qu'il était malade ou avait besoin d'une dispense ou... en fait, je n'arrivais pas à trouver d'autre raison pour qu'un abruti comme Frank attire l'attention sur lui pendant un cours. Voilà pourquoi ce qu'il dit alors me surprit autant.

– Oui, Frank ?

Mme Wilhelm semblait perplexe elle aussi.

– J'ai préparé une présentation.

Quoi ?

– Oh. Mon Dieu.

Manifestement, Mme Wilhelm ne savait pas si elle devait se réjouir, être terrifiée ou bien les deux.

– Vraiment ? Pourtant vous n'étiez pas inscrit...

– Je sais. Mais le livre m'a tellement intéressé que je l'ai lu d'une traite...

Sur le visage de Mme Wilhelm, je lus que la curiosité dépassait ses craintes. Entendre qu'un étudiant – et plus particulièrement un élève lamentable comme Frank – avait lu un livre d'une traite devait lui faire aussi plaisir que si elle avait gagné au Loto et trouvé le grand amour en même temps.

— Vraiment ? répéta-t-elle, des étoiles dans les yeux.

Il y avait clairement quelque chose d'anormal dans cette situation. Je lançai un coup d'œil inquiet à Lucius qui était derrière moi, mais lui regardait à peine la scène, les yeux dans le vague, cultivant ce calme étrange.

— Et qu'avez-vous lu ? s'enquit Mme Wilhelm.

— *Dracula*. Et je suis prêt à en parler devant la classe.

Oh non. S'il te plaît, non. Je me tassai sur ma chaise. Nous voilà en terrain miné. Frank et Faith avaient mijoté quelque chose. *Je vous en prie, madame Wilhelm. Dites-lui de se taire.*

— C'est bien, Frank, mais nous ne sommes pas censés aborder Bram Stoker avant encore plusieurs semaines.

— Je sais, mais j'ai trouvé ce livre vraiment génial. Il m'a passionné. Et il m'a beaucoup fait réfléchir aussi. Je tiens vraiment à partager ça avec toute la classe.

Mme Wilhelm hésita encore une seconde mais l'idée qu'un élève aussi médiocre que Frank soit vraiment excité par la lecture d'un livre – un livre qui l'avait fait réfléchir… C'en était trop pour elle.

— Je vous en prie, Franklin. Présentez-nous votre travail.

Frank se leva puis se dirigea vers l'estrade.

Mon cœur s'emballa. Je lançai un coup d'œil à Mindy, mais elle fixait Frank avec attention. Je savais qu'elle était consciente que je la regardais, mais elle ne voulait pas croiser mon regard. Qu'allait-il se passer ? Mon ancienne meilleure amie était-elle au courant ?

Frank défroissa une feuille et s'éclaircit la voix. Puis il se mit à lire, d'un ton monotone et maladroit :

— Ce qui est vraiment surprenant dans *Dracula* de Bram Stoker, c'est que ce livre est basé sur l'histoire vraie d'un vampire qui a vécu en Roumanie. Le vampire s'appelait Vlad l'Empaleur, ce qui rappelle le nom Vladescu.

La ferme, Frank...

Derrière moi, Faith ricana doucement et murmura un « oh, oh ! », juste assez fort pour que Lucius et moi puissions l'entendre.

— Certaines personnes affirment que les vampires existent encore, poursuivit Frank. Si vous regardez sur Internet, il y a énormément d'informations sur des gens qui boivent du sang – du sang humain – et se font appeler vampires. La plupart de ces cinglés vivent en Roumanie, où ils sont tués parce que les gens normaux ne veulent pas vivre avec eux.

Il fit une pause et fixa ostensiblement derrière moi. Vers Lucius. *Non, non, non.*

— Franklin, je ne suis pas sûre que cela soit approprié, bafouilla Mme Wilhelm en se levant.

Mais Frank se remit à lire, plus vite, avant que quelqu'un ne l'interrompe.

— Sur Internet, on trouve même le nom de certains buveurs de sang. Beaucoup de personnes qui se prennent pour des vampires portent le nom de famille Vladescu, comme Lucius. Quelle étrange coïncidence.

— Frank, retournez à votre place immédiatement ! ordonna Mme Wilhelm.

Mais il était trop tard. Les murmures se propageaient, et tout le monde se retournait pour regarder Lucius bêtement. Tout le monde sauf moi. Je me contentais de regarder droit devant moi, peut-être parce que mon cœur s'était arrêté de battre et que j'étais techniquement morte. Mes doigts, qui se cramponnaient au bureau, me semblaient raides et froids.

— Vous pouvez vérifier tout ça sur le Web, conclut Frank en ignorant l'ordre de notre professeur. Des vampires. Comme dans le livre. Voilà, c'était ma présentation.

Frank replia sa feuille et la glissa dans la poche arrière de son jean, un sourire suffisant sur les lèvres. Un sourire qui s'effaça aussi vite lorsqu'une ombre envahit mon bureau.

Lucius, n'explose pas ici.

Mais évidemment, un prince vampire n'allait pas rester tranquillement assis alors qu'on se moquait de lui. Lucius s'avança vers l'estrade. Le sourire de Frank avait complètement disparu.

– Voudriez-vous faire le point sur votre « présentation » pauvre et mal construite, monsieur Dormand ? demanda Lucius en gonflant le torse face à Frank.

Il était dos à la classe, mais on pouvait déceler toute sa colère dans ses larges épaules. Il était tel un chat musclé qui s'apprête à bondir sur un gros rat.

– Lucius, dit Mme Wilhelm en courant vers lui.

Lucius l'ignora. Il se pencha sur Frank et planta son index dans sa poitrine enrobée pour le repousser contre le tableau blanc.

– Parce que si tu as quelque chose à dire, tu devrais le faire de façon plus directe. Tu n'es pas assez malin pour être subtil.

– Allez chercher la sécurité, ordonna Mme Wilhelm à Dirk Bryce, qui était le plus près de la porte. Dépêchez-vous !

Dirk hésita une seconde, comme s'il avait peur de manquer une scène importante, mais finit par s'élancer comme une fusée dans le couloir.

Frank regarda ses camarades de classe, la gorge nouée. Il semblait essayer de trouver du courage dans leurs regards.

– Ce que je veux dire, c'est que tes parents ont été tués parce que c'était des vampires suceurs de sang. C'est assez clair comme ça ?

– Frank Dormand, arrêtez cela tout de suite ! cria Mme Wilhelm en attrapant Frank par les épaules pour l'éloigner de Lucius.

— Es-tu en train de m'accuser d'être un vampire ? demanda Lucius en suivant Frank de près. Parce que c'est ce que je suis…

— Non ! hurlai-je en bondissant de ma chaise pour me jeter sur Lucius. Ne te fais pas avoir par Frank ! Il essaie de te provoquer, ajoutai-je en l'attrapant par le bras pour le tirer en arrière.

Furieux, Lucius pivota et je crus qu'il allait me repousser de toutes ses forces, mais nos yeux se croisèrent, et il retrouva son sang-froid. De nouveau son regard semblait résigné. Il écarta doucement ma main. J'allais me raccrocher à lui, comme si j'avais le pouvoir de le calmer, mais au dernier moment, je me retins, me rendant compte que je ne pouvais plus rien faire.

Toute la classe était plongée dans un étrange silence alors que Lucius et moi nous fixions intensément sans prononcer un mot. Pourtant nous communiquions. Moi, je l'implorais de ne plus rien dire qui pourrait lui faire du tort. De ne pas provoquer de combat. Et lui me défiait avec un « Pourquoi ne pas le faire maintenant ? Pourquoi ne pas laisser la fin commencer ? » muet mais explicite.

On entendait Frank, Lucius et Mme Wilhelm respirer très fort. Nous étions tous dans l'expectative. Qu'allait-il se passer ensuite ? C'était le point de non-retour. Nous vacillions sur le fil du rasoir, entre le chaos… et le retour au calme.

Lucius finit par opter pour le calme. Il se tourna lentement vers Frank.

— La prochaine fois que tu as quelque chose à me dire, dis-le moi en face. Et prépare-toi à une réponse qui te fera regretter de ne pas avoir eu le bon sens de garder ta langue.

— C'est une menace ? dit Frank en se retournant vers Mme Wilhelm. Il n'a pas le droit de me menacer comme ça ! C'est un motif suffisant pour se faire virer de l'école, ça !

— Arrêtez, Frank, ordonna Mme Wilhelm. Immédiatement.

Les membres de la sécurité arrivèrent en trombe dans la classe où ils nous trouvèrent tous debout, tendus, mais sous contrôle.

— Que se passe-t-il ici ? demanda l'un d'eux, clairement désireux d'abuser de son autorité.

Je m'attendais à ce que le couperet tombe, mais à ma grande surprise, Mme Wilhelm ne dévoila pas toute l'histoire. Sa voix était un peu tremblante mais elle se tenait bien droite.

— Ce n'est rien. Juste un petit malentendu. Tout va bien maintenant.

Les yeux de Frank s'écarquillèrent, et il désigna Lucius du doigt.

— Mais il vient juste de me menacer…

— SILENCE ! tonna Mme Wilhelm avec une force dont je ne l'aurais jamais crue capable. SILENCE, FRANK.

Il me fallut quelques secondes pour me rendre compte de ce qu'elle était en train de faire. Elle protégeait Lucius. Son élève préféré. Le seul élève qui aimait la littérature autant qu'elle. Il était peut-être un suceur de sang, mais pour Mme Wilhelm, Lucius Vladescu serait toujours le garçon au fond de la classe qui comprend les métaphores cachées, le symbolisme obscur, et les passions dévorantes qui consument un personnage de fiction nommé Heathcliff. Cette bonne vieille Mme Wilhelm. Elle protégerait Lucius contre les tempêtes aussi longtemps qu'il serait dans sa classe. Je l'en remerciais du fond du cœur.

Malheureusement, Lucius ne pouvait pas passer le restant de sa vie en cours de littérature.

Alors que la salle se vidait, je jetai un regard à Faith Crosse. La trace d'un sourire suffisant, amusé et satisfait scintillait sur ses lèvres rose bonbon glossées.

54.

— Allez, Jess. Souffle tes bougies.

Mon dix-huitième anniversaire. Cela aurait dû être l'un des plus beaux jours de ma vie, mais ce fut tout simplement horrible. Déprimant. Pas d'amis, et donc pas de fête. Mon seul invité était mon oncle Dorian puisque nous avions finalement mis Lucius et mes parents au courant de sa présence.

Mon oncle était assis à table et observait tout ce qu'il y avait autour de lui avec ses petits yeux brillants.

— Comme c'est joli ! répétait-il. C'est génial !

— La cire est en train de couler, dit maman pour que je souffle.

Elle avait préparé un gâteau végétarien à base de sirop de riz, lait de soja et compote de pommes sans sucre. De quoi enthousiasmer les foules. Je finis tout de même par souffler les bougies pour lui faire plaisir. Elles grésillèrent puis s'éteignirent. Je ne fis même pas de vœu.

— Bravo ! dit maman pour essayer d'égayer la petite fête.

Lucius me fixait de l'autre côté de la table alors que ma mère coupait le prétendu gâteau. S'il y a quelque chose de pire qu'un vampire en colère, c'est bien un vampire insondable. Même en le voulant, personne ne peut avoir le regard aussi vide qu'un vampire. Je le fixai aussi, pour essayer de décrypter ses pensées. Mais je n'y arrivais pas. Je l'avais perdu. Si seulement nous pouvions discuter... Il devait se sentir seul. Tout le monde l'évitait à l'école et médisait dans son dos. L'histoire de la présentation de Frank avait fait le tour du lycée, amplifiant les rumeurs qui couraient déjà. Et le fait que Lucius eût pratiquement admis être un vampire pendant le cours de Mme Wilhelm n'arrangeait pas les choses.

Dès lors, il ne fut plus rare d'entendre le mot « vampire » murmuré dans les couloirs du lycée Woodrow Wilson.

— Hmmm, ça a l'air bon, dit papa en plantant sa cuillère dans sa part de gâteau.

Le pensait-il vraiment ?

— On t'a trouvé un cadeau, déclara maman avec le sourire, en me tendant une boîte emballée dans le papier cadeau froissé rose et jaune que nous recyclions depuis mes dix ans.

— Oh, des cadeaux ! s'écria Dorian en tapant des mains. J'adore les cadeaux.

J'ôtai soigneusement le papier pour que maman puisse le récupérer encore une année de plus. Dans la boîte, je trouvai une calculatrice dernier cri et une carte annonçant que mon abonnement au magazine *As des Maths* était renouvelé. Je lançai un regard perplexe à mes parents. Ils savaient que j'avais quitté l'équipe de maths.

— Peut-être qu'un jour tu t'y intéresseras de nouveau.

Je savais ce que maman voulait dire par là : tu redeviendras peut-être toi-même. Lucius partira et ta vie continuera.

— Merci. C'est un super cadeau.

— Lucius, tu n'as pas un cadeau pour Antanasia, toi aussi ? demanda Dorian en lui donnant un petit coup de coude.

Lucius sembla émerger de ses pensées.

— Si, si. Bien sûr.

— C'est vrai, Lucius ?

Il paraissait si détaché, si replié sur lui-même, que je ne m'attendais pas du tout à ce qu'il soit allé faire les magasins pour moi.

Impatiente, je l'observai sortir une boîte de la poche de son jean. Une toute petite boîte. En velours rouge. Comme celles qui contiennent une bague. Une bague de fiançailles.

Mes parents en eurent le souffle coupé. L'air sifflait à chaque passage entre leurs lèvres. Mon père, en expirant, projeta même des miettes de l'horrible gâteau.

Mon cœur s'emballa lui aussi.

Lucius fit glisser la boîte sur la table.

— Voilà. Joyeux anniversaire.

Je contrôlais mes doigts pour qu'ils ne tremblent pas tandis que j'attrapais la boîte et m'apprêtais à l'ouvrir. Était-ce ce à quoi je pensais ? Lucius avait-il changé d'avis ? Allions-nous revenir sur le pacte ?

Mais non.

À l'intérieur, joliment posé sur un petit carré de velours blanc, je ne trouvai pas une bague, mais un collier, surmonté d'une pierre pourpre tellement foncée qu'elle était presque noire.

Il était magnifique.

Je le détestais.

La déception qui serra ma poitrine m'empêchait de respirer et faillit me faire tomber de ma chaise. En voyant cette boîte de la taille d'une bague, j'avais vraiment cru que Lucius avait changé d'avis à propos du pacte. Pendant un instant extrêmement bref, je nous avais imaginés ensemble. J'avais vu un avenir commun. Moi. Lucius. La paix dans le monde des vampires. En sécurité dans les bras l'un de l'autre, sans craindre les Aïeux ni prêter attention aux camarades du lycée. Pendant ce bref instant, j'avais cru que la petite boîte était la promesse de tout cela.

Mais en regardant Lucius de l'autre côté de la table, je compris que mes espoirs avaient été complètement absurdes. Sa posture n'était pas celle d'un homme qui fait une demande en mariage. Il était assis bien droit, le regard froid, dans son état de désintéressement serein désormais habituel. C'était un vampire qui allait bientôt être détruit. Un vampire qui attendait que la sentence tombe.

J'avais envie de crier et d'envoyer le collier valser à travers la pièce, tel un enfant capricieux qui n'a pas eu le jouet qu'il voulait. Mais je n'étais pas un enfant capricieux. J'étais une jeune femme dévastée, et je me devais de témoigner la reconnaissance que je ne ressentais pas.

— Merci. Il est joli, parvins-je à dire avant de refermer la boîte et de la mettre de côté. Je suis un peu fatiguée. Si cela ne vous dérange pas, je crois que je vais monter dans ma chambre.

Mes parents semblaient tristes et exténués. Je réalisai qu'ils devaient être touchés par ma souffrance apparente et s'inquiéter pour Lucius et moi. Je me levai et m'avançai vers ma mère pour la prendre dans mes bras.

— Merci beaucoup pour ce merveilleux anniversaire. Tu es la meilleure maman de tous les temps.

Puis je me tournai vers mon père.

— Et tu es le meilleur papa. De tous les temps.

— Tu es une magnifique jeune femme, Jessica, répondit papa avec la gorge serrée. Nous sommes tous les deux très fiers de toi.

M'éloignant de mon père, je fis un signe à Dorian et Lucius.

— Bonne nuit, et merci.

— Bonne nuit, Antanasia, pépia Dorian. Joyeux anniversaire !

Lucius ne dit pas un mot. Il resta là, le regard rivé sur le cadeau que j'avais refusé.

Je réussis à me contrôler jusqu'à ma chambre… Je parvins même à me déshabiller et à enfiler ma chemise de nuit sans céder aux larmes. Mais lorsque je grimpai dans mon lit et enfouis ma tête dans mon oreiller, les sanglots éclatèrent. Là, mes pleurs étaient étouffés, personne ne pouvait les entendre. Je n'inquiéterais pas mes parents plus que ce n'était déjà le cas.

— Jessica…

Je me retournai pour deviner, à travers mes larmes, la silhouette floue de Lucius. J'essuyai mes yeux, gênée d'être prise en flagrant délit.

Il entra en refermant lentement la porte derrière lui, s'approcha et s'assit sur mon lit.

— Je t'en prie, ne pleure pas. Il n'y a pas de quoi pleurer. C'est ton anniversaire.

— Rien ne va…, protestai-je.

— Non, Jessica.

Il déposa délicatement son pouce au coin d'un œil, puis de l'autre, pour essuyer mes larmes.

— Pour toi, tout ira bien. C'est un jour heureux pour toi. Ton dix-huitième anniversaire. C'est un jour important dans ta vie. Je t'en prie, je ne peux pas supporter tes larmes.

— Un jour heureux ? répétai-je, incrédule.

— La boîte… tu t'attendais à autre chose. Je l'ai lu sur ton visage. Tu étais déçue. Tu as cru que mon cœur avait changé d'avis…

— Oui, avouai-je en reniflant.

— Non, Jessica. Jamais. Tu dois oublier tout ça.

— Je ne peux pas, murmurai-je en tendant les bras vers lui.

Mais Lucius se leva d'un bond, comme s'il avait peur de me toucher, et je compris que, malgré le détachement qu'il affichait, une partie de lui était toujours attirée par moi. Que je l'avais toujours attiré, comme lui m'avait attirée, et m'attirait toujours.

— Tu ne m'as pas donné l'occasion de t'expliquer mon cadeau, dit-il en cherchant dans sa poche la boîte qu'il me tendit à nouveau. Pour ton bien, c'est beaucoup mieux qu'une bague. Beaucoup mieux qu'une promesse. Puis une promesse de quoi, d'ailleurs ? Une promesse d'éternité avec un vampire condamné ?

— Rien ne m'aurait rendue plus heureuse que le fait que tu acceptes le pacte, dis-je en refusant de prendre l'écrin.

— Oh, Jessica, oublie tout cela et accepte ce que je peux t'offrir. N'as-tu pas reconnu ce qu'elle contient ?

J'étais perplexe mais, piquée par la curiosité, je me redressai et saisis la boîte.

— Reconnaître ce qu'elle contient ?

— Souviens-toi de la photo. Je sais que tu l'as regardée, Jessica. Je savais que tu le ferais. Lorsque tu te sentirais prête.

Ma mère. C'était le collier de la photo qu'il avait glissée dans mon livre. Je rouvris l'écrin.

— Oh, Lucius. Où l'as-tu trouvé ?

— Il t'attendait, en Roumanie. Il devait t'être offert à cette occasion. C'était l'objet le plus précieux de ta mère, et j'ai l'honneur de te léguer cet important souvenir. J'espère que tu le porteras tout au long de ta longue et belle vie.

Je m'approchai de mon bureau et attrapai la photo dans le cadre en argent pour observer la pierre couleur sang qui ornait le cou de ma mère biologique. Cette pierre que je tenais à présent dans ma main, preuve tangible de l'existence de Mihaela Dragomir. Un lien tangible avec elle. La pierre reposait sur son coussin de velours, rouge comme un cœur. Un cœur transplanté de ma mère à moi.

Lucius s'approcha derrière moi et posa ses mains sur mes épaules.

— N'est-elle pas belle, forte, et royale... tout comme toi ?

— Tu le penses vraiment ?

— Oui. Et je pense que toi aussi, tu as fini par le croire.

— Alors...

— Non.

Lucius m'empêcha de reparler du pacte.

Je reposai la photo sur mon bureau et me retournai pour faire face au miroir. Je sortis le collier de sa boîte et le mis devant mon cou.

Lucius me suivait en observant mon reflet.

— Laisse-moi faire. S'il te plaît.

Il se plaça une nouvelle fois derrière moi et attrapa la chaîne délicate. Je relevai mes cheveux et Lucius fit glisser le collier autour de mon cou avant d'attacher le fermoir.

Contre ma peau, la pierre était froide, sûrement comme l'aurait été la peau de ma mère vampire. Alors que je me regardais dans le miroir, la puissance que j'avais sentie grandir en moi – *sa* puissance – resurgit avec encore plus de force. Le lien que j'avais formé avec Mihaela Dragomir était finalement scellé par ce collier, et je l'entendais presque murmurer à mon oreille. « Ne l'abandonne pas à sa perte, Antanasia. Pas encore. Ce n'est pas notre façon d'agir. Ta volonté est aussi forte que la sienne, et son amour aussi fort que le tien. »

Je me retournai face à Lucius, et ne lui laissai pas le temps de faire un quelconque mouvement. Je posai mes mains sur ses hanches, et les fis remonter délicatement jusqu'à son cou.

— Antanasia, c'est impossible...

Lucius saisit mes poignets avec ses mains puissantes, comme pour me pousser en arrière.

– C'est possible, assurai-je.

Mes doigts étaient fermement posés sur sa nuque et caressaient ses cheveux noirs.

– Pourquoi est-ce que je n'arrive pas à faire ce que je dois faire ? grogna-t-il sans accepter mon étreinte. Je devrais déjà être parti… Je crains d'avoir perdu du temps, juste pour être auprès de toi. Et tout ça pour quoi ? Pour quelques instants supplémentaires, avant de ne devenir qu'un souvenir ? Une page tragique dans ton journal intime ?

– Tu es resté pour ce moment-là.

J'avais rassemblé toute la puissance dont j'avais besoin. Je l'avais sorti de ce lieu lointain et froid. Maintenant, je voulais que Lucius m'embrasse. Qu'il morde mon cou. Qu'il accomplisse ce que nous attendions tous les deux depuis si longtemps. Depuis le premier jour de son arrivée, lorsqu'il s'était approché de moi dans la cuisine et que sa main avait caressé ma joue. Depuis le jour où nos regards s'étaient croisés et qu'il m'avait demandé : « Serait-ce si répugnant, Antanasia ? D'être avec moi ? »

Même là, j'avais senti, tout au fond de moi, que ce serait loin d'être répugnant. Que ce serait à des années-lumière de quelque chose de juste sympa. Que ce serait tout simplement l'extase.

– Je ne suis plus un danger pour toi, Antanasia. Quoi que l'on fasse… ce ne sera que pour ce soir. Ça ne changera rien. Je partirai pour affronter mon destin, et tu resteras ici pour supporter le tien.

– Ne pense pas à ça maintenant.

Je ne croyais pas que ce que nous ferions cette nuit ne changerait rien. J'étais sûre que cela pouvait tout changer, au contraire.

– Oublie l'avenir, juste cette nuit.

– Vos désirs sont des ordres, ma princesse, déclara Lucius en fermant les yeux et en s'abandonnant à moi.

Il se pencha pour poser ses lèvres froides sur les miennes. D'abord délicatement, puis plus intensément.

J'enfonçai mes doigts plus profondément dans sa chevelure et l'attirai vers moi. À ce moment-là, Lucius émit le grognement d'une bête affamée, avant de glisser ses mains dans mes boucles d'ébène. Puis nous nous embrassâmes avec ardeur, comme si nous étions avides l'un de l'autre. Comme si nous nous dévorions.

Et alors que nous nous embrassions, pour de vrai, quelque chose au fond de moi éclata, comme un atome qui se fissionne, avec toute la force d'un noyau qui se brise. Et pourtant, je me sentais étrangement paisible. C'était comme si j'avais trouvé ma place au sein de l'univers, au sein du chaos. Lucius et moi avancerions ensemble à travers les âges sans fin, comme pi, existant irrationnellement jusqu'à l'infini.

Ses lèvres descendirent jusqu'à mon cou, et mes incisives commencèrent à me faire mal lorsque ses crocs acérés frôlèrent ma peau. Il faisait passer ses dents le long de mon cou, descendait jusqu'à l'endroit où reposait ma pierre de sang, au niveau de mon sternum.

– Oui, Lucius, l'encourageai-je en lui offrant mon cou du mieux que je le pouvais. Ne t'arrête pas… Je t'en prie, ne t'arrête pas cette fois-ci…

S'il me mord, il sera à moi… Pour toujours…

– Non, Antanasia.

Il luttait contre lui-même, mais je le serrai contre moi à nouveau, ses crocs contre ma chair, prêts à percer ma peau. Mes dents se pressaient contre ma gencive, la déchirant presque.

– Oui, Lucius… mes crocs… je les sens…

– Non.

Lucius reprit le contrôle, mais un contrôle fragile. Il caressa mon visage et l'attrapa pour me regarder droit dans les yeux.

— Nous allons trop loin, Antanasia… Nous devons nous en tenir à ce baiser. Je ne serai pas celui qui te condamnera. Peu importe à quel point je le désire. Je ne t'entraînerai pas vers la destruction avec moi.

— Je ne comprends pas…

Nous étions si proches…

— Je t'en prie, ne le regrette jamais, Antanasia, m'implora-t-il avec un regard qui n'avait rien de froid et détaché.

Il semblait fiévreux, tremblant, presque désespéré tout à coup.

— Ne sois pas en colère lorsque je serai parti ou que j'aurai changé. S'il te plaît, garde en mémoire ce moment tel qu'il était. C'est-à-dire tout pour moi. Pour l'homme que je suis à cet instant même.

— Tu ne changeras pas, Lucius.

J'attrapai ses mains sans trop comprendre ce qu'il voulait dire.

Après ce que nous venions de partager… j'étais certaine qu'ensemble nous pouvions sceller le pacte, mettre fin aux guerres et relever tous les défis. Nous étions les prince et princesse des vampires. Et nous étions ensemble.

— Tu n'iras nulle part, le rassurai-je. Tout va bien maintenant. Tout se passera bien.

— Non, Antanasia. Non, rien ne va. Rien ne se passera bien.

Je n'avais pas remarqué, jusqu'à cet instant, qu'une lumière écarlate avait traversé la fenêtre de ma chambre et éclairait les murs d'un rouge sang.

— Lucius ? Que se passe-t-il ?

Il ne répondit pas. Mais il m'étreignait toujours lorsque papa fit irruption dans la pièce.

341

— Lucius, la police est là, annonça mon père sur un ton étrangement calme. Une fille déclare avoir été mordue par un vampire, et elle t'a identifié.

— Lucius ?

Je l'observai, attendant désespérément une explication.

Mais Lucius déposa juste un autre baiser sur mes lèvres, délicatement, avant de se tourner vers mon père.

— Il vaut mieux que j'affronte cela seul, monsieur Packwood. S'il vous plaît… Laissez-moi me débrouiller, cette fois.

Papa hésita et fit un pas de côté pour laisser partir Lucius, puis il m'empêcha de le suivre en me serrant dans ses bras.

55.

— Elle a tendu un piège à Lucius, expliquai-je à mes parents. Faith a juré de lui faire payer de l'avoir quittée. Elle a tout inventé.

Ils échangèrent un regard inquiet.

— Lucius a rompu avec elle il y a quelques jours, expliquai-je pour plaider sa cause. Et je suis sûre que c'était parce qu'il craignait de céder à la tentation de la mordre. Il savait qu'il commençait à perdre le contrôle, mais il s'est retenu.

Maman lavait les assiettes de ma fête d'anniversaire ratée.

— Jessica, Lucius a traversé une période difficile en luttant contre lui-même. On ne peut pas être sûrs de ce qui s'est vraiment passé.

— Il ne s'est rien passé !

— Et est-ce qu'il ne se passait rien dans ta chambre ? demanda papa. Tu es trop liée à Lucius pour être objective, Jessica.

— C'est un Vladescu, reprit maman en mettant les assiettes dans l'évier. Il ne veut pas l'être mais peut-être qu'il ne peut pas lutter contre cette part de lui-même. Peut-être même qu'il était dangereux de le laisser vivre ici avec nous. Je ne suis même plus sûre que nous ayons fait le bon choix.

343

— Vous êtes injustes. Le fait que ses oncles soient des monstres ne signifie pas que Lucius en est un aussi ! Il n'a pas mordu Faith. Je vous en prie, allons au commissariat !

Mes parents échangèrent un autre regard incrédule.

— Jessica, peu importe ce que nous ressentons, Lucius nous a demandé de le laisser s'occuper de ça tout seul. Nous devons respecter son choix. Et toi aussi.

— J'ai dix-huit ans maintenant. Je n'ai plus besoin de votre permission pour faire quoi que ce soit.

— Mais tu as besoin d'une voiture, fit remarquer maman.

Je me ruai sur le crochet près de la porte où mes parents avaient l'habitude de mettre les clés. Elles n'étaient pas là.

— Où sont les clés ?

— C'est pour ton bien, Jess, dit papa. Tu es déjà allée trop loin avec Lucius. Tu dois faire marche arrière.

— Et il est de notre responsabilité de te protéger, renchérit maman. Nous voulons aider Lucius aussi, bien sûr. Mais tu es notre priorité.

Je ne pus m'empêcher de leur lancer un regard noir. Je me sentais trahie.

— Cette fois, il ne veut pas qu'on se mêle de cette affaire. Nous avons fait tout notre possible, expliqua papa.

Le téléphone sonna, et je me jetai sur le combiné.

— Lucius ?

— Non, c'est Mindy.

— Je ne peux pas te parler maintenant…

— C'est à propos de Lucius, dit Mindy d'une voix paniquée.

— Quoi ? Qu'est-ce qu'il y a ?

— Je ne sais pas si je dois te le dire.

— Dis-moi, Mindy. S'il te plaît.

— Ils sont devenus incontrôlables. Ils parlent de le tabasser pour ce qu'il a fait à Faith. Frank leur a monté la tête avec cette histoire de vampire. Ils sont devenus fous !

Mes doigts se crispèrent sur le téléphone.

– Qu'as-tu entendu exactement ?

– Plusieurs de ces mecs... Ils vont attendre Lucius. Ils vont l'attraper et l'amener à la ferme de Jake Zinn et « lui donner une leçon ». J'ai peur pour lui, Jess. Je ne sais pas ce qu'il t'a fait...

– Rien !

– Mais j'ai vraiment peur pour lui. Ils ont parlé du sang qu'il y avait sur toi, et des égratignures dans le cou de Faith, et de la jambe de Lucius qui a guéri si vite... Et de toutes ces choses qu'ils ont trouvées sur Internet à propos de sa famille... Et Faith t'a entendue le traiter de vampire. Dans les écuries.

Ce jour-là dans les écuries... C'était il y a si longtemps. J'avais encore aggravé le cas de Lucius. Moi... C'est moi qui étais un danger pour lui...

– Ils n'arrêtent pas de parler de vampires et de pieux ! cria Mindy.

– De pieux ?

Le combiné faillit me tomber des mains.

– Oui, Jess. Ils ont pris des pieux, comme au Moyen Âge ! Au cas où ce soit vraiment un vampire ! Ils sont complètement fous !

Des pieux. Une foule incontrôlable. C'est ainsi que mes parents ont été détruits...

J'essayai de garder mon calme.

– Est-ce qu'ils ont dit quand cela se passerait ?

– Ce soir. Ils vont attraper Lucius quand il reviendra du commissariat... Tout le monde sait qu'il s'est fait arrêter...

Évidemment. Une nouvelle fois, le moulin des rumeurs s'était emballé.

– Merci, Mindy.

– Je... Je sais qu'on s'est éloignées ces derniers temps... mais c'est... c'est de la folie. J'ai pensé que tu devais être mise au courant.

345

— Je dois y aller.

— Jess ?

— Quoi ?

— Joyeux anniversaire.

— Salut, Mindy.

Je raccrochai et passai la porte avant que mes parents puissent m'arrêter. Je me précipitai vers l'écurie pour seller Belle.

56.

Cher Vasile,

Excuse-moi pour l'en-tête du commissariat. Je suis toutefois heureux d'avoir au moins cela pour t'écrire.

En effet, je suis accusé d'avoir « attaqué » une jeune fille de la région, Faith Crosse, et de l'avoir mordue au cou. Ils vont « traiter » mon cas d'ici peu (comme ils « traitent » les champs dans la région !), alors je dois essayer de leur faciliter le travail, comme ils disent. Le plus important c'est que je N'AI PAS planté mes crocs dans le cou de cette peste. Elle a inventé toute l'histoire. L'agent de police a fait passer plusieurs photographies (choquantes) devant mon nez pour voir ma réaction. Je n'ai pas pu m'empêcher de rire. Des marques de morsure, oui. Mais d'un vampire ? Non. Plutôt de vulgaires contrefaçons. Faith est tout sauf bête. Et apparemment, elle est tout à fait capable de se blesser toute seule. Les marques paraissent plutôt profondes. Et elle a quelques hématomes aussi. C'est de l'excellent travail.

Pendant une période plutôt sombre, j'appréciais la nature tortueuse de Faith. À présent, mon badinage retourne ses crocs contre moi. N'est-ce pas délicieusement ironique ?

Bref. Je sens que les habitants de ce petit village seront impitoyables à présent. Bien que je fusse bientôt remis en liberté « sous caution personnelle » jusqu'à ce qu'ils trouvent des

347

preuves tangibles, j'ai le très fort pressentiment – une intuition de vampire – que « c'est cuit ». (Tu devrais regarder des séries policières américaines en DVD. Ils ont une sensibilité à la fois sombre et amusante qui ressemble étrangement à celles des vampires.)

Ou, pour le dire plus clairement, les foules se rassemblent, comme je l'avais prédit depuis déjà quelque temps.

Je t'écris parce que je sais que depuis longtemps tu as très envie d'être celui qui me détruira pour avoir osé te défier. Pour avoir rompu le pacte et ruiné tes plans. Oh, comme tu devais mourir d'envie d'enfoncer le pieu profondément ! Mais à présent, la tâche à laquelle tu aspirais tant revient à un ridicule gang d'adolescents américains. Dans un sens, ils t'ont vaincu, Vasile. Est-ce cruel de ma part de me réjouir de te priver de ce plaisir ? Et pourtant, je ressens une grande joie à l'idée que tu regretteras toujours de ne pas l'avoir fait…

Ainsi, je me dirige vers mon destin dans l'humble comté de Lebanon, en Pennsylvanie. L'histoire se répète. Encore un autre Vladescu détruit. Je m'efforce d'affronter cela avec autant de courage et de patience que mes parents. Pour faire honneur à notre clan – ce qui est bien plus que tu n'as fait, Vasile, selon mon humble avis.

J'écris aussi pour Jessica. Je ne l'ai jamais mordue, Vasile. Elle reste une adolescente américaine normale. Laisse-la. Le rêve d'une princesse Dragomir pour le royaume des vampires est terminé.

Y a-t-il autre chose à dire ? Il me semble étrange, étant donné mon penchant pour les missives décousues, que ma dernière lettre soit si brève. Mais en réalité, je suis las – et à bien des égards. (Qui peut résister à un peu d'humour noir ? N'est-ce pas une preuve de courage que de rire de sa propre fin ?)

Je confie ceci au service des postes américain. Un organisme très sûr. C'est l'une des rares administrations auxquel-

Comment se débarrasser d'un vampire amoureux

les on peut faire confiance pour délivrer ses dernières paroles.
Alors je suis assuré que cela te parviendra dans les plus brefs
délais.
   Ton neveu de sang et de mémoire,
   Lucius

57.

Sous la pluie battante, les sabots de Belle tonnaient. J'avais très froid. C'était la fin de l'hiver, et la nuit était encore glaciale. La neige fondue fouettait mon visage et traversait mon fin chemisier. Je n'avais pas pris le temps d'enfiler un manteau.

– Allez, Belle.

J'aurais voulu que ma jument aille plus vite. Et apparemment, elle me comprenait. Alors qu'elle filait à travers les champs gelés, je priai pour qu'elle ne passe pas dans un trou de taupe et se casse une jambe. La nuit était si sombre et nous traversions le terrain accidenté à une telle allure...

Sauver Lucius... Sauver Lucius... Voilà ce qui résonnait dans mes oreilles à chaque bruit de sabot.

Finalement, la ferme des Zinn apparut devant moi, formant une voûte gris pâle comme une pierre tombale sur le fond noir du ciel. Je laissai échapper un petit cri. Il y avait plusieurs voitures. Déjà. *C'est impossible. Je ne peux pas être en retard.* Je bondis du dos de Belle avant même qu'elle ne marque l'arrêt et entendis des voix venant de l'intérieur de la grange. Des voix d'hommes en colère et des bruits de bagarre. Je courus jusqu'au bâtiment et poussai la lourde porte sur son rail rouillé.

À l'intérieur : branle-bas de combat. La bagarre avait commencé. La meute était déchaînée.

– Jake, non ! hurlai-je en voyant mon ex-petit ami au milieu de la mêlée.

Mais il m'ignora. Comme tous les autres. Personne ne remarqua que je me jetai dans la bataille pour essayer de débarrasser Lucius des autres garçons. Ils étaient dans tous leurs états. Il y avait du sang partout, les coups volaient, et Lucius luttait, seul contre tous. Il était si fort, mais pas assez pour tous les battre...

– Je vais te tuer pour ce que tu lui as fait ! cria Ethan Strausser en frappant Lucius.

J'essayai de retenir les poings d'Ethan mais quelqu'un me tira en arrière et me poussa contre le mur. Je retournai dans la bataille, en hurlant pour qu'ils arrêtent, mais personne ne faisait attention à moi. La vengeance, la peur et la haine les rendaient fous... Cette haine pour quelqu'un qui n'était pas comme eux.

– Arrêtez ! les suppliai-je. Laissez-le tranquille !

Lucius avait dû entendre ma voix. Il se tourna vers moi, juste une seconde, et je lus la surprise dans ses yeux. La surprise et la résignation.

– Lucius, non...

Je savais ce qu'il était sur le point de faire. Il allait se détruire.

Mais, malgré tout, il fit le geste fatal. Il se retourna vers les garçons en furie et sortit ses crocs.

Les agresseurs cessèrent leur bravade macho sur-le-champ.

– Un vampire ! s'écria Ethan, visiblement terrorisé et sous le choc.

– Sale bâtard...

Frank Dormand recula, pétrifié, comme s'il venait de comprendre qu'il ne s'agissait plus d'un jeu. Il ne s'était pas attendu à déchaîner une telle puissance, malgré tout ce qu'il avait raconté sur les vampires et les pieux.

Ethan, cloué à terre par le choc, rampait à quatre pattes sur le sol couvert de foin, et essayait d'atteindre à l'aveuglette quelque chose qui se trouvait derrière lui.

J'identifiai l'objet avant qu'il n'arrive à l'attraper. Le pieu. Artisanal. Rudimentaire. Mais fatal. Il était à moitié caché par le foin. Je me ruai sur l'arme – mais Jake s'en rendit compte et fut plus rapide que moi. Il le saisit et se dirigea vers Lucius, qui essayait de se relever devant ce lutteur petit mais néanmoins puissant.

– Non, Jake ! gémis-je.

Je tombai à genoux et rampai pour attraper les jambes de Jake. Mais il était trop rapide. Lucius s'avançait lui aussi, dans un grondement de fureur.

Et, comme au ralenti, je vis mon ex-petit ami lever le bras et bondir sur Lucius en lui enfonçant le pieu dans le cœur.

– Jake... Non ! hurlai-je.

En tout cas, j'avais l'impression d'avoir hurlé. Mais je ne me souviens pas d'avoir entendu ces mots sortir de ma bouche.

Et en un instant, c'était fini.

Jake – le gentil garçon – était debout au-dessus du corps de Lucius. Le corps immobile de Lucius.

– Qu'est-ce que tu as fait ? criai-je dans la grange soudain silencieuse.

Jake fit un pas en arrière, le morceau de bois lourd, pointu et sanglant dans la main.

– C'était à moi de le faire, dit-il en me regardant avec un air triste. Je suis désolé.

Je ne savais pas ce qu'il voulait dire. Je m'en fichais.

– Lucius...

Je m'effondrai dans le foin, à ses côtés, cherchant son pouls. J'en trouvai un, mais plus léger que d'habitude. Le sang coulait d'un trou dans sa chemise. Un trou béant. Je levai les yeux pour voir les visages de ceux qui m'entouraient. Ces visages familiers. Ces garçons qui étaient à l'école avec moi. La colère avait disparu à présent ; et je commençais à réaliser ce qui venait de se passer. Comment avaient-ils pu faire une chose pareille ?

– Allez chercher de l'aide, les suppliai-je.

– Non, Antanasia, murmura Lucius.

Je me penchai sur lui, pressant doucement ma main sur le trou dans sa poitrine, comme si cela pouvait arrêter le saignement.

– Lucius…

– C'est fini, Jessica, parvint-il à articuler à voix basse. Laisse-moi partir.

Une voix autoritaire surgit d'un coin sombre de la grange.

– Sortez d'ici. Tous autant que vous êtes. Et ne parlez jamais de cela. Jamais. Il ne s'est rien passé ici.

Dorian. Mon oncle avait perdu sa jovialité habituelle et parlait avec un aplomb que je ne lui connaissais pas. En émergeant de l'ombre, il prit le contrôle de la situation.

Les adolescents se dispersèrent si vite qu'on aurait pu croire que le vampire leur avait jeté des pierres en pleine tête.

D'où avait surgi Dorian ? Pourquoi n'était-il pas intervenu plus tôt ? Je me levai et courus vers lui pour frapper son torse avec mes poings ensanglantés.

– Vous les avez laissé faire ! Vous auriez dû le protéger !

– Va-t'en, Jessica, ordonna Dorian en m'attrapant les mains.

Il avait une force surprenante. La tristesse avait envahi son regard.

– C'est le destin de Lucius. C'est ce qu'il voulait.

Non. Ce n'est pas possible. On vient juste de s'embrasser…

– Que voulez-vous dire par « ce qu'il voulait » ? demandai-je en pleurant avant de retomber à genoux près de Lucius. Nos destins sont liés, non ? Dis-le, Lucius !

– Non, Antanasia, murmura-t-il d'une voix faible. Tu appartiens à ce monde. Je veux que tu aies une vie heureuse. Une longue vie. Une vie humaine.

– Non, Lucius. Je veux vivre avec toi.

Il ne pouvait pas abandonner.

– C'est impossible, Antanasia.

J'aurais juré voir des larmes dans ses yeux noirs, juste avant qu'il ne les ferme. Je me mis à crier et là, mon père me souleva, m'amena avec lui jusqu'au van tandis que je me débattais. Je ne savais pas quand ils étaient arrivés ni comment ils m'avaient retrouvée.

Cela n'avait aucune importance.

Lucius était parti.

Il était détruit.

Le corps disparut, et Dorian avec lui. Tout le monde suivit ses instructions, et personne ne reparla jamais de ce soir-là. C'était comme si tout n'avait été qu'un rêve. Si je n'avais pas porté ce collier autour de mon cou, si je ne ressentais pas cette brûlure à l'endroit où Lucius avait posé ses doigts, peut-être n'y aurais-je pas cru moi non plus.

58.

— Et le Prix spécial du lycée Woodrow Wilson est attribué à… Faith Crosse.

Mes doigts se serrèrent sur la barrière lorsque la personne en grande partie responsable de la destruction de Lucius monta sur l'estrade en héroïne, sous un tonnerre d'acclamations émanant d'une foule de diplômés en robes et chapeaux bleu marine. Sous sa coiffe, la chevelure blonde de Faith ondulait comme un drapeau sous le vent, alors qu'elle acceptait son prix et faisait signe à la foule.

La torpeur forcée que j'avais entretenue pour maîtriser ma douleur, ma rage et le vide qu'il y avait désormais en moi se brisa lorsque Faith fut applaudie. Je ne sais pas comment je réussis à ne pas hurler.

Pourquoi étais-je venue à la remise des diplômes ? J'avais refusé de participer à la cérémonie, mais quelque chose de pervers en moi m'avait poussée jusqu'à ce terrain de football pour voir mes camarades de classe, dont certains étaient avec moi depuis la maternelle – et d'autres avaient participé au massacre de la personne que j'avais le plus aimée au monde –, recevoir leur diplôme. Je suppose que je voulais voir leur visage. Portaient-ils une trace de l'acte barbare qu'ils avaient commis dans cette grange ? Ou avaient-ils réussi à se convaincre qu'il ne s'était rien passé, comme Dorian leur avait conseillé ? Ou bien – et là résidait la possibilité qui me rendait le plus malade – est-ce que certains d'entre eux pensaient qu'ils avaient fait une bonne action ? Était-ce ce que pensait Jake ? Il l'avait dit ce soir-là : « C'était à moi de le faire. » Que voulait-il dire ?

– Antanasia, prononça une voix douce mais claire. Cela ne sert à rien de te torturer. Même si la soif de vengeance est courante chez les vampires.

Je me retournai.

Un vampire chauve et légèrement grassouillet se tenait à quelques mètres de moi, appuyé contre le panneau d'un stand nous incitant à rejoindre le fan-club du groupe Woodrow Wilson. Il portait un tee-shirt bleu marine avec la mascotte du lycée – un gros chien à l'air jovial surnommé Woody – brodée sur la poitrine.

Lorsque nos regards se croisèrent, Dorian m'adressa un signe.

Le voir – lui qui était lié à Lucius et à cette nuit – suffit à me donner la nausée. Lorsque je me sentis mieux, je m'avançai vers lui comme un zombie.

Derrière moi, j'entendis d'autres cris de joie lorsque Ethan Strausser remporta un prix pour ses performances sportives.

Les applaudissements semblaient provenir d'un million de kilomètres de là alors que je traversais la pelouse pour rejoindre Dorian et cette période du passé brève mais intense qui continuait de me consumer.

– Bien, bien, bien. Ne sois pas si grave, gloussa Dorian. Tu ressembles presque à un vrai vampire.

Il m'étreignit mais je me raidis dans ses bras, toujours persuadée qu'il avait échoué à protéger Lucius.

– Pourquoi ne reçois-tu pas toi aussi ton diplôme aujourd'hui, comme tous les autres ?

– Cela ne signifie rien pour moi.

– Et pourtant, tu es là !

— Dorian… évitons de parler de moi. Que fais-tu ici ?

— Hmm…, hésita Dorian. C'est un peu compliqué. Difficile à expliquer.

Je n'étais vraiment pas d'humeur à jouer aux devinettes, pourtant je demandai :

— C'est-à-dire ?

Dorian soupira en évitant de croiser mon regard.

— Il semble qu'il y ait quelques petits problèmes en Roumanie. C'est un peu la pagaille, en fait. Tu n'es pas censée être au courant, bien sûr. Mais j'ai pensé que… ce n'était pas très juste de te laisser dans l'ombre. Je crois qu'il en a été ainsi trop longtemps. C'était l'idée de Lucius, bien sûr. Ne me blâme pas. S'il savait que je suis là…

Mes genoux faillirent me lâcher mais Dorian me rattrapa par le bras.

— Reste avec nous !

— Est-ce que tu viens de dire… Lucius ? Si Lucius savait que tu es là ?

C'était impossible… Lucius avait été détruit…

Dorian s'éclaircit la voix, visiblement nerveux.

— C'était son idée. Mais il est très malheureux, et tout se détériore au pays.

J'attrapai Dorian par les épaules et le secouai très fort.

— LUCIUS EST VIVANT ?

— Ah, oui. Enfin, à peu près, dit Dorian qui essayait de se débarrasser de mes mains. Mais à cette allure…

C'est étrange comme le soulagement, la joie – la joie la plus intense qu'on puisse imaginer – et la rage pouvaient se mêler. Alors, la dernière chose dont on se rappelle, c'est qu'on est en train de pleurer, rire et frapper du poing le torse d'un vampire, qui se retrouve le dos contre un stand dans une fête de lycée.

Lorsque je retrouvai mes esprits, nous rentrâmes chez moi pour prendre mon passeport. J'allais en Roumanie. Je rentrais au pays pour retrouver Lucius !

59.

— Alors Jake a sauté sur l'occasion, comme on dit. Il a accepté d'être dans le coup. Il a dit que malgré tout ce qui s'était passé, il admirait Lucius, et le fait qu'il ait eu le courage d'affronter ce tyran de Frank Dormand pour toi.

— Et ça a suffi à le convaincre d'enfoncer un pieu dans la poitrine de Lucius ? demandai-je, sceptique.

— Eh bien... Je l'ai peut-être un peu menacé aussi. Juste un peu, avoua Dorian. Mais c'est un gentil garçon, ce Jake. Heureusement que Lucius avait parlé de lui dans ses lettres.

— Lucius l'avait mentionné ?

— Bien sûr. Il se plaignait toujours de ce garçon « gentil et costaud » qui gâchait tous ses plans de séduction.

Gentil. Encore ce mot. Cette fois, cela me fit sourire.

— Oui, Jake est vraiment gentil.

Si je revenais un jour dans le comté de Lebanon, je le remercierais pour ce qu'il avait fait.

— Un bretzel ?

— Non merci.

Nous volions à environ dix mille mètres d'altitude vers la Roumanie, le pays où j'étais née, et Dorian me racontait toute l'histoire. Comment il avait persuadé Jake, dans un plan de dernière minute, de poignarder Lucius pour être sûr qu'Ethan Strausser ou un autre fanatique ne puisse pas enfoncer le pieu trop profondément.

Mais Jake était quand même allé trop loin.

— Ce garçon ne connaît pas sa force, soupira Dorian, un bretzel dans la main. Toute cette situation a perturbé le jeune M. Zinn pendant un certain temps. Mais il fallait que ce soit réaliste. Je lui ai dit de ne pas s'inquiéter. Que tout s'était bien passé.

— Pourquoi Lucius ne s'est-il pas tout simplement enfui ?

Au moment même où je posais cette question, je réalisai à quel point elle était absurde. Un prince vampire, prendre la fuite ? C'était inconcevable.

— Ne sois pas ridicule, souffla Dorian, comme en écho à mes pensées. Lucius ne voulait même pas que j'enrôle Jake. Il voulait vraiment être détruit ce soir-là. Il a été plutôt surpris – et même un peu en colère – de se réveiller. Mais il s'en est quand même remis.

À travers le hublot, j'observai les nuages que nous traversions.

— Mais comment Lucius a-t-il pu me faire ça ? Me laisser croire qu'il avait disparu ? Pourquoi ne m'a-t-il pas contactée ?

Dorian me caressa le bras.

— Il pensait vraiment qu'il valait mieux que tu croies qu'il avait été détruit. Lucius… a vu son côté sombre. De façon très claire.

— Lucius peut contrôler cette partie de sa personnalité. C'est juste qu'il n'y croit pas.

— Oui. Nous sommes tous les deux persuadés que Lucius est quelqu'un de bien. Tous ceux qui le connaissent le savent. La sempiternelle lutte qu'il mène contre lui-même en est la preuve. Mais Vasile a essayé de le détourner du droit chemin, pour faire de lui un pion sur son échiquier machiavélique. Lucius semble ne pas avoir pleinement conscience de sa vraie nature. Prince noble ou monstre de cruauté ? Peut-être les deux ? C'est un vampire en guerre contre lui-même.

» En achetant ce cheval, Belle d'Enfer, il n'a pas arrangé les choses, reprit-il. Lucius est devenu comme obsédé par cet animal. Il se sentait proche de lui, et a commencé à penser que peut-être lui aussi était trop dangereux pour vivre. Qu'il risquait de blesser certaines personnes...

– Moi...

– Oui. Il ne voulait pas que tu aies à supporter l'éternité au côté d'un monstre – au sens propre du terme. Tu sais, quelqu'un capable d'une cruauté extrême... Mais à présent, c'est lui qui souffre.

– Comment ça ?

– Lucius a besoin de toi. Il te pleure. Il t'aime. C'est très rare pour un vampire d'aimer sincèrement. Certains disent même que le véritable amour entre vampires est un mythe. Il t'aime... comme tu l'aimes.

Je désirais plus que tout que Lucius m'aime. Mais j'étais encore blessée.

– Il n'a pas réalisé que la chose la plus cruelle qu'il pouvait me faire était de partir ?

– Il pensait que tu t'en remettrais et que tu retrouverais ta vie d'avant. C'est ce que font les adolescents, non ? « Rebondir » ?

– Mais je ne suis pas une adolescente normale.

– Bien sûr que non. Lucius pensait te rendre service. Même si cela lui a énormément coûté.

Mes yeux s'emplirent de larmes, comme à chaque fois que je pensais à Lucius.

– Il me manque tellement...

– Évidemment. Mais tu dois te préparer à le retrouver changé. Son côté sombre envahit sa personnalité. Tu sais, il a détruit Vasile.

– Quoi ?!

Je n'arrivais pas à croire ce que je venais d'entendre.

– Eh oui, confirma Dorian. Lorsque Vasile a découvert que Lucius existait toujours et qu'il était même revenu en Roumanie, il a ordonné qu'on le détruise pour avoir désobéi et rompu le pacte. Alors, Lucius s'est rendu directement au château et a dit : « Fais-le toi-même, le vieux », ou quelque chose dans le genre. Et Vasile a rétorqué : « Espèce de petit impertinent. » Puis il s'est jeté sur Lucius comme un loup sur une biche.

Lucius se battant contre Vasile ? Cela ne semblait pas très équitable. Lucius était fort, mais Vasile l'était bien plus encore. Une véritable force de la nature.

– Et que s'est-il passé ?

– Lucius a gagné. Or, dans un combat à mort… eh bien, quelqu'un doit « mourir ».

– Ah…

Même si Vasile était d'une cruauté indicible, j'avais du mal à imaginer Lucius enfoncer un pieu dans la poitrine de qui que ce soit…

Dorian sut bien interpréter mon silence.

– Lucius n'avait pas le choix. Mais il était vraiment bouleversé après tout ça. Il n'a pas voulu manger pendant plusieurs jours. Qu'aurait-il pu faire d'autre ? Rester là à attendre que Vasile le détruise ? Selon moi, il avait déjà enduré bien trop de choses. Le monde est meilleur sans Vasile.

– Mais Lucius n'arrive pas à l'accepter, n'est-ce pas ?

– Non. Bien sûr que non. Lucius a été élevé – endoctriné – pour honorer sa famille avant tout. On lui a appris depuis sa plus tendre enfance à respecter – et protéger – Vasile, et à le considérer comme son mentor. Du coup, Lucius voit sa désobéissance et le fait qu'il ait détruit Vasile comme une autre preuve qu'il est définitivement voué à être mauvais. Alors il agit ainsi.

– Que fait-il exactement ?

Je craignais vraiment d'entendre la réponse.

– Il précipite la guerre ; voilà ce qu'il fait.

– Comment ?

– Notre clan, le clan des Dragomir, est furieux à propos du pacte. Tous pensent que Lucius t'a abandonnée dans le but délibéré de nous priver de notre princesse, parce qu'il refuserait de partager le pouvoir. Lucius ne laisse pas seulement cette mauvaise interprétation envenimer la situation, il l'alimente. Il nous pousse à déclarer la guerre. Il existe déjà de nombreux désaccords entre les Vladescu et les Dragomir. Dans cette atmosphère de tension grandissante, des vampires ont été détruits. Des milices se forment. Nous serons bientôt face à une guerre totale.

– Des vampires ont été détruits parce que je ne suis pas revenue avec Lucius ? Pendant que je perdais mon temps à nettoyer des écuries, les miens se sont fait empaler ? Pourquoi n'es-tu pas venu me chercher plus tôt ?

Dorian se tortillait sur son siège.

– Je ne suis pas aussi fort que toi, Antanasia... Je crains la colère de Lucius... Il m'a dit que tu ne devais pas venir en Roumanie, que tu ne devais pas savoir qu'il était en vie. Mais c'est allé trop loin. Je ne peux pas laisser d'autres Dragomir se faire détruire simplement parce que j'ai peur de remettre en cause ses décisions. Je devais venir te voir.

Je serrai la main de mon oncle, comme si j'étais la plus âgée, la plus expérimentée de nous deux.

– Bon, au moins tu as fini par prendre la bonne décision. Je ferai tout mon possible pour vous protéger de la colère de Lucius.

– En fait, je pense que tu es la seule à pouvoir faire resurgir le côté bienveillant de Lucius. Je suis prêt à parier mon existence là-dessus... et le destin de notre peuple. Parce que dans une guerre contre les Vladescu... eh bien... durant la période de paix, qui a commencé avec votre cérémonie de fiançailles, nous, les Dragomir, nous nous sommes adoucis. Et si cette guerre ne peut être évitée, j'ai bien peur que les Dragomir, après toutes ces offenses, ne fassent pas le poids face aux Vladescu.

— Qu'arrivera-t-il à notre famille ?

— La destruction totale, répondit Dorian, morose.

— Donc, si je ne parviens pas à convaincre Lucius qu'il m'aime et qu'il doit honorer le pacte…

— Alors, je le crains, les Dragomir n'existeront bientôt plus. Vu son état actuel, on ne peut pas s'attendre à ce que Lucius fasse preuve de clémence.

Je m'effondrai dans mon siège.

Voici à quoi ressemblait ma nouvelle liste de choses à faire :

• Contrôler des vampires enragés.
• Regagner le cœur d'un fiancé peu enclin à accepter mon amour, revenu de la destruction et prêt à tout saccager.
• Éviter une guerre imminente.

Je touchai la pierre rouge sang pendue à mon cou. J'étais prête à relever le défi. Je n'avais pas le choix.

À plusieurs reprises, l'avion rencontra des turbulences qui nous secouèrent si violemment que plusieurs passagers poussèrent des cris.

Dorian attrapa ma main et me sourit.

— Bienvenue chez toi, en Roumanie, Princesse Antanasia.

60.

Étant donné tout ce que Lucius m'avait dit sur la vie dans un château – des mets très fins aux vêtements taillés sur mesure –, je fus surprise de me retrouver dans une vieille Fiat Panda qui haletait sur les routes de campagne pleines de bosses.

– Euh... Dorian, dis-je en me retenant au tableau de bord alors que mon oncle se débattait avec la boîte de vitesses. Je croyais que nous faisions partie de la noblesse vampire.

– En effet. Une lignée supérieure, d'ailleurs.

– Alors... c'est quoi cette voiture ?

– Ah. Ça. Ne va pas croire que ce véhicule est représentatif de notre héritage. Ce n'est qu'une manifestation de notre... condition réduite.

Il luttait avec la direction non-assistée et essaya d'éviter une ornière alors que nous gravissions les Carpates.

Ces montagnes étaient très différentes des Appalaches qui traversaient gentiment la Pennsylvanie. Les Carpates, raides, rocheuses et accidentées, reléguaient les Appalaches au titre de petites collines. La route suivait des virages en épingles à cheveux et des dénivelés à couper le souffle. Puis elle serpentait dans une forêt dense et sombre où Dorian m'assurait que les ours et les loups rôdaient encore.

Finalement, la route émergea dans la clarté pour traverser de petits villages qui semblaient sculptés dans la pierre et figés dans le Moyen Âge. J'observais tout cela avec curiosité mais, en un clin d'œil, nous fûmes replongés dans la nature sauvage.

Je comprenais pourquoi Lucius avait eu le mal du pays : les villages tout droit sortis de contes de fées, l'impression de temps suspendu, le sentiment de se trouver au beau milieu d'un mystère caché, d'une enclave sauvage et secrète oubliée du monde moderne.

— Accroche-toi bien, me conseilla Dorian alors que nous quittions la route principale de Bucarest pour une voie encore plus étroite et cabossée.

Nous étions secoués dans tous les sens et je me cognai même la tête contre le plafond trop bas de la Panda.

— Aïe. C'est vraiment le mieux qu'on puisse s'offrir ?

— Eh bien, comme je te l'ai dit, le clan a connu une période difficile ces dernières années. Nous avons dû vendre les Mercedes il y a plusieurs années. Mais ce petit modèle est très fiable. Je ne m'en plains aucunement.

Moi, j'avais quelques plaintes à émettre. Comment étais-je supposée assumer mon rang de princesse des vampires alors que mon moyen de transport avait la taille d'une voiturette de golf et le moteur d'un ventilateur d'après-guerre ?

Le trajet se poursuivit en silence, jusqu'à une dernière côte en haut de laquelle apparut au loin un assortiment de toits de couleur ocre qui brillaient sous les rayons du soleil couchant.

— Sighișoara, annonça Dorian.

Je me penchai en avant pour regarder sous le pare-soleil en plissant les yeux. Nous étions donc enfin sur le territoire de Lucius. La terre sur laquelle il avait grandi et était devenu l'homme que j'aimais.

– Allons-nous traverser la ville ?

– Oui, si tu le souhaites.

J'avais remarqué que l'attitude de mon oncle à mon égard avait légèrement changé depuis que nous avions atterri à Bucarest. Il était devenu plus formel. Je pensais lui dire qu'il n'avait pas à me traiter comme une princesse juste parce que nous n'étions plus aux États-Unis. Puis je réalisai que je devais assumer mon rang. J'avais besoin de cette déférence ; j'avais besoin de projeter mon autorité si je voulais accomplir ce pour quoi j'étais venue ici. J'étais peut-être dans une Fiat Panda, mais j'étais une princesse.

– S'il te plaît, allons-y, lui demandai-je.

– Très bien.

Dorian nous conduisit au centre-ville, et je découvris, ébahie, les passages sous les arches en pierre qui menaient à des ruelles sinueuses. Les petites boutiques dont les spécialités – pain, fromage, fruits et légumes – s'accumulaient sur les trottoirs. Et la tour d'horloge du dix-septième siècle qui battait comme le cœur de la ville, et sonna l'heure lorsque nous passâmes devant elle. Six heures.

Je me posais des questions sur chaque endroit qui attirait mon attention. Est-ce que Lucius avait déjà marché dans cette rue ? Avait-il acheté quelque chose dans ce magasin ? Avait-il entendu le tic-tac de l'horloge en réalisant qu'il était en retard, baissé la tête pour passer sous ces arches et se rendre à un rendez-vous dans une ruelle cachée ? Tout cela formait un cadre dans lequel Lucius ne semblait pas détonner, même avec sa cape en velours et son pantalon sur mesure.

– As-tu faim ? me demanda Dorian. Nous pourrions faire une pause, avant que tous ces marchands ne ferment boutique.

– Il n'est que six heures. C'est une coutume locale de fermer si tôt ?

Dorian gara la voiture sur le trottoir.

– Non. Il n'en est pas toujours ainsi. Mais les gens de la région vivent en compagnie des vampires depuis des générations. Ils vivent au rythme du clan. Ils ont entendu dire qu'une guerre se préparait et savent qu'il y aura des vampires assoiffés et affamés qui rôderont dans les alentours, à la recherche de sang – et de nouvelles recrues pour leurs armées de non-morts... Désormais, ils ne traînent plus dans les rues après la tombée du jour sans avoir une excellente raison.

Un frisson me parcourut. Bien que je fusse à présent du côté des vampires, je comprenais tout à fait les peurs des habitants du coin.

– Alors, même les gens normaux sont touchés par ces tensions...

– En effet. Ils regrettent la période de paix qui a duré presque deux décennies durant laquelle une sorte de trêve s'était installée, avec les humains aussi. Et cela en grande partie grâce à Lucius. C'était un très bon ambassadeur pour nous. Si charmant... Même ceux qui faisaient le signe de croix en entendant le nom de Vladescu ne pouvaient pas ne pas l'apprécier. Mais ils savent qu'il a changé...

Dorian m'emmena dans un petit restaurant et ouvrit la porte sur une petite pièce bondée. La décoration était simple – quelques tables abîmées disposées sur un parquet en bois – mais l'odeur était exceptionnelle.

– Voilà. Nous allons prendre des *papanaşi* : des boulettes de fromage roulées dans du sucre. Une spécialité locale.

– Du fromage sucré ? m'étonnai-je, sceptique.

– J'ai mangé de ton gâteau d'anniversaire végétalien, fit remarquer Dorian. Fais-moi confiance. En comparaison, ce sera un vrai plaisir.

Je ne pouvais pas le contredire.

Nous nous approchâmes du comptoir, et le propriétaire, un homme d'un certain âge, se leva difficilement de son tabouret pour accueillir Dorian.

— *Bună*.

— *Bună. Doi papanaşi*, dit-il en levant deux doigts.

— *Da, da*, répondit le vieil homme.

Puis il me remarqua et s'arrêta brusquement tandis que son visage basané et marqué par le temps pâlissait à vue d'œil. Il me désigna d'un doigt tremblant et lança un regard paniqué à Dorian.

— *Ea e o fantoma…*

— *Nu e !* fit Dorian en secouant la tête. Ce n'est pas un fantôme !

— *Ea e Dragomir !* insista le propriétaire. Mihaela !

Je compris les mots Mihaela et Dragomir — et le sens général de la conversation, même si la langue m'était inconnue.

— *Da, da*, concéda Dorian, qui semblait perdre patience face au vieil homme. *Commanda, vă rog*. Notre commande, s'il vous plaît.

L'homme claudiqua vers l'arrière du restaurant pour préparer nos *papanaşi* sans me quitter du regard.

— Il se souvient de ta mère, me chuchota Dorian. Il croit que tu es un fantôme. Son *fantoma*. Il va falloir t'y habituer.

J'étais à la fois flattée et un peu mal à l'aise d'être confondue avec ma mère biologique. Tout à coup, je réalisai que cet homme me prenait sans doute pour un vampire. Il avait vécu l'époque où mes parents avaient été détruits. Peut-être avait-il participé à… À ce moment-là, je compris que le regard suspicieux du vieil homme ne traduisait pas seulement de la curiosité ; j'étais une menace potentielle. Soudain, je me sentis vulnérable, au fin fond des Carpates, hors de la protection de mes parents, seule dans cette pièce oppressante avec un oncle que je connaissais à peine et un étranger qui me considérait comme un monstre suceur de sang, taillé pour la destruction.

Le vieil homme tendit notre commande à Dorian, et mon oncle paya avec quelques pièces. Le propriétaire me fixait toujours avec méfiance.

— Allons-y, dit Dorian en me guidant vers la porte. Essaie de ne pas être trop perturbée par ce genre de scène. Certaines des personnes les plus âgées de la région te reconnaîtront. Tu lui ressembles tellement. Ils mettront un certain temps à comprendre que tu es sa fille et que tu es revenue au pays.

Lorsque nous sortîmes, j'observai la rue en essayant de considérer ce lieu étrange comme « mon pays ».

— Nous ferions mieux d'y aller, me suggéra gentiment Dorian. Il commence à faire nuit et la route est dangereuse.

Je grimpai dans la petite voiture et goûtai au *papanași* en croquant dans la croûte de sucre pour profiter pleinement du fromage chaud et moelleux.

— Hmmmm…

Je fermai les yeux pour savourer au mieux le délice, me sentant plus forte et plus courageuse avec quelque chose de chaud dans l'estomac.

— C'est bon ?

Dorian semblait satisfait. Il fit démarrer la voiture et avança dans la rue à présent quasiment vide.

— Très bon, affirmai-je en plongeant ma main dans le sac en papier pour en prendre un deuxième. Bien meilleur que le gâteau végétalien.

— Tu sais, c'est la spécialité préférée de Lucius. Et il aime particulièrement ceux de ce restaurant.

Je léchai délicatement le sucre sur mes doigts tout en regardant la ville à travers la vitre. Lucius aurait pu être là.

Beth Fantaskey

J'aurais pu entrer dans cet endroit et voir l'homme que je pleurais depuis longtemps, en espérant qu'il soit en vie et en bonne santé.

— Est-ce que Lucius vit près d'ici ? osai-je demander. C'est à combien de temps exactement ? Quelques minutes ? Une demi-heure ?

— Tout près, répondit Dorian en me regardant avec nervosité. Tu... tu ne comptes pas aller te balader par là-bas, n'est-ce pas ?

— Juste pour voir sa maison...

Une soudaine appréhension s'empara de moi. De l'appréhension et de l'excitation.

— Tu crois qu'il sera là ?

Avais-je vraiment envie qu'il soit là ? Étais-je prête ?

— Je ne crois pas.

Je me sentis un peu soulagée. Malgré mon envie désespérée de revoir Lucius, je savais que je devais d'abord me préparer. J'avais non seulement besoin de me remettre de mon long voyage, mais il me fallait aussi me préparer psychologiquement. Prendre des forces pour pouvoir rencontrer le Lucius que Dorian m'avait décrit dans l'avion. Le Lucius qui avait détruit son oncle, qui précipitait une guerre et effrayait les villageois. Le Lucius qu'on croyait capable « d'anéantir » ma famille, sans merci.

— Il est souvent en déplacement avec ses troupes, ces derniers temps, ajouta Dorian.

— Et nous, nous nous préparons ? demandai-je, inquiète de cette dernière révélation.

— En quelque sorte..., soupira Dorian. Non. En fait, pas vraiment. Pas d'une façon organisée comme le fait Lucius. C'est un guerrier qui lève une armée. Nous ressemblons plus à vos colons américains : nous sommes des vampires sérieux, mais mal préparés, qui forment des milices informelles.

370

J'admirai le paysage accidenté. Plus nous nous enfoncions dans les Carpates, plus je reconnaissais en elles les montagnes de mes rêves. J'entendais ma mère biologique chanter dans ma tête. Puis se taire. C'était un endroit magnifique. Mais dur et sauvage aussi.

– Il nous faudra plus que des « milices informelles ». Nous allons devoir nous préparer, nous aussi.

Si seulement je savais ce que cela voulait dire. Si seulement j'avais été élevée comme une guerrière, et pas comme une végétarienne dans une ferme envahie de chatons perdus. Étais-je vraiment capable d'aider mon clan ?

– Regarde par là, dit Dorian qui avait arrêté la voiture sur le bord de la route.

Lorsque je me retournai, j'eus le souffle coupé par la vision de l'immense bâtisse de pierre qui me faisait face – qui me prenait d'assaut. C'était l'édifice fantasmagorique où Lucius avait grandi, avait été éduqué dans la violence, nourri par les contes sur son héritage de vampire qui lui avaient donné conscience de la fierté d'être un Vladescu et de la place prééminente de sa famille à travers le monde.

– Waouh.

Nous étions garés au bord d'un précipice si profond qu'on aurait cru qu'un géant l'avait créé avec un fendoir d'un kilomètre de long. Le château de Lucius, noir sur le fond orangé du coucher de soleil, s'accrochait à l'escarpement et paraissait vouloir saisir le ciel. Des avant-toits élancés, des tourelles évoquant de gigantesques pics crevant les nuages, des fenêtres gothiques étroites et voûtées. Cette demeure respirait la colère. Elle semblait en guerre avec l'univers tout entier.

Lucius vivait-il vraiment là-dedans ?

Alors je descendis et m'approchai tout au bord de la falaise, pour pouvoir mieux examiner cette expression architecturale de la rage aux dents aiguisées.

– Impressionnant, n'est-ce pas ? lança Dorian.

– Oui...

Mais les mots étaient coincés dans ma gorge. En regardant cette maison, j'étais effrayée. C'était ridicule d'avoir peur d'un bâtiment, mais pourtant, la vue de ce château me procura un frisson d'angoisse intense.

Avais-je peur de la maison – ou de la personne qui l'avait habitée ?

Alors que Dorian et moi observions le paysage, une lumière s'éclaira derrière l'une des fenêtres.

Mon oncle et moi échangeâmes un regard.

– Il s'agit peut-être des domestiques, suggéra Dorian. Ou alors... peut-être est-il rentré chez lui pour la nuit.

– Allons-y, dis-je en attrapant mon oncle par le bras.

Mieux valait partir avant que je ne fasse quelque chose de stupide. Comme courir vers le château et frapper à la porte. Ou m'enfuir dans l'autre sens, pour regagner le comté de Lebanon sans regarder en arrière.

– S'il te plaît. J'aimerais partir.

– Je te suis, soupira Dorian en se dirigeant vers la voiture.

61.

La bonne nouvelle, c'était que le clan Dragomir possédait lui aussi une propriété assez impressionnante. La mauvaise, c'était qu'elle était ouverte aux touristes quatre jours par semaine. Une autre manifestation de notre « condition réduite », comme Dorian aimait appeler ce qu'on aurait plutôt défini comme une réelle crise économique.

– Les visites ne commencent pas avant dix heures, m'informa Dorian comme pour me rassurer.

En m'aidant à traîner ma valise dans notre demeure qui sentait le renfermé, il évita un panneau destiné aux visiteurs sur lequel on pouvait lire : « NE PAS FUMER ! PHOTOS INTERDITES ! » en sept langues différentes.

– Nous avons beaucoup de monde, cette année, ajouta Dorian comme si c'était une excellente nouvelle. Le ministère du Tourisme a vraiment fait des efforts pour promouvoir le château. Le nombre de visites a augmenté de soixante pour cent.

Génial…

– Bien sûr, il y a des parties privées, poursuivit Dorian en remarquant ma déception. Les chambres et les salles de bains ne sont pas accessibles aux visiteurs, même s'il arrive qu'un Américain se perde jusqu'aux toilettes privées. Je suppose que c'est à cause du changement de nourriture… Quoi qu'il en soit, n'aie pas peur si en ouvrant une porte tu tombes nez à nez avec un de tes compatriotes. C'est embarrassant pour tout le monde, c'est vrai. Mais ce n'est pas très grave. Ce n'est même qu'un petit inconvénient. Ils rougissent tous très bien en général. C'est un vrai talent chez eux.

Des touristes ? Qui utilisaient les toilettes de mon château ? Je parie que dans la propriété Vladescu, personne n'allait aux toilettes sans y avoir été autorisé...

– Dorian ?

– Hmmm ?

Il tirait ma valise dans un grand escalier de marbre. L'ampoule de la fausse torche électrique clignotait contre le mur, telle une pâle imitation du vrai feu qui, j'en étais certaine, devait flamboyer dans le château de Lucius. Il ne supportait rien d'autre que l'authentique. Une fois encore, je caressai la pierre de sang qui pendait à mon cou, et le mot « inacceptable » apparut dans ma tête. Tout ceci était inacceptable. Si tout se passait comme je l'espérais, j'ordonnerais que ce château appartienne aux Dragomir uniquement, et pas aux touristes. Cette idée suscita en moi une excitation surprenante. Lorsque nous atteignîmes le plus haut palier, j'examinai les plafonds voûtés et le corridor. Oui, nous pouvions faire mieux.

– Et maintenant ? demandai-je à Dorian en le suivant dans le couloir vers une chambre caverneuse.

Dorian laissa tomber ma valise dans un bruit sourd.

– Eh bien, tu dois rencontrer la famille. Tout le monde est très excité à l'idée de dîner avec toi. Ils seront bientôt là.

Des images de la « famille » de Lucius surgirent dans mon esprit.

– Combien seront-ils ? m'informai-je en espérant ne pas avoir à affronter trop de vampires de mon clan à la fois.

– Oh, seulement une vingtaine de tes parents les plus proches. Nous avons pensé qu'il ne serait pas sage de t'accabler dès ton premier jour ici, mais évidemment, tout le monde est curieux de voir l'héritière qu'ils attendent depuis si longtemps. Je suppose que tu aimerais faire un brin de toilette ? Changer de vêtements ? proposa Dorian sur un ton lourd de sous-entendus.

— Oui.

Je sautai sur l'occasion de me retrouver un peu seule. Pour réfléchir. Pour me ressaisir. Tout arrivait si vite. J'avais besoin de me ressourcer.

Dorian traversa la pièce pour allumer les lumières. L'endroit était poussiéreux, vieux et plein de courants d'air mais habitable. Il n'avait pas perdu toute sa gloire d'antan. Pas encore.

— J'espère que tu te sentiras à ton aise ici, dit Dorian en posant mon sac sur le lit à baldaquin. Je reviens dans environ une heure. Tu peux faire une sieste si tu le désires.

— Merci.

— Oh ! J'ai failli oublier.

Dorian avança vers une grande armoire de laquelle il sortit une robe accrochée à un cintre. Les couleurs avaient un peu pâli mais elle était toujours très belle. La soie qui, sans aucun doute, affichait jadis un rouge écarlate étincelant s'était transformée en un rouge plus riche et plus profond.

— Elle appartenait à ta mère. Je me suis dit que tu aimerais la porter pour le dîner. C'est une grande occasion. Et j'ai peur que nous soyons partis si vite que tu n'aies pas vraiment eu le temps de mettre quelque chose d'habillé dans ta valise.

Comme en transe, je m'avançai vers Dorian et effleurai le tissu.

— Je la reconnais. C'est celle de la photo.

— Ah oui. Son portrait…, dit Dorian avec un sourire. Mihaela avait de nombreuses robes, mais celle-ci était sa préférée. Elle aimait sa couleur vive… qui correspondait si

bien à sa personnalité. Elle la portait pour toutes les grandes occasions, à l'époque, avant la purge…

Pendant un instant, je crus qu'il était sur le point de pleurer, mais il s'égaya de nouveau.

– Tu dois lui faire honneur, Antanasia, et ouvrir la voie à
une nouvelle ère pour les Dragomir. Peut-être le souhait le
plus ardent de ta mère – la paix entre les Vladescu et les
Dragomir – s'exaucera-t-il enfin.

Je caressai encore le tissu.

– Penses-tu vraiment que la porter sera une bonne
chose ?

– Pas seulement une bonne chose. L'occasion est tout à
fait appropriée. Parfaite même.

Une fois seule, j'étendis la robe sur le lit. Je portais son
collier, j'allais enfiler sa robe, et je me trouvais dans sa maison. Mais pourrais-je me montrer digne de l'héritage de
Mihaela Dragomir ? Étais-je une vraie princesse, comme je
le souhaitais, ou juste un fantôme – son ombre pâle et sans
substance –, comme l'avait cru le vieil homme du restaurant ?

Le temps n'est pas aux doutes, Jess. Lucius pensait que
tu lui ressemblais en bien des aspects…

Après avoir localisé la salle de bains, j'ôtai le jean et le
tee-shirt que j'avais portés pour le voyage et pris une longue douche chaude. Après m'être essuyée, j'enlevai la robe
de son cintre et défis la rangée de boutons de perles qui
parcouraient le dos. Je me glissai alors dans la robe, qui
étreignit mon corps comme les bras du passé. Comme
l'étreinte de ma mère défunte.

Elle m'allait à la perfection. Comme si elle avait été des-
sinée pour moi.

Je m'admirai dans un miroir doré qui se dressait dans un
coin de la chambre, à la lumière claire de la lune qui brillait
comme un projecteur à travers les fenêtres voilées.

Était-ce ainsi que Mihaela se regardait ? À la lueur de cette lune ? Dans ce miroir ?

La robe avait un col haut, qui montait presque jusqu'à mes joues, mais le décolleté plongeait assez bas pour mettre en valeur la pierre de sang suspendue à mon cou. La robe suivait les courbes de ma poitrine, puis descendait brusquement comme une cascade sur les falaises des Carpates, pour finir en une traîne de soie drapée qui bruissait lorsque je marchais. Comme le sifflement qui suivait certainement n'importe quelle femme qui osait porter une robe si envoûtante.

C'était une robe qui en disait beaucoup sur la femme qui la portait. Elle disait à tous ceux qui la voyaient : « Je suis puissante et belle. Essaie donc de détourner les yeux. J'attire toutes les attentions. »

Comme je n'avais pas de diadème en argent, je soulevai mes boucles noires et brillantes et les laissai retomber librement dans mon dos. Bien qu'étant plus jeune que sa précédente propriétaire, je devais trouver la maturité pour prendre des décisions cruciales. Je misais tout mon avenir sur cette robe.

La jeune femme que je voyais dans le miroir, les yeux noirs brillant au clair de lune, ressemblait vraiment à une princesse.

Forte. Déterminée. Ne ressentant aucune peur.

Quelqu'un frappa à la porte. C'était Dorian.

– Tes invités sont arrivés. Es-tu prête ?

– Tu peux entrer.

Mon oncle passa la tête dans l'entrebâillement de la porte, et ses petits yeux malins s'écarquillèrent. Pendant un long moment, il me fixa sans rien dire.

– Oui. Tu es prête.

Puis il fit un pas de côté pour me permettre de passer la porte et de le devancer. Je remarquai qu'il s'inclina légèrement sur mon passage.

62.

Ils m'attendaient tous au pied des escaliers. Tous les visages se tournèrent vers moi lorsque je descendis les marches. Mais lorsque leur regard sceptique et inquiet laissa la place à l'engouement et l'émerveillement – et même l'espoir –, je repris confiance en moi, même si j'étais terrifiée.

Qui suis-je pour être leur sauveuse ? Leur princesse ?

Tu es la fille de ta mère… belle, forte, royale… Les mots de réconfort de Dorian et l'ode de Lucius résonnaient encore dans ma tête, me donnant du courage.

Lorsque je fus en bas de l'escalier, les membres de ma famille vampire s'approchèrent de moi, un à un. Dorian me les présenta. Alors chacun d'entre eux – cousin ou cousine, germain ou éloigné – s'avança, s'inclina ou fit la révérence. Je voyais en eux une part de moi-même dans la courbe de leur nez, l'arc de leurs sourcils ou la forme de leurs pommettes. Ils portaient de beaux vêtements, même si les robes semblaient un peu démodées et les costumes parfois mal taillés. *Que nous est-il arrivé depuis la destruction de mes parents ?*

– Eh bien, annonça Dorian lorsque nous nous fûmes tous présentés, passons à table.

Moi en tête, nous nous dirigeâmes vers une salle à manger tout en longueur et au haut plafond. Il y faisait très froid

378

malgré le feu qui flambait dans la cheminée. Suivant les indications de Dorian, je pris place au bout de la table sur laquelle avaient été dressés argenterie et chandeliers. Même si les Dragomir connaissaient de graves difficultés financières, les restrictions avaient manifestement été levées pour célébrer mon retour.

— Assieds-toi, dit gentiment Dorian en tirant ma chaise. J'ai bien peur de devoir m'occuper du service... Nous manquons de personnel ces derniers temps, et il est difficile de faire venir quelqu'un du village étant donné la situation actuelle. Personne n'accepte de travailler tard dans la propriété Dragomir...

Un toast fut porté en mon honneur, en roumain, et Dorian me fit la traduction. À ma santé... à mon retour... au pacte... à la paix.

Un murmure s'éleva autour de la table lorsque ces dernières paroles furent prononcées, alors Dorian se pencha vers moi.

— Ils veulent t'entendre. Et ils sont impatients de commencer le repas aussi. Tu dois leur parler de tes projets.

Pour la première fois depuis que je portais la robe de soie rouge et que je commençais à m'habituer à mon rôle de princesse, la panique s'empara de moi. Je n'avais pas préparé de discours. J'aurais dû préparer quelque chose. Que pouvais-je bien leur dire ? Mon Dieu, quels étaient mes projets ?

— Je ne peux pas, murmurai-je à l'oreille de Dorian. Je ne sais pas quoi dire.

— Il le faut, Antanasia. Ils n'attendent que ça. Ils perdront la confiance qu'ils ont en toi si tu ne le fais pas.

Je ne pouvais pas me permettre de perdre leur confiance. Alors je me levai et fis face à ma famille.

— C'est un honneur d'être parmi vous ce soir, de retour dans notre demeure ancestrale... (*Qu'est-ce que tu peux dire ?*) Cela faisait trop longtemps.

Dorian traduisait pour ceux qui ne comprenaient pas ma langue, me jetant de temps à autre des regards consternés. Il savait que c'était difficile pour moi. L'inquiétude se lisait sur les visages de mes invités autour de la table. Je perdais leur confiance aussi vite que je l'avais gagnée.

— J'ai la ferme intention de faire en sorte que le pacte soit honoré, ajoutai-je. Je suis votre princesse, et je vous promets de ne jamais vous laisser tomber.

— Dites-moi, Jessica, lança une voix grave.

Oh, mon Dieu... une question.

— Oui ?

Je cherchai le visage de mon interlocuteur parmi les personnes éclairées à la lueur des bougies.

— Comment pensez-vous y parvenir et mettre fin à la guerre ? J'ai cru comprendre que les Vladescu ne s'intéressaient plus au pacte.

La voix venait de derrière moi. Et elle m'était familière.

Je me retournai d'un bond qui fit tomber ma chaise et vis Lucius Vladescu appuyé contre l'encadrement de la porte, les bras croisés sur sa poitrine, un sourire froid aux lèvres.

— Lucius...

Mon cœur cessa de battre et tout mon sang me monta au visage. C'était Lucius. Vivant. Devant moi. À moins de cinq mètres. Combien de fois avais-je rêvé de le voir à nouveau ? De le toucher ? Combien de fois ces rêves avaient-ils failli me détruire tant ils s'apparentaient à des chimères ? Mais à présent, nous étions si proches...

Son sourire s'évanouit, comme s'il était incapable de garder son attitude froide en me voyant, et je l'entendis murmurer mon prénom très faiblement. Dans cet unique mot, je perçus le désir, le soulagement, la tendresse, le plaisir. Toutes ces émotions que je ressentais aussi. Il hésita, une main tendue, comme s'il allait s'avancer vers moi.

380

– Lucius, répétai-je en clignant des yeux alors que je reprenais conscience de la réalité. C'est vraiment toi.

– Évidemment, il n'y en a qu'un comme moi, ironisa-t-il tandis que toute trace de tendresse avait disparu de son visage. Et bien heureusement.

J'allais me précipiter vers lui mais je trébuchai sur la traîne de ma robe. Je voulais me jeter sur lui, l'attraper et l'embrasser encore et encore tant j'étais heureuse de le voir. Puis j'aurais ensuite hurlé, déversant sur lui toute la rage que j'avais ressentie lorsqu'il m'avait menti et abandonnée. Mais lorsque je m'approchai, je vis son visage de près, et m'arrêtai net.

– Lucius ?

J'eus l'impression qu'il avait vieilli de plusieurs années, alors que nous n'avions été séparés qu'un mois. Il ne restait plus rien de l'adolescent américain – et pas seulement parce qu'il portait de nouveau ses pantalons de tailleur et sa cape de velours. Ses cheveux noirs étaient plus longs et attachés en une queue-de-cheval négligée. Sa bouche semblait figée. Ses épaules étaient encore plus larges. Une barbe de plusieurs jours couvrait ses joues habituellement rasées de près. Et ses yeux étaient plus sombres que jamais, comme si plus aucune âme ne les animait.

Derrière moi, les Dragomir semblaient paralysés de voir leur ennemi de si près.

– La sécurité ne fait pas très bien son travail, fit remarquer Lucius.

Il pénétra dans la pièce et passa devant moi, sans croiser mon regard, toisant les meubles abîmés par le temps avec le même dédain dont il avait fait preuve plusieurs mois auparavant dans la cuisine de notre ferme. Seulement cette fois, il n'affichait pas seulement l'arrogance d'une personne innocente qui n'a rien connu d'autre qu'une vie de privilèges, mais un dédain profond et délibéré.

– J'allais m'inscrire à la prochaine visite, ajouta-t-il. Mais je ne pouvais pas attendre jusqu'à dix heures du matin pour te voir, Jessica.

Je le fixai avec un mélange de consternation et de rage. Il savait qu'utiliser mon prénom américain était une insulte en ces lieux. Et il était si froid.

– Ne me parle pas de cette façon. C'est cruel, et je sais que tu ne l'es pas.

Il évitait toujours mon regard.

– Vraiment ?

– Oui.

Je m'avançai vers lui, refusant de le laisser prendre le dessus. Nous n'étions pas à un bal de lycéens où il pouvait mener la danse. Il était dans la maison de ma famille. J'étais bouleversée de le revoir de façon si inattendue et de le retrouver si altéré, mais je ne me laisserais pas intimider comme mes invités tremblants sur leur chaise.

– Tu n'es pas cruel, Lucius, répétai-je.

Nous étions face à face et très proches l'un de l'autre à présent, suffisamment pour que je sente cette eau de Cologne qu'il avait arrêté de porter le temps de sa transformation en lycéen américain. Lucius le prince guerrier était de retour, sur tous les points. Ou du moins, c'était ce qu'il voulait que je croie.

– Pourquoi es-tu venue ici ? me demanda Lucius assez doucement pour que les membres de ma famille ne l'entendent pas. Tu dois repartir, Jessica.

Ses yeux ne croisèrent toujours pas les miens.

– Non, Lucius. Je ne partirai pas.

Il se tourna vers moi et, l'espace d'un instant, je vis dans ses yeux un éclair de souffrance – d'humanité – mais il fit un pas en arrière. Je voyais bien qu'il luttait pour maîtriser ses émotions. Pour me garder à distance. Du moins, c'est ce que j'espérais. La froideur, l'éloignement : cela semblait si réel.

– Tu as observé ma maison, fit-il remarquer.

Il tournait autour de la table comme un aigle guettant le moindre mouvement de sa proie. À chaque fois qu'il passait derrière l'un de mes invités, celui-ci s'affaissait dans son siège.

– Comment le sais-tu ?

– En temps de conflit, il est sage de rester vigilant.

Sa voix était encore plus dure lorsqu'il parlait de guerre et se glissait dans son rôle de général. Cela renforçait encore la distance qu'il y avait entre nous.

– Évidemment, j'ai posté des gardes sur le périmètre de ma propriété, reprit-il. Ta famille me harcèle sans cesse, se plaignant du non-respect du pacte, déclarant que je n'ai jamais voulu partager le pouvoir… Et plus j'entends ces jérémiades, plus je me demande pourquoi je devrais partager ce que je peux prendre par la force. Je ne suis pas opposé à faire couler un peu de sang, si cela me permet d'arriver à mes fins.

– Lucius, je sais que tu ne penses pas vraiment tout ceci.

– Si, affirma Lucius en posant ses mains sur le dossier de la chaise de Dorian.

Tout le corps de mon oncle se raidit. Je savais qu'il avait très peur que Lucius le détruise, ici et à cet instant, pour m'avoir amenée en Roumanie.

– M'avez-vous déjà vu plaisanter à propos du pouvoir, Dorian ? demanda Lucius.

Mon oncle resta muet.

Lucius se pencha pour parler dans l'oreille de Dorian.

– Je m'occuperai de votre cas plus tard, pour avoir osé me défier en l'amenant ici.

– Éloigne-toi de lui, lui ordonnai-je. Tu es ici pour me voir moi. Ne tourmente pas ma famille dans notre maison.

Lucius évalua de nouveau la pièce.

– Lorsque tout ceci sera à moi, il faudra que je fasse d'importants changements. Ouvrir aux visiteurs… Quelle honte pour tous les vampires !

Je le fixai avec assurance, refusant de paraître bouleversée ou apeurée par son comportement inhumain. Le Lucius qui se trouvait devant moi était encore plus glacial et inaccessible que celui qu'il avait été après que Vasile l'eut fait battre sévèrement. Lucius… où était *mon* Lucius ?

– Je veux que tu sortes maintenant, Lucius, lui demandai-je calmement. Je ne te parlerai pas tant que tu seras comme ça.

Ma réaction sembla l'étonner.

– Ne sont-ce pas les retrouvailles dont tu rêvais, Jessica ? N'est-ce pas ce pour quoi tu as parcouru des milliers de kilomètres ? Es-tu déçue de trouver ta famille faible et ton ex-fiancé plus méprisable que jamais ?

– Tu ne me pousseras pas à te détester. Peu importe les efforts que tu feras. Je sais très bien ce que tu essaies de faire. Je sais que tu essaies de m'éloigner de toi. Tu crois que tu es condamné parce que tu as détruit Vasile et que tu ne peux expier ton crime. Tu es convaincu d'être aussi mauvais que lui – ou encore plus parce que tu as trahi ta famille. Mais tu n'es pas comme Vasile. Je te connais.

Je me risquai à poser ma main sur son bras.

Il la repoussa aussitôt.

– Ne me touche pas, Antanasia !

– Pourquoi pas, murmurai-je afin que ma famille n'entende pas. Parce que tu as peur de perdre le contrôle, comme dans ma chambre ?

– Non. Parce que j'ai peur de perdre le contrôle comme avec mon oncle.

– Lucius, tu n'avais pas le choix. Tu devais le faire.

Son regard changea alors et se dirigea vers mes invités, qui nous regardaient, toujours aussi silencieux.

— Viens avec moi, m'ordonna-t-il en saisissant fermement mon coude pour m'entraîner dans un coin de la pièce, hors d'écoute de l'assistance. Nous parlons de choses privées en public. Cela ne se fait pas.

Nous restâmes devant la cheminée. Le feu projetait des ombres douces et vacillantes sur le visage de Lucius, ce qui le faisait paraître de nouveau plus jeune. Je faillis tendre la main pour toucher sa joue. Mais son regard était encore trop dur. Trop sombre.

— Je dois te dire quelque chose, et ensuite, tu feras tes valises et tu retourneras chez toi, Jessica.

— Je ne partirai…

— Tu penses me connaître, m'interrompit-il en serrant toujours mon bras. Sans que je sache pourquoi, bien que je t'aie abandonnée, bien que j'aie tout fait pour que tu croies que j'avais disparu… malgré tout cela, tu t'accroches à un espoir démesuré et utopique, et tu crois qu'il existe un avenir pour nous deux. Il est temps que je t'ouvre les yeux, une bonne fois pour toutes. Nous ne sommes plus dans ta petite Pennsylvanie civilisée ici, nous ne nous contentons pas d'aller au lycée et de jouer à la guéguerre sur un terrain de basket. Ici, *c'est* la guerre, Jessica.

— Tout cela ne sert à rien, Lucius. Je sais que tu m'aimes.

— Les Vladescu n'ont jamais été de bonne foi, Jessica, poursuivit Lucius avec un rictus macabre sur les lèvres. Tout était planifié. Contre toi.

— Pla… Planifié ?

— Oui. J'étais censé te séduire, t'épouser – toi, l'adolescente américaine qui ignorait tout des vampires – et te ramener en Roumanie. Une fois le pacte honoré, nous aurions attendu un temps raisonnable, pour que personne n'accuse les Vladescu de ne pas respecter leurs obligations…

— Et puis ?

Je savais déjà ce qu'il s'apprêtait à dire.

Lucius plongea son regard dans le mien.

— Et puis nous t'aurions discrètement envoyée six pieds sous terre. Nous aurions fait comme si nous pleurions ta perte, tout en nous réjouissant de nous être débarrassés de la dernière princesse Dragomir qui se trouvait sur notre route.

Je secouai la tête, horrifiée. Je n'arrivais pas à le croire.

— Non, Lucius. Tu n'aurais pas fait ça.

— Antanasia... Tu es toujours incroyablement naïve. Penses-tu vraiment que les Vladescu avaient l'intention de partager leur souveraineté avec l'ennemi ?

Non. Bien sûr que non.

— Comment... Comment était-ce censé se produire ?

— Je n'étais pas au courant des détails. Mais peut-être de mes propres mains... J'aurais eu l'opportunité, seul avec toi dans notre château.

Non, Lucius. Pas toi.

Il fixait le feu dans la cheminée.

— Le fait que tu aies été élevée en Amérique était parfait pour nous. En voulant te mettre en sécurité, les Dragomir t'avaient en fait condamnée. Une vraie princesse vampire aurait compris les risques qu'elle encourait en m'épousant. Elle se serait protégée, serait toujours restée vigilante. Mais toi, tu serais venue avec moi volontiers, sans jamais soupçonner quoi que ce soit...

Ma respiration se fit irrégulière. Je m'efforçai de ne pas pleurer, consciente de la présence de ma famille qui nous regardait. Je devais garder mon calme, même si je sentais la trahison me déchirer le cœur.

— Tu savais tout cela lorsque tu es venu t'installer dans la maison de mes parents ? Lorsque tu vivais avec nous ? Lorsque tu m'as embrassée ?

Lucius, lui aussi, était conscient que nous avions des spectateurs. La souffrance qui transparaissait dans ses yeux ne se percevait pas dans sa posture royale.

– Oh, Antanasia… Quand ai-je su ? Dès le début ? Seulement vers la fin ? Je ne sais pas vraiment. Peut-être ai-je été naïf moi aussi au début. Peut-être me suis-je bercé d'illusions, incapable d'accepter la vérité. Mais oui, avant de t'embrasser, je savais déjà que j'étais complice.

J'étouffai un sanglot tout en essayant de rester bien droite.

– Je ne te crois pas.

– Tout cela ne prend-il pas toute sa signification, Antanasia ? demanda-t-il en jetant un regard à ma famille. Regarde-les. Les Dragomir sont affaiblis. Vasile aurait pu les duper aisément et les contrôler sans perdre ne serait-ce qu'un Vladescu. Sans guerre. Le seul sang qui aurait coulé aurait été le tien. Tu aurais été sacrifiée pour son coup d'État.

– C'était l'idée de Vasile, fis-je remarquer, refusant de croire Lucius capable de me détruire.

Je comptais pour lui. Je l'avais senti dans son baiser, je l'avais vu dans ses yeux. Mais il était dangereux. Il ne voulait pas être un Vladescu, mais peut-être qu'il le serait toujours.

– C'était les plans de Vasile, poursuivis-je. Pas les tiens.

– Et lorsque j'ai compris la stratégie dans son ensemble, j'ai été impressionné par son génie. Ça ne te dégoûte pas, Jessica ? Parce que ça devrait.

– Tu ne m'aurais pas détruite, Lucius. Tu m'aimes. Je le sais.

Lucius secoua la tête.

– Juste assez pour te dire que je t'aurais détruite. C'est tout ce que je peux te donner. Maintenant, rentre chez toi, Jessica. Rentre chez toi et déteste-moi. J'aurais aimé que tu gardes un meilleur souvenir. Mais tu es venue, et à présent, je ne peux même plus t'offrir cela.

— Je ne partirai pas, Lucius. Ne serait-ce que pour ma famille. Les Dragomir ont besoin de moi.

— Non, Antanasia. Tu ne leur donnes rien d'autre que de faux espoirs. Regarde-toi.

Il me toisa de la tête aux pieds et, de nouveau, une étincelle jaillit, une étincelle d'admiration que j'avais déjà vue auparavant.

— Tu es belle. Surprenante. Tu suscites l'admiration. Ils combattront avec plus d'ardeur, pensant qu'ils agissent pour leur princesse. Pensant bêtement que l'échec du pacte t'a causé du tort – alors qu'en réalité je t'ai sauvé la vie en le rompant. Ils continueront de croire qu'ils ont été dupés en dépit de la paix et du pouvoir partagé, et ils se rallieront pour lutter en ton nom. Mais au final, les Vladescu domineront. Ne prolonge pas leur agonie. Évite d'accroître leurs pertes.

— Ils sont déjà en colère. Ça, je ne peux rien y faire. Eux aussi veulent une guerre, à moins que le pacte soit honoré.

— Si tu leur demandes de se rendre à moi, ils le feront. Tu es leur chef. Demande-leur de se soumettre et rentre chez toi.

J'hésitai un moment et considérai son marché qui se rapprochait plus d'un ultimatum. Si je demandais aux membres de ma famille de se rendre, peut-être le feraient-ils vraiment. J'étais leur chef. Je pourrais sauver des vies. J'attrapai la pierre de sang autour de mon cou pour écouter la voix de ma mère biologique. *Ne fais pas ça, Antanasia… Ne fais pas de ta première décision un acte de soumission, même pour Lucius. Surtout pas pour Lucius.*

— Non, finis-je par dire. Tu as détruit le pacte, c'est toi que l'on doit accuser d'avoir ruiné la paix, et les Dragomir ne s'agenouilleront pas devant un… petit tyran.

En entendant ces mots, Lucius sourit, de ce sourire moqueur qu'il affichait autrefois.

– Penses-tu que c'est ce que je suis, Jessica ? Que je suis un petit tyran, comme ce pathétique Frank Dormand ?

– Tu es pire que lui.

Son sourire se fit triste.

– Tu as raison. Frank, malgré tous ses défauts, malgré toutes ses mesquineries, n'a jamais ne serait-ce qu'imaginé détruire une femme aussi magnifique que toi.

Je cherchais toujours les bons mots à dire lorsque Lucius me tourna le dos et s'éloigna.

63.

Ma famille partit sans même toucher au festin qui avait été préparé avec soin pour célébrer mon retour. Je me retirai alors dans ma chambre et restai assise pendant plusieurs heures devant la fenêtre, le regard dans le vague, sachant que je ne trouverais pas le sommeil.

Que pouvais-je faire pour sauver ma famille ? Pour sauver Lucius ? Pouvais-je encore sauver Lucius – ou sa rédemption était-elle vraiment impossible, comme il le pensait ?

Dehors, un loup hurla dans les montagnes. Je n'avais jamais entendu un loup crier avant, ou seulement au cinéma ou à la télé, et le son qui se propagea à travers la nature était si mélancolique que je faillis me mettre à pleurer. Ce son magnifique, triste et poignant résumait tout mon voyage. Lucius était vivant – mais il aurait pu tout aussi bien ne plus l'être. Ma poitrine me faisait toujours aussi mal, peut-être même plus. J'avais placé tant d'espoir dans ces retrouvailles. Lucius avait raison. Cela ne s'était pas passé comme prévu. J'étais dévastée de le retrouver si différent.

Et cette révélation à propos des plans sur ma destruction… cela m'avait frappée en plein cœur. Pourtant, je refusais de croire que Lucius avait été complice. C'était la

390

stratégie de Vasile. Peut-être y avait-il eu une époque, lors-que Lucius était sous l'emprise de Vasile, où il aurait été capable d'envisager un tel acte de cruauté. Mais il avait changé lors de son séjour aux États-Unis. Comme il l'avait dit lui-même, il avait découvert une nouvelle façon de vivre. Il me l'avait dit : « Cela aurait pu être si différent, pour ma famille, pour mes enfants... »

Je me souvenais aussi des paroles qu'il avait prononcées : « Je t'ai sauvé la vie en rompant le pacte. »

En refusant de respecter les accords entre nos deux clans, Lucius avait risqué sa vie et s'était battu pour me sauver du plan machiavélique de Vasile. Il savait que son oncle essaierait de le détruire pour une telle insubordina-tion.

Lucius me protégerait toujours.

Malgré toutes les recommandations de mes parents à propos du caractère impitoyable des Vladescu, malgré les affirmations véhémentes de Lucius sur le fait qu'il était un danger pour moi, je voyais les choses différemment.

Mais comment pouvais-je faire comprendre à Lucius qu'il ne me ferait jamais de mal ? Que nous étions toujours – et serions toujours – destinés à être ensemble ?

Il n'y avait aucune réponse dans l'obscurité, alors je me levai et ouvris ma valise pour déballer mes affaires. Quoi qu'il arrive, je ne retournerais pas aux États-Unis, comme le désirait Lucius.

Alors que je sortais mes vêtements, l'exemplaire du *Guide à l'intention des jeunes vampires* que j'avais emporté au dernier moment tomba par terre. Je le ramassai en repensant au jour où j'avais découvert le manuel près de la porte de ma chambre, avec le marque-page en argent de Lucius brillant à la lumière du matin. J'avais d'abord détesté ce cadeau. Mais Lucius avait eu raison. Malgré son ton pompeux, l'ouvrage avait été un guide utile dans cette période difficile. Une source d'informations précises. Un peu comme un confident, alors que je n'avais personne avec qui parler des changements qui se produisaient dans mon corps, dans ma vie. Je m'assis sur le lit et ouvris le livre au dernier chapitre, que j'avais déjà lu lorsque mes sentiments pour Lucius s'étaient renforcés.

« Chapitre 13 : L'amour entre vampires : mythe ou réalité ? »

Bien sûr que les vampires pouvaient éprouver de l'amour. Dorian savait que Lucius m'aimait.

Pourtant, mon cœur se serra lorsque je lus les premiers conseils donnés par le manuel.

« Mieux vaut ne pas nourrir d'espoirs infondés à propos de l'amour entre vampires. Les vampires savent être romantiques, voire affectueux. Mais au final, nous sommes une race sans pitié ! Essayez d'accepter le fait que les relations entre vampires sont basées sur le pouvoir et, oui, la passion – mais pas sur le concept humain d'« amour ». Commencer à croire en l'"amour" – comme le font de manière stupide de nombreux jeunes vampires –, c'est vous exposer à de graves périls ! »

Non...

Je refermai le livre avec rage et le jetai sur le côté, estimant ne plus avoir besoin de ses conseils. Cette fois, le manuel – aussi respecté et honorable qu'il fût – se trompait. Je savais la vérité. Lucius m'aimait.

Je réalisai, en un moment d'extrême lucidité, que j'étais prête à jouer ma vie pour cette conviction. Et j'allais la risquer ce soir-là.

64.

Ne trouvant pas de papier à lettres adapté aux circons-tances au beau milieu de la nuit, je rédigeai ma déclaration d'abdication au dos d'un prospectus pour touristes qui décrivait notre demeure ancestrale – VISITEZ UN VÉRITABLE DONJON ! EXPLOREZ TROIS TOURS DE FORTIFICATION ! – et que j'avais trouvé près de la porte d'entrée.

J'écrivis :

Chère famille,

Il est futile de faire la guerre contre les Vladescu. J'ai décidé que, dans notre intérêt à tous, il valait mieux que je retourne aux États-Unis – et renonce à mon titre de princesse. Mais ma dernière action en tant que souveraine est d'ordonner à tous les Dragomir de se soumettre sans lutter aux règles des Vladescu. Je mets notre clan sous l'autorité de Lucius Vladescu afin que nous puissions connaître la paix. Dès lors, vous serez ses sujets.

Ceci est ma volonté et un ordre, donné le 9 juin à minuit, et qui prendra effet à 6 h 30 ce même jour, juste avant mon abdi-cation officielle à 7 heures.

Antanasia Dragomir

Je déposai la lettre sur la longue table, encore recouverte des assiettes et verres de notre festin avorté. Ici, j'étais presque certaine que Dorian la trouverait avant le petit déjeuner. Le pamphlet paraissait ridicule, posé contre un chandelier en argent terni, et j'espérais qu'au moins mes derniers mots sonnaient comme une déclaration officielle.

De toute façon, si quelqu'un venait à lire ma lettre, cela signifierait que je serais morte. Le destin du clan ne serait plus un problème pour très longtemps.

Cela n'arrivera pas, Jessica…

J'avais gardé ma robe afin de paraître aussi royale et puissante que possible devant Lucius, mais il m'était difficile de changer les vitesses dans la minuscule Panda. La traîne se prenait constamment dans la pédale d'embrayage, mais je parvins à manœuvrer pour sortir du parking et prendre la petite route sinueuse qui menait au château de Lucius.

J'étais contente d'avoir bien observé cette demeure – sa proximité avec la propriété de mes ancêtres, sa taille disproportionnée – lors de mon arrivée avec Dorian. Ainsi je fus capable de retrouver le chemin, même s'il se perdait dans les montagnes noires comme l'encre. Le trajet me parut durer une éternité. Mais finalement, j'aperçus les flèches saillantes pointant vers la lune pleine et j'empruntai l'allée qui montait presque à la verticale. Cette voie était interrompue par des virages en épingle à cheveux qui émergeaient des ténèbres tels des diables à ressorts, me forçant à freiner encore et encore pour éviter de me retrouver au fond d'un ravin.

– Allez, répétais-je en caressant le volant pour encourager la Panda.

J'étais certaine que le moteur allait me lâcher, mais il fallait à tout prix qu'il tienne le coup.

Puis la route se transforma en chemin de terre, qui continuait de grimper, inlassablement.

Enfin, alors que je commençais à croire que la pente continuerait à jamais, un portail en fer d'au moins trois mètres de haut se dressa devant moi. Pourquoi n'avais-je pas pensé à ça ? J'arrêtai la voiture et tirai le frein à main aussi fort que je pus, imaginant la pauvre Panda disparaître sur la route verticale et plonger au fond du gouffre. Relevant ma robe pour qu'elle ne traîne pas par terre, j'avançai vers le portail et posai les mains sur le gros anneau de métal qui faisait office de poignée, persuadée que ce geste était inutile.

À ma grande surprise, le portail bougea de quelques centimètres. Je poussai plus fort, luttant contre son poids, et réussis à l'entrouvrir juste assez pour me glisser à l'intérieur. C'était ça le système de sécurité légendaire de Lucius ?

J'avançai courageusement sur la terre des Vladescu, et le portail se referma dans un grand fracas métallique, qui retentit tel un gong au beau milieu de la forêt loin de ma voiture – et enfermée avec quoi ? Des vampires, évidemment... et peut-être même des choses encore plus effrayantes ? Je me souvins du hurlement du loup. Et si Lucius avait des chiens de garde ?

Devais-je rouvrir ce portail et retourner dans la voiture ?

Mais j'avais l'horrible sensation d'être coincée à l'intérieur. De toute façon, je n'avais pas vraiment l'intention de faire demi-tour.

J'arrivais à peine à discerner le sentier qu'il y avait devant moi, même à la lueur de la lune qui filtrait à travers les arbres. Je n'avais d'autre choix que d'avancer, alors je me redressai et me mis à marcher. À chaque pas, je prenais de plus en plus conscience des bruits de la forêt. Le craquement de brindilles au loin, le bruissement des feuilles alors qu'un animal – *faites que ce soit un petit rongeur inoffensif* – s'enfuyait, effrayé par le bruit de mes pas.

Il y avait aussi des choses bien plus grosses ici. Je les entendais, tout près. Alors j'accélérai le pas et me mis même à trottiner, puisque je ne pouvais pas vraiment courir sur ce sentier de terre et de pierres. *Je vous en prie, faites que le château apparaisse devant mes yeux.* Mon souffle commençait à être si irrégulier et si fort que je n'entendais plus les autres bruits, mais les monstres étaient tellement présents dans mon imagination que je n'avais pas besoin de les entendre pour savoir qu'ils étaient là et me suivaient de près. Et là, je trébuchai.

Mais avant que mes genoux touchent le sol, deux paires de mains m'attrapèrent sous les bras et me remirent brutalement debout.

Je n'avais même pas eu le temps de crier. Lorsque je relevai la tête pour connaître l'identité de ceux qui m'avaient retenue, je vis, à la lueur du clair de lune, le visage de Lucius. Il se tenait debout devant moi, les bras croisés, me bloquant le passage. Comme j'étais toujours maintenue, je regardai à mes côtés. Deux jeunes hommes – des vampires certainement – me tenaient par les bras.

– Lâchez-moi ! criai-je en me débattant.

– *Eliberati-o* ! ordonna Lucius en roumain.

Une fois libérée, je m'époussetai, comme si j'avais été salie par leurs mains.

Les jeunes vampires attendaient les instructions de Lucius, clairement prêts – même impatients – à me capturer de nouveau.

Mais, à mon grand soulagement, ils allaient être déçus.

– *Mergeţi. Lăsaţi-ne în pace*, dit Lucius, apparemment pour congédier ses gardes puisqu'ils disparurent alors dans la nuit.

L'entendre parler une langue qui lui était familière mais si exotique à mes oreilles – il n'avait presque jamais parlé roumain lorsqu'il était chez nous –, tard dans la nuit, dans une forêt lugubre et isolée, ne faisait qu'amplifier le sentiment que Lucius était devenu un étranger pour moi. Certaines de mes résolutions faiblirent.

Nous restâmes face à face en silence, son corps me barrant l'accès vers son château et ses gardes s'attendant certainement à ce que je batte en retraite.

— Depuis quand me suivais-tu ? lui demandai-je finalement.

— Les phares de ta mini-voiture sont faibles, mais tout de même visibles à plusieurs kilomètres à la ronde. Peu de gens osent se déplacer ainsi la nuit. La route est très dangereuse – sans parler de ta destination.

— Alors c'est pour ça que le portail était ouvert. Tu savais que j'arrivais.

— En effet. Je voulais savoir jusqu'où tu irais pour cette visite malavisée, affirma-t-il alors qu'il s'avançait vers moi, les mains derrière le dos. Je dois admettre que tu es allée bien plus loin que je m'y attendais. Tu es presque arrivée jusqu'à ma demeure.

— Je n'ai pas peur du noir, mentis-je.

Lucius s'approcha encore plus près avec un air menaçant.

— Il y a des loups dans ces bois. Et ils auraient bien du mal à résister à une personne aussi appétissante que toi, je le crains. Particulièrement dans cette magnifique robe rouge sang.

Je baissai les yeux sur ma robe tandis que Lucius décrivait des cercles autour de moi, m'évaluant, comme il l'avait fait plusieurs mois auparavant dans l'écurie de mes parents, le jour de notre rencontre. Il avait changé depuis – et moi aussi. Les bottes crottées avaient disparu, ainsi que mes vieux tee-shirts. Et la soie rouge luisait au clair de lune.

— N'as-tu jamais lu *Le petit chaperon rouge*, Jessica ? me demanda Lucius qui décrivait toujours des cercles autour de moi, m'empêchant d'avancer. Sais-tu ce qui arrive aux innocents qui se promènent seuls dans une forêt sombre ?

Un étrange frisson de terreur et d'excitation parcourut tout mon corps. Lucius était trop près – et pas assez près. J'avais du mal à discerner ses yeux noirs dans l'obscurité. Je n'arrivais pas à jauger son humeur. Jouait-il avec moi en prélude à un baiser ou à un coup de pieu ?

Tu joues ta vie sur la première solution, Jess.

– J'ai oublié ce conte. Ce n'est qu'une histoire pour les gamins.

Il s'arrêta juste derrière moi. Je me raidis, me sentant encore plus vulnérable lorsqu'il était dans mon dos.

– Oh, c'est une de mes fables préférées. Les origines se sont perdues dans le temps. Et il y a eu de nombreuses adaptations. Dans certaines d'entre elles, la petite fille est sauvée. Mais j'aime particulièrement la fin racontée par Perrault dans la version originale.

– Comment… Comment cela se finit-il ?

– « Mère-grand, que tu as de GRANDES dents ! » récita Lucius en se penchant si près au-dessus de mon épaule que ses lèvres frôlèrent mon oreille. « Mais c'est pour mieux te manger, mon enfant. » Sur ces paroles, le grand méchant loup saute sur le Petit Chaperon rouge – et la dévore tout entière.

Je tremblai alors qu'il récitait l'histoire, parce qu'il était très proche mais aussi à cause de l'évident plaisir qui l'animait tandis qu'il racontait cette fin atroce.

– N'est-ce pas une fin simple et satisfaisante, Jessica ? Il se mit à rire doucement.

– Personnellement, je préfère les fins plus heureuses. Son rire s'intensifia.

– Comment cela pourrait-il être plus heureux… pour le loup ? Pourquoi les humains voient-ils toujours tout du mauvais point de vue ? Les prédateurs méritent notre compassion eux aussi.

— Je ne suis pas venu pour parler de contes de fées, affirmai-je, interrompant ce débat sinistre.

Il commençait sérieusement à m'énerver.

— Cours et rentre chez toi, Chaperon rouge, dit Lucius en m'attrapant par les épaules pour me mettre dans la direction de ma voiture. Il est tard, et ici tu risques de devenir le repas du loup. Qu'écrirais-je à tes parents ? Que j'ai laissé Jessica se faire dévorer, déchiqueter, alors qu'ils ont été si accueillants avec moi ?

Je frissonnai à nouveau, cette fois principalement à cause du froid, et me tournai vers lui après m'être libérée de son emprise.

— Je veux qu'on entre pour parler. Je suis venue te proposer un marché.

Lucius s'arrêta et pencha la tête, amusé.

— Un marché ? Avec moi ? Mais tu n'as rien à m'offrir.

Malgré tout, je sentais qu'il était intrigué.

— N'est-ce pas ? me demanda-t-il.

— Si. Je crois que j'ai quelque chose qui pourrait t'intéresser.

— Et ce marché… Se conclura-t-il avec ton départ pour la Pennsylvanie ?

— Il pourrait se conclure par mon départ.

Mon départ de ce monde. À jamais.

— Tu éveilles mon intérêt, là, admit Lucius en posant de nouveau une main sur mon épaule. Et tu trembles de froid. Je suis un hôte grossier, qui te provoque ici alors que tu n'es pas habituée à la fraîcheur des nuits printanières dans les montagnes des Carpates. Allons à l'intérieur, où je pourrai confortablement te faire rager et t'inspirer la haine.

Nous marchions côte à côte sur le sentier. Lucius, le pied assuré sur ce sol qui lui était familier, moi, maladroite et dans une tenue inappropriée pour une marche nocturne. Lorsque je vacillai, Lucius tendit les bras pour me retenir.

Une fois que j'eus retrouvé mon équilibre, il laissa sa main sur mon coude, et je sentis grâce à ce simple geste que j'avais accompli un pas de plus vers la victoire dans la guerre qui opposait les Vladescu aux Dragomir.

Ou pas. Car lorsque la lourde porte en bois massif de son château se referma derrière nous, je me retrouvai cloîtrée dans une pièce gothique aux murs de pierre immenses et au plafond trop haut pour que la lumière de plus de vingt torches ne l'éclaire.

— Tu es consciente d'avoir déclaré la guerre ce soir, fit remarquer Lucius. Et à présent, tu es ma première prisonnière.

Je me retournai juste à temps pour le voir fermer brusquement un gros verrou et nous séquestrer dans sa gigantesque demeure.

— Tu plaisantes, n'est-ce pas, Lucius ?

Je n'aurais pas dû dire ça. Il plissa les yeux lorsqu'ils croisèrent les miens.

— Ce qui est triste, Jessica, c'est que je pensais presque que tu avais fini par comprendre qu'il ne fallait pas me faire confiance ce soir.

Alors que je le regardais, horrifiée, Lucius attrapa derrière son dos quelque chose qui devait être caché, glissé dans sa ceinture, tout le temps que nous avions passé ensemble dans la forêt.

Un pieu maculé et acéré.

65.

Lucius jouait avec l'objet rudimentaire mais potentiellement fatal et le faisait claquer contre la paume de sa
main.

– J'ai fait tout ce que je pouvais pour nous éviter ce
moment, mais tu refuses de coopérer. Je vais t'offrir une
dernière chance, Antanasia. Je vais ouvrir le verrou et tu
pourras te faufiler dans la nuit. Mes gardes t'assureront un
retour en sécurité jusqu'à ta voiture. Puis tu prendras un
avion pour rentrer chez toi, et tu oublieras toute cette histoire. Telle est mon offre.

Alors que Lucius parlait, son regard s'assombrissait, ses
pupilles noircissant complètement le blanc de ses yeux,
comme le feraient celles d'un animal nocturne exotique.
Sa transformation était aussi captivante et terrifiante que
la première fois que je l'avais vue, dans la salle à manger de
mes parents, lorsque Lucius avait bu le sang qui lui avait
permis de guérir. Je dus rassembler tout mon courage pour
ne pas le supplier d'ouvrir le verrou et me permettre de
m'enfuir. Mais je ne pouvais pas faire ça. Cette nuit, notre
relation courte, intense et confuse devait atteindre son
paroxysme, que ce soit en bien ou en mal. Je n'attendrais
pas plus longtemps.

Je maîtrisais ma voix avec difficulté.

— Ton offre ne m'intéresse pas. Voilà ce pour quoi je suis venue, affirmai-je en désignant le pieu. Ce que tu as dans les mains est aussi la clé de *mon* marché.

Lucius m'observait avec attention, visiblement pris au dépourvu.

— Pensais-tu m'effrayer ? demandai-je en espérant que mes yeux ou ma voix ne me trahiraient pas.

— Oui. Et tu devrais l'être.

— Peut-être que cette fois, c'est toi qui as été naïf. Tu as sous-estimé mes capacités.

Alors que Lucius hésitait, le silence de mort qui régnait dans le foyer devenait assourdissant, malgré le crépitement des torches.

— Discutons, finit-il par dire.

Lucius avança sans même vérifier que je le suivais. Il me devança dans un labyrinthe de couloirs qui donnaient sur des pièces plus vastes, comme des tunnels reliant des grottes, devant parfois se baisser pour passer sous des linteaux de pierre construits à une époque où les hommes étaient bien plus petits que Lucius Vladescu, ou monter quelques marches qui semblaient n'avoir aucune utilité. Ce château n'était pas fait pour accueillir des visiteurs, mais bien pour perdre ses ennemis. Ce n'était pas une maison. C'était une forteresse. Un piège, telle une toile d'araignée en pierre. Alors que nous pénétrions plus profondément dans l'édifice, les coins semblaient plus nombreux, les couloirs plus étroits, les escaliers plus raides. Plus qu'inquiète, je réalisai que j'étais perdue. Totalement à la merci de Lucius. Si les choses ne tournaient pas comme je l'espérais, je ne parviendrais pas à m'enfuir. Et on ne retrouverait jamais mon cadavre.

Il s'arrêta si brusquement que je lui rentrai dedans. Puis il ouvrit une grande porte que je n'avais même pas remarquée, et s'écarta sur le côté.

– Après toi.

Je le regardai avec méfiance. Ses yeux n'étaient plus aussi noirs, mais gardaient cette froideur.

– Merci.

Alors que Lucius tirait la porte derrière lui, je découvrais la chambre dans laquelle nous nous trouvions.

– Lucius… c'est magnifique.

Au cœur du labyrinthe des Vladescu se trouvait une version magnifiée et richement ornée de la pièce que Lucius avait décorée au-dessus de notre garage. Un immense tapis persan couvrait le sol, et sur les murs se dressaient des bibliothèques surchargées. Les reliures en cuir étaient craquelées et déchirées, témoignages des heures qu'il avait passées sur les œuvres des sœurs Brontë, de Shakespeare ou de Melville. Au milieu des livres se trouvait une coupe, représentant un basketteur avec un ballon au bout des doigts. La récompense que Lucius avait obtenue lors du concours de lancers francs au mois de décembre. Je me retournai vers lui en souriant, réconfortée de voir qu'il avait gardé un souvenir de sa vie aux États-Unis.

– Tu as rapporté ta coupe.

Lucius eut un sourire caustique.

– Ça ? C'est Dorian qui l'a rapportée. Je la garde pour me souvenir de ne pas redevenir un idiot – à me complaire dans des jeux ridicules alors qu'il y a des choses bien plus importantes.

Je ne le croyais pas, mais je laissai couler.

Lucius enleva son manteau puis se pencha pour attraper une bûche qu'il balança dans la cheminée. Des étincelles crépitèrent et le feu se ranima. Il avait remis le pieu dans sa ceinture. À ce moment-là, alors qu'il s'occupait de la cheminée, dos à moi, l'arme était à ma portée…

– N'y pense même pas. Tu ne serais pas assez rapide, lança Lucius sans même se retourner, occupé à bouger les bûches avec son pied.

– Ça ne m'a même pas traversé l'esprit.

Lucius se retourna, un sourire entendu sur les lèvres.

– Bien sûr que non.

Il ressortit le pieu et le caressa.

– Lucius… tu n'as pas vraiment l'intention de me détruire ce soir, n'est-ce pas ?

Au lieu de répondre, Lucius s'approcha de moi, m'attrapa par la taille et m'attira vers le centre de la pièce, où les motifs alambiqués du tapis formaient un cercle pâle et usé.

– Regarde par terre, m'ordonna-t-il avec une voix soudainement sèche en me tenant fermement le bras.

J'obéis et remarquai une tache sombre qui recouvrait la fibre. Du sang… On aurait cru que personne n'avait essayé de la nettoyer.

– Est-ce que c'est… ?

– Vasile. C'est ici que je l'ai fait. C'est ici que je l'ai détruit.

Lorsque je réussis à détacher mon regard de la tache et relevai la tête, je vis que les yeux de Lucius étaient de nouveau très sombres. Nous étions si proches l'un de l'autre que je pouvais plonger tout au fond de ses iris dilatés, et presque décrypter ses pensées, lire dans son esprit, comme les vrais vampires étaient supposés savoir le faire… Et les pensées qui émanaient du cerveau de Lucius étaient si noires que je tressaillis. Dans ses yeux, je lisais ma destruction.

– Non, Lucius.

Mais une seconde plus tard, il était derrière moi, avait passé un bras sur ma poitrine et maintenait fermement mes mains. Avec l'autre main, il tenait le pieu contre mon sternum, appuyant si fort qu'il perça presque ma peau et déchira la soie rouge de ma robe. Il s'arrêta juste à temps. Je retins mon souffle, n'osant pas bouger.

— Tu as dit avoir un marché à me proposer, grogna-t-il. Parle à présent.

— Nous y sommes, parvins-je à dire en me collant à lui pour m'éloigner du pieu. J'ai laissé une lettre à ma famille annonçant que j'abdiquais. Mais ma dernière décision a été de leur ordonner de se soumettre à toi sans lutter.

— Ce n'est pas un marché, dit Lucius en riant. C'est de la soumission.

— Non.

Je secouai la tête, sentant mes boucles se prendre dans sa barbe. Son bras puissant pesait lourd sur ma poitrine. Dans d'autres circonstances, cela aurait été le paradis d'être tenue si près de lui, d'une façon qui aurait pu être protectrice. S'il n'y avait pas eu ce pieu.

— Si tu ne me détruis pas ce soir, comme tu sembles en avoir l'intention, je retournerai au château avant même que Dorian ne se réveille et déchirerai la lettre. Et la guerre continuera.

Lucius semblait pensif.

— Tu sais que je n'ai aucun scrupule à faire cette guerre.

— Et tu dis aussi que tu n'as aucun scrupule à me détruire. À me sacrifier. Alors fais-le. Fais-le et évite cette guerre. Je me sacrifie, Lucius, clamai-je d'une voix forte qui trahissait mon émotion. Fais-le, si tu es si méchant ! Si tu es une si mauvaise personne ! Fais ce que tu affirmes vouloir depuis si longtemps !

La peur, la frustration et la colère contre son obstination à refuser d'accepter notre amour réciproque, tous ces sentiments que j'avais refoulés depuis si longtemps jaillissaient en moi et me rendaient téméraire. Ainsi, je me retrouvai à le pousser dans ses retranchements, à le provoquer, tout en sachant très bien que c'était terriblement risqué.

— Allez Lucius ! Fais-le !

— Je vais le faire ! s'écria-t-il avec véhémence.

Il respirait fort. Je sentais son torse gonfler et se presser contre mon dos. Lorsque le pieu s'appuya encore plus contre ma chair, s'enfonça, j'essayai de m'en éloigner.

— Ne me défie pas !

— C'est exactement ce que je suis en train de faire.

Le pieu me faisait mal et m'empêchait de respirer correctement. Lorsque je gémis et tournai la tête contre son épaule pour me détourner de l'arme, il céda légèrement.

— Je te défie, Lucius, poursuivis-je, m'efforçant de l'émouvoir pendant qu'il montrait une once de vulnérabilité. Je risque ma vie pour te prouver que tu n'es pas Vasile. Que tu peux retrouver le droit chemin. Que tu m'aimes trop pour pouvoir me détruire. Je te parie ce que tu veux que tu m'épargneras.

— Je ne peux épargner personne ! rugit Lucius qui, à en voir sa main tremblante sur ma cage thoracique, avait totalement perdu son calme. Tous mes choix sont aussi cruels les uns que les autres, Antanasia ! J'ai détruit mon propre oncle, nom de Dieu ! J'ai mis tes parents en péril – même s'ils ont essayé de me sauver. Mon cheval, détruit. Mon père, détruit. Ma mère, détruite. Toi – peu importe ce que je ferai, tu es déjà vouée à la destruction. Je ne peux ni t'abandonner – tu ne me laisseras pas faire – ni t'attirer dans ce monde… dans mon monde. Tout – tout ce qui m'entoure finit par être détruit !

Il enfouit son visage dans mes cheveux, visiblement à bout. Ses mains glissèrent de ma poitrine et le pieu tomba à terre. Je savais que j'avais gagné. J'avais joué avec ma vie mais j'avais gagné.

Je me retournai doucement, toujours prise au piège dans les bras de Lucius, et je passai mes mains derrière son cou pour attirer sa tête contre mon épaule et le réconforter. Il me laissa l'étreindre, caresser ses cheveux noirs, sa joue mal rasée, sa cicatrice qui ne m'effrayait plus…

– Antanasia, dit-il d'une voix tremblante. Et si je l'avais fait...

– Tu ne l'aurais pas fait. Je le savais.

– Et si un jour...

– Jamais, Lucius.

– Non, jamais, confirma-t-il avant de relever la tête.

Puis il attrapa mon visage dans ses mains et essuya délicatement mes larmes. Je n'avais même pas remarqué que je pleurais. Je ne savais pas depuis quand mes larmes coulaient.

– Pas à toi, ajouta-t-il.

– Je sais, Lucius.

De nouveau, il me serra dans ses bras et posa sa tête sur mon épaule. Essayant tous deux de reprendre notre calme, nous restâmes ainsi un long moment.

– Il y aura toujours un traître en moi, Antanasia. Cela ne changera jamais. Je suis un vampire et un prince. Le dirigeant d'une race dangereuse. Si tu veux vraiment aller jusqu'au bout, tu dois comprendre que...

– Je n'attends pas de toi que tu changes, Lucius, lui promis-je en m'écartant juste assez pour pouvoir le regarder dans les yeux.

– Et je m'inquiète de te savoir dans ce monde. Tu auras des ennemis... une princesse en a toujours. Et une princesse vampire affronte des rivaux sans pitié. Certains voudront ton pouvoir et n'hésiteront pas à faire ce que je n'ai pas eu le courage de faire.

– Tu me protégeras. Et je suis plus forte que tu ne le penses.

Bien qu'encore très bouleversé – tout comme moi –, Lucius réussit à esquisser un demi-sourire.

– C'est vrai, tu es plus forte que moi, admit Lucius. J'ai fait tout ce que je pouvais pour suivre mon idée – que tu ne sois menacée ni par moi ni par les nôtres – mais tu as démontré une détermination encore plus grande, à l'image d'une vraie princesse.

– Je voulais être avec toi, Lucius. Il fallait bien que je n'en fasse qu'à ma tête.

Nous nous serrions l'un contre l'autre au milieu de la pièce, au-dessus de la tache de sang qui symbolisait la fin du vampire qui avait essayé de transformer Lucius en véritable monstre. Derrière nous, le feu crépitait, et je repensai au bal de Noël, lorsque j'avais été transportée dans cette scène. Voilà – c'était exactement l'endroit que j'avais vu.

Lucius se pencha et posa ses lèvres sur les miennes. Alors, au cœur de ce labyrinthe de pierre, nous nous embrassâmes, d'abord tendrement, nos lèvres se touchant à peine, à plusieurs reprises. Puis Lucius passa une main derrière ma tête et l'autre dans le creux de mon dos, un geste à la fois protecteur et possessif, pour m'embrasser avec plus d'ardeur. Je sus alors qu'il était conscient que je n'étais plus qu'à lui, que j'étais la partenaire à laquelle il était destiné. Je savais que nous honorerions le pacte.

Il s'écarta pour pouvoir me regarder. Son visage était de nouveau empreint de douceur. Je savais que je rencontrerais de nouveau le prince guerrier, à de nombreuses reprises. C'était toujours Lucius Vladescu. Mais le côté dur et sévère qu'il avait en lui ne se dirigerait plus jamais contre moi. Cela n'avait jamais vraiment été le cas, d'ailleurs. Si ce n'est dans son imagination.

– C'est l'éternité, Antanasia, dit-il à la fois comme un avertissement et une imploration. L'éternité.

Il me donnait une dernière chance de partir – tout en me priant de ne pas le faire.

Je n'avais aucune intention d'aller où que ce soit en dehors de cette pièce ou de ses bras. Je penchai ma tête en arrière, acquiesçant sans un mot, et fermai les yeux lorsque Lucius trouva à nouveau le point où mon pouls battait le plus fort dans mon cou. Cette fois, il n'y eut aucune hésitation au-delà des quelques respirations pendant lesquelles nous savourions ensemble l'instant qui nous lierait l'un à l'autre à jamais. Ses crocs percèrent ma peau, et j'émis un petit cri. Je le sentis plonger, avec une force assurée mais une infinie douceur, dans ma veine, et boire en moi.

— Je t'aime, Lucius, soupirai-je, tandis que je me sentais aspirée dans son corps, devenir une part de lui-même. Je t'ai toujours aimé.

Mes propres crocs furent libérés, la douleur cessa, et quand Lucius eut terminé, ma gorge brûlait d'un plaisir vif et inimaginable. Il m'amena sur l'un des canapés et m'attira à lui afin que je puisse aisément atteindre son cou. Cela me sembla si naturel d'appuyer ma bouche contre sa peau.

— Ici, Antanasia, chuchota Lucius en me guidant délicatement vers le bon endroit.

Lorsque je sentis son pouls battre juste sous sa peau, je ne pus attendre plus longtemps pour planter mes crocs profondément, le goûter et faire de lui une part de moi.

Lucius gémit et me serra contre lui pour que mes crocs pénètrent encore plus profondément et que son sang froid et généreux coule plus facilement dans ma bouche. Il avait le goût du pouvoir et de la passion, avec une pointe de douceur...

Une fois que j'eus fini de boire, il caressa mon visage et m'aida à faire rentrer les crocs auxquels je n'étais pas encore habituée.

— Oh, Antanasia, murmura-t-il. Moi aussi, je t'ai toujours aimée.

Épuisés, nous dormîmes dans les bras l'un de l'autre sur le canapé près du feu, comblés, pleinement heureux. Je dormis toute la nuit. Pendant mon sommeil, Lucius, lui, se leva et partit discrètement. Lorsque je me levai juste avant l'aube, comprenant qu'il fallait que je me dépêche de rentrer chez moi pour détruire la lettre – avant que je n'abdique accidentellement –, Lucius m'annonça que les jeunes gardes s'étaient déjà assurés que mon règne ne prenne pas fin plus tôt que prévu.

Et lorsque je vins me pelotonner contre Lucius, ma tête sur sa poitrine, protégée par ses bras forts, les doigts tâtant les trous déjà cicatrisés dans mon cou, je réalisai qu'il ne s'était pas limité à donner des ordres à ses sous-fifres.

Le pieu qui était tombé sur le tapis avait disparu.

Lucius ne me raconta jamais ce qu'il en avait fait. Avait-il jeté le souvenir de son acte le plus violent et de notre plus sombre épisode dans le feu ? Ou l'avait-il caché quelque part dans le château, au cas où il déciderait de le réutiliser un jour ? Je ne lui demandai jamais.

REMERCIEMENTS

À première vue, écrire est un acte solitaire – jusqu'à ce qu'on s'assoie tranquillement après la période de création pour penser à toutes les personnes qui ont fait que « votre » livre existe.

Je remercie particulièrement mon agent, Helen Breitweiser, une force de la nature qui n'a pas seulement promu le livre, mais m'a aussi tenu la main durant toute sa réalisation. Je n'aurais pu rêver d'une meilleure alliée.

Je dois aussi beaucoup à mon éditrice, Gretchen Hirsch, pour ses bonnes idées et sa façon experte de gérer un nouvel auteur qui se pose un nombre incalculable de questions. J'ai eu beaucoup de chance d'avoir une telle partenaire.

Et merci, aussi, à Liz Van Doren, qui a été la première à me donner des conseils.

Pour finir du côté éditorial, je suis très reconnaissante à Kathy Dawson qui est intervenue à la dernière minute et a permis de mener ce projet à terme.

Pour ce qui est de l'équipe « maison »... Je n'aurais certainement jamais ne serait-ce que commencé à écrire un roman sans le soutien de mon fantastique époux, Dave, qui m'a non seulement fourni un soutien moral constant, mais a réussi l'exploit d'occuper nos turbulents enfants et de les empêcher d'entrer dans mon bureau, pour me permettre de travailler. Mes parents et beaux-parents, George et Elaine Kaszuba, ont aussi joué régulièrement les baby-sitters, en m'adressant toujours un mot d'encouragement. Je les en remercie.

Et à propos d'enfants turbulents… merci à Paige et Julia, qui, n'ayant pas encore l'âge d'aller à l'école, n'ont absolument aucune idée de ce que je fais, assise pendant des heures devant un ordinateur, mais trouvent tout de même ça sympa. Ça, c'est du soutien.

Achevé d'imprimer par GGP Media GmbH, Pößneck
en juillet 2010
pour le compte de France Loisirs,
Paris

Nᵒ d'éditeur : 60161
Dépôt légal : août 2010
Imprimé en Allemagne